Ruth Rendell

Goede buren

A.W. Bruna Uitgevers B.V., Utrecht

Oorspronkelijke titel
Tigerlily's Orchids

Vertaling
Rogier van Kappel
Omslagbeeld
© Jen Kiaba/Trevillion Images
Omslagontwerp
Wil Immink Design

ISBN 978 94 005 0038 9
NUR 305

Voor de citaten uit *Paradise Lost* is gebruikgemaakt van John Milton, *Het verloren paradijs.* Vertaald door Peter Verstegen. Amsterdam: Athenaeum – Polak & Van Gennep, 2003.

Het citaat uit Shakespeares sonnet 116 is afkomstig uit *De Werken van William Shakespeare. Twaalfde deel.* Vertaald door dr. L.A.J. Burgersdijk. Leiden: E.J. Brill, 1888.

Dit boek is gedrukt op papier dat het keurmerk van de Forest Stewardship Council (FSC) mag dragen. Bij dit papier is het zeker dat de productie niet tot bosvernietiging heeft geleid. Een flink deel van de grondstof is afkomstig uit bossen en plantages die worden beheerd volgens de regels van FSC. Van het andere deel van de grondstof is vastgesteld dat hiervoor geen houtkap in de laatste resten waardevol bos heeft plaatsgevonden. Daarom mag dit papier het FSC Mixed Sources label dragen. Voor dit boek is het FSC-gecertificeerde Munkenprint gebruikt. Dit papier is 100% chloor- en zwavelvrij gebleekt en wordt geleverd door Arctic Paper Munkedals AB, Zweden.

Voor Valerie Amos

1

Olwen was gin aan het kopen bij Wicked Wine. Van Rupert, de eigenaar, had ze begrepen dat *wicked* tegenwoordig hip of cool betekende, en niet slecht of boosaardig – net zoals *gay* in sommige kringen inmiddels steeds vaker gebruikt werd om iets slechts of smerigs aan te duiden. Het kon haar niet veel schelen, al vroeg ze zich wel hardop af waarom een winkel die bier, sterkedrank, Coca-Cola en sinaasappelsap verkocht, alleen wijn in zijn naam had staan. 'Zo is het nou eenmaal,' zei Rupert, alsof dat ook maar iets verklaarde.

Ze kocht drie flessen goedkope gin. Bombay Sapphire werd prijzig als je er zoveel van dronk als zij. Ze had geen bezwaar tegen wodka, maar dronk toch liever gin. Voor de afwisseling had ze weleens rum geprobeerd, maar dat was smerig als je het onverdund dronk, en sinaasappelsap kon ze niet verdragen, om over zwartebessensap nog maar te zwijgen.

'Lukt het zo?' vroeg Rupert, 'of wilt u dat ik er nog een tasje omheen doe?'

'Eigenlijk niet.'

'Uw buurman, Stuart heet ie toch, zijn achternaam weet ik niet meer, heeft hier vanochtend champagne ingeslagen. "Feestje?" vroeg ik, en hij zei dat het een housewarmingparty was, ook al woont hij hier al maanden, en dat hij alle andere bewoners van Lichfield House zou uitnodigen.'

Olwen knikte maar zei niets. Buiten in Kenilworth Parade sneeuwde het, en het was geen natte sneeuw. Deze sneeuw bleef liggen en vormde langzaam een steeds dikkere laag. Met rubberen laarzen aan strompelde Olwen erdoorheen. De gemeente had één rijstrook schoongeveegd voor autoverkeer, waar het wegdek nu snel weer wit begon te worden, maar voor de voetgangers was volstaan met het strooien van wat mosterdkleurig zand op de met ijs overdekte, spekgladde stoep. Ze kwam langs de meubelwinkel, het pizzarestaurant, het postkantoor, en de zaak van meneer Ali op de hoek en liep Kenilworth Avenue in. Het grootste deel van de tijd was het hier zo saai en treurig als het alleen in een afgelegen Londense voorstad kan zijn, maar de dunne sneeuwsluier waarmee alles nu overdekt werd, toverde de straat om tot een fraaie kerstkaart. Kleine coniferen in de voortuin van het appartementencomplex priemden met hun

donkergroene toppen door de deken van sneeuw, en er druppelde water van de smeltende ijspegels.
Wankelend liep Olwen met haar tas vol flessen het bordes op. De schuifdeuren weken uiteen om haar te ontvangen. In de hal kwam ze Rose Preston-Jones met haar hondje McPhee tegen. Over het algemeen lieten andere mensen Olwen volstrekt onverschillig, en anders mocht ze hen niet. Rose wantrouwde ze bijna net zo erg als Michael Constantine. Rose was dan wel geen arts, maar met haar acupunctuur en haar belangstelling voor kruidengeneeskunde, haar ontslakkingskuren en haar aromatherapie kwam ze daar aardig in de buurt. Zulke mensen waren in staat om zich te bemoeien met haar drankgebruik.
'Sneeuwt het nog?' vroeg Rose.
'Eigenlijk niet.'
Olwen was lang geleden al tot de ontdekking gekomen dat 'Eigenlijk niet' een antwoord was dat je zonder risico voor bijna elke vraag kon gebruiken – al moest je voor 'Hoe maakt u het?' met iets anders aankomen, en voor 'Hebt u zaterdag iets te doen?' zelfs met precies het tegenovergestelde. Niet dat de mensen haar vaak iets vroegen, want ze gaf duidelijk aan dat ze vrij onbenaderbaar was. Rose leek even naar de plastic tas te kijken, maar misschien was haar blik gewoon op de hond gericht, want toen ze weer opkeek, zei ze dat ze McPhee maar eens moest uitlaten.
De lift stond klaar, met de deuren open. Olwen was er net in gaan staan, toen Michael Constantine tussen de dichtschuivende deuren door stapte. Hij had van die benen die bij een fotomodel worden omschreven als 'benen tot aan haar nek', en omdat hij bijna twee meter lang was, nam hij heel lange passen. Hij was de beleefdste bewoner hier, en hij vroeg Olwen hoe ze het maakte.
'Niet geweldig,' zei Olwen, zonder te vragen hoe het met hém ging, en hoewel ze wist dat hij op de eerste verdieping woonde, drukte ze op de knop voor de tweede. Het was een eigenaardigheid van deze lift dat hij niet meer stopte op een lagere verdieping als je op de knop voor een hogere verdieping had gedrukt, en dus moest Michael eerst met haar mee naar de tweede. Hij hield zichzelf voor dat hij zich als arts moest gedragen, ook al was hij dat nog maar sinds kort.
'Zorg dat u warm blijft,' zei hij. 'Pas goed op uzelf.'
Olwen haalde haar schouders op. Dat was een andere manier om je ergens zonder veel gedoe vanaf te maken. Zonder ook maar een woord te zeggen stapte ze de lift uit, net op het moment dat een van de meisjes het appartement uit kwam dat ze deelde met twee leeftijdgenootjes. Geen van drieën had ooit iets anders aan gehad dan een spijkerbroek met een T-shirt, een sweater of jurk vol ruches erboven. Een van hen was eigenlijk te zwaar, een was te mager en de derde zat daartussenin. Behalve een spijkerbroek droeg deze meid ook een rode gewatteerde jas, met daaronder zo te zien verschillende truitjes over elkaar. Olwen had

hun namen een paar keer te horen gekregen, maar was erin geslaagd om die alle drie weer te vergeten. Ze maakte de voordeur van nummer 6 open en zette de tas op het aanrecht.

De woonkamer was ingericht op comfort, niet op schoonheid. Geen boeken, geen planten, geen schilderijen of snuisterijen, geen gordijnen en geen klok. Eén wand werd in beslag genomen door een diepe, zachte, aftandse sofa, met daarnaast een diepe, zachte en comfortabele leunstoel met een voetenbankje tegenover een grote flatscreen-tv. De luxaflex, die nu precies tot halverwege het venster hing, werd vanuit die positie slechts zelden opgetrokken of neergelaten, en door de onderste helft van het raam zag ze de stevige, van een koepeldak voorziene kerktoren van de door sir Robert Smirke gebouwde kerk en de boomtoppen van Kenilworth Green. En de sneeuw natuurlijk, die nu met grote, donzige vlokken neerdwarrelde. De slaapkamer was nog eenvoudiger ingericht, met niet meer dan een groot tweepersoonsbed en daartegenover een boekenplank met een rijtje boeken.

De keukenkastjes waren leeg, op één na. Het weinige eten dat er in huis was, lag in de koelkast. Het keukenkastje was heel wat minder vol dan aan het begin van de week. Olwen vulde haar voorraad aan door de drie nieuwe flessen op een plank te zetten, naast een volle fles en een halflege. Ze pakte die laatste van de plank en schonk bijna een derde van een groot glas vol. Het had geen zin om te wachten tot ze zat voordat ze begon te drinken – in Olwens huidige leven was er geen enkele reden om ook maar iets te doen waar ze geen zin in had – en dus dronk ze het glas voor de helft leeg, voordat ze het bijvulde en naar de sofa liep. Die was zo laag dat ze dicht bij de grond zat en geen tafeltje nodig had. Glas en fles werden naast de telefoon op de houten vloer gezet.

Ze hing op de bank, met haar voeten op een kussen, en zoals zo vaak dacht ze na over het feit dat ze zich op haar zestigste in de situatie bevond die ze al haar hele leven had nagestreefd. Na twee onbevredigende huwelijken, fulltime werk waar maar geen einde aan leek te komen, huizen die haar niet bevielen, stiefkinderen met wie ze niet overweg kon en stroeve, onvriendelijke relaties, gaf ze nu toe aan een behoefte die ze altijd al had gevoeld, maar om uiteenlopende redenen altijd in bedwang had gehouden. Ze dronk nu de onbeperkte hoeveelheden alcohol waar ze altijd al naar had verlangd. Ze was, veronderstelde ze zonder woede of spijt, zichzelf dood aan het drinken.

Het lijstje dat Stuart Font had gemaakt luidde: mw. Olwen Curtis, nr. 6; meisjes – namen onbekend, nr. 5; dokter Constantine en echtgenote, nr. 4; Marius achternaam onbekend, nr. 3; mw. Rose Preston-Jones, nr. 2; ik, nr. 1. Die laatste vermelding streepte hij door omdat hij zichzelf niet hoefde uit te nodigen voor zijn eigen housewarmingparty. De flat waarin hij in oktober zijn intrek had genomen, was nog steeds nauwelijks ingericht, op drie spiegels na, plus een groot tweepersoonsbed in de slaapkamer en een driezitsbank in de woonkamer. Het zag er niet erg gezellig uit, maar Stuart had een meubelwinkel gezien in Kenilworth Parade die vanwege de kredietcrisis zijn prijzen flink had verlaagd. Voordat hij de hal in liep om de namen en flatnummers op de postvakjes te controleren, dacht hij eraan om zijn sleutel mee te nemen. Hij had twee keer zijn sleutel vergeten en had beide keren lang moeten zoeken naar de conciërge of huismeester, of hoe de man zichzelf ook mocht noemen.

De meisjes op nummer 5 bleken Noor Lateef, Molly Flint en Sophie Longwich te heten, en de man die alleen op nummer 3 woonde heette Marius Potter. Nu had Stuart van iedereen de juiste gegevens. Hij was vandaag nog niet buiten geweest en liep wat aarzelend het bordes op. Het sneeuwde nog steeds en de trottoirs, het gras, de daken en de geparkeerde auto's waren overdekt met een laagje sneeuw. Stuart merkte dat de schuifdeuren open bleven als hij op de eerste trede van het bordes ging staan, zodat er een bitterkoude windvlaag naar binnen waaide. Haastig stapte hij weer naar binnen en ging terug naar zijn eigen appartement, ging weer zitten, vulde de namen op zijn lijstje aan en vroeg zich af of hij de huismeester (meneer Scurlock), de Chinezen (Vietnamezen, Cambodjanen?) van hiertegenover, de al wat oudere man in het huis hiernaast, Rupert van Wicked Wine en zijn beste vrienden Jack en Martin ook zou uitnodigen. En Claudia. Als hij Claudia uitnodigde, zou hij dan ook haar man Freddy niet moeten uitnodigen, of zou dat gezien de huidige omstandigheden eigenlijk juist heel raar zijn?

Stuart zette de namen op zijn lijstje, liep naar de keuken en maakte een grote beker warme chocolademelk. Daar hield hij erg van. Het drong tot hem door, en dat was niet voor het eerst, dat hij weliswaar vijfentwintig was, maar dat hij toch in veel opzichten geen flauw idee had hoe het hoorde. Dat kwam doordat hij zijn hele leven bij zijn ouders had gewoond. Hij had drie jaar bedrijfskunde gestudeerd, maar aan een universiteit die vanuit zijn ouderlijk huis gemakkelijk met de metro te bereiken was. Het bedrijf waar hij na zijn afstuderen had gewerkt totdat hij zijn erfenis had gekregen en ontslag had genomen, was ook per metro bereikbaar geweest, want het lag op niet meer dan honderd meter van Liverpool Street Station. Hij was alleen maar van huis geweest op vakanties en wanneer hij zo nu en dan bij verschillende vriendinnetjes was blijven slapen.

Dat alles betekende dat mensen uitnodigen, drank inslaan, eten kopen, enig begrip ontwikkelen voor hoe je een huishouden draaiende hield, eraan denken om je sleutels bij je te steken, onderhandelen met wat zijn moeder leveranciers noemde, en het betalen van allerlei rekeningen voor hem volkomen nieuw was. Hij kon niet zeggen dat hij het onder de knie begon te krijgen, maar hij zou wel moeten. Sinds zijn komst hier had hij eigenlijk alleen maar wat rondgehangen

met Claudia. Warme chocolademelk maken zonder zijn handen te branden was al een kleine triomf. Hij bedacht hoe prettig het zou zijn als hij zijn moeder hier in huis had, maar dan wel een andere moeder, een die als het ware was aangepast aan zijn behoeften; een moeder die net zo bewonderenswaardig was als huishoudster, kokkin en wasvrouw als die van hem, maar dan wel een heel stuk stiller, zodat ze alleen maar zo nu en dan ja of nee zei, en in staat was om zich zonder ook maar een woord of een blik uit de voeten te maken als Claudia langskwam. Het zou een moeder moeten zijn die zijn muziek niet hoorde en onzichtbaar was voor zijn vrienden, een moeder die nooit kritiek had of liever nog, die de aspecten van zijn gedrag die haar goedkeuring niet verdroegen niet eens opmerkte. Maar zo iemand zou zijn moeder niet meer zijn.
Terwijl hij dat zo zat te denken en de laatste slok van zijn chocolademelk nam, belde ze. 'Hoe gaat het met je, jongen? Prettig weekend gehad?'
Stuart zei dat het wel oké was geweest. In werkelijkheid had hij een fantastisch weekend achter de rug, want hij had het grootste deel van de zaterdag en een deel van de zondagmiddag met Claudia in bed gelegen. Maar daar kon hij beslist niets van laten doorschemeren.
'Ik zat te denken.'
Hij vond het altijd vreselijk vervelend als zijn moeder dat zei. Dat was iets nieuws van haar, een gewoonte die ze na zijn vertrek had ontwikkeld, en het leidde steevast tot narigheid.
'Ik zat te denken dat je nu misschien toch echt beter een baan kunt zoeken, vind je ook niet? Toen je het geld van tante Helen erfde, zei je dat je een sabbatical zou nemen, maar mensen nemen een sabbatical als ze van de middelbare school af zijn en nog moeten gaan studeren. Ik vroeg me af of je dat wel wist.' Ze sprak alsof ze een wereldschokkende ontdekking had gedaan. 'Papa begint zich erg ongerust te maken,' voegde ze er nog aan toe.
'Heeft hij ook al zitten denken?'
'Alsjeblieft, doe nou niet zo sarcastisch, Stuart. We willen alleen maar dat het goed met je gaat.'
'Ik heb geen tijd om een baan te zoeken,' zei hij. 'Ik moet meubels kopen en ik heb maar de helft van de erfenis aan dit huis uitgegeven. Ik heb nog geld genoeg.'
Zijn moeder lachte. Het geluid dat ze maakte leek meer een reeks korte pufjes dan echt lachen. 'Niemand heeft tegenwoordig nog geld genoeg, jongen. Niet met deze economische recessie, of hoe het ook mag heten. Niemand. Natuurlijk moest jij zo nodig een flat kopen zodra je die erfenis kreeg. Papa heeft het altijd een vergissing gevonden. Ik weet niet hoe vaak hij al niet tegen me heeft gezegd dat je nog even had moeten wachten; "De huizenprijzen dalen zo snel dat hij dat huis binnenkort voor de helft had kunnen krijgen van wat hij er nu voor heeft neergeteld. Hij had gewoon nog even moeten wachten."'

Stuart bedacht dat hij zijn moeder onder geen beding bij zich in huis zou willen hebben, hoe vaak ze ook de was deed, opruimde en kookte, want een ingrijpende karakterverandering was ondenkbaar. Hij hield de hoorn een eind van zich af, maar toen ze drie keer 'Stuart, ben je daar?' had gezegd, bracht hij die weer naar zijn oor toe en zei, niet naar waarheid, dat er werd aangebeld en dat hij moest opendoen. Hij had de verbinding nog maar nauwelijks verbroken toen zijn mobieltje, dat aan de andere kant van de kamer op de vloer lag, 'Nessun dorma' begon te spelen. Claudia. Ze belde hem altijd op zijn mobieltje. Dat was intiemer dan een vaste verbinding, zei ze.
'Zal ik vanmiddag langskomen?'
'Ja, graag,' zei Stuart.
'Ik dacht wel dat je dat zou zeggen. Ik krijg toch wel een sleutel van je, hè? Ik heb Freddy gezegd dat ik Russische les neem. Russisch is heel moeilijk en het gaat jaren duren voordat ik het onder de knie heb.'
'Wat zullen we doen als je hier bent?' vroeg Stuart, die heel goed wist dat die vraag hem een lange beschrijving vol opwindende details zou opleveren. En zo ging het ook. Hij ging op de bank zitten, legde zijn voeten op de kussens en hoorde het in vervoering aan. Buiten bleef het sneeuwen. De grote, donzige vlokken dwarrelden als zwanendons door de lucht.

Meneer en mevrouw Constantine hadden laat geluncht, zo laat dat ze de enige klanten waren in restaurant Sun Yu Tsen, dat tussen Wicked Wine en de kapper in zat.
'Ik moet nog wat foto's maken voor het licht weg is,' zei Katie en ze viste haar camera uit haar tasje. 'We zouden een eindje kunnen lopen. We nemen eigenlijk nauwelijks lichaamsbeweging.'
Ze vond de sneeuw betoverend en huppelde over de stoep, terwijl ze zo nu en dan een handje sneeuw opraapte. Michael vroeg zich af of hij iets over sneeuw zou kunnen schrijven voor zijn column, iets over de kristallen die allemaal een ander patroon hadden, of misschien moest hij de lezers maar eens uit de waan helpen dat het zo koud kon worden dat er geen sneeuw meer kon vallen. Maar tegen de tijd dat zijn stukje verscheen, zou het spul waarschijnlijk alweer gesmolten zijn.
'Zullen we een sneeuwpop maken, Michael? Als we terug zijn, kunnen we dan een sneeuwpop maken in de voortuin? Dat zullen ze toch niet erg vinden?'
'Wie zou daar nou bezwaar tegen hebben?'
'Ik heb foto's van sneeuwpoppen gezien. Ik wil er zelf ook een.'
'Het dooit, weet je. Morgen is het allemaal weer weg.'
'Dan kan ik maar beter snel wat foto's maken.'
Hun lichaamsbeweging bestond uit een eindje door de straat, de rotonde over,

door Chester Grove, en dan vandaaruit naar huis langs Kenilworth Parade, waar ze net geluncht hadden. Katie bleef zo nu en dan staan om een foto te maken van kinderen die sneeuwballen gooiden, een hond die door de sneeuw rolde, een kind met een sleetje. Thuis in Lichfield House wees ze Michael op de huizen tegenover hen; alle daken waren bedekt met sneeuw, op de twee middelste na.
'Raar hè? Ik maak er nog even een foto van en dan moesten we maar eens naar binnen gaan, vind je niet? Het wordt zo donker.'
In de gang kwamen ze de drie meisjes van nummer 5 tegen. Molly Flint en de magere Noor Lateef huiverden in hun halfdoorzichtige bloesjes en gescheurde jeans. Sophie Longwich droeg een gewatteerde jas en een wollen muts, en had het daarin duidelijk heel wat warmer.
'Ik ben gewoon bevroren,' zei Molly. 'Volgens mij heb ik longontsteking.'
'Nee, hoor,' zei Michael, de medicus. 'Je krijgt geen longontsteking door de deur uit te gaan terwijl je gekleed bent alsof het hoogzomer is. Dat is ouwewijvenpraat.' Misschien moest hij daar ook maar eens over schrijven.
Noor was terug gelopen naar de schuifdeuren en keek naar buiten. 'Het is weer gaan sneeuwen.'
'Dat dak raakt nu wel bedekt,' zei Michael tegen Katie en hij drukte op de liftknop. Terwijl ze stonden te wachten zeiden Noor en Sophie tegen Molly dat als ze nog dikker werd, ze niet meer samen met de anderen in de lift zou passen.
Net toen ze met z'n vijven in de lift stonden en de deuren waren dichtgeschoven, kwam Claudia Livorno aangelopen. Ze had een fles Verdicchio bij zich en bewoog zich heel voorzichtig, want het tuinpad was glad en ze liep op hoge hakken. Ze belde aan bij nummer 1.

Olwen had niets te eten in huis behalve brood en jam, en dus at ze maar een boterham, en toen ze wakker werd na haar lange middagdutje, maakte ze een nieuwe fles gin open. Ze ging nooit naar de dokter, maar Michael Constantine had gezegd dat ze volgens hem aan beginnende scheurbuik leed. Hij had gezien dat haar tanden loszaten. Ze wiebelden in haar kaken en bleven aan haar lippen haken als ze iets zei.
In de flat onder haar zat Marius Potter in een leunstoel die nog van zijn oma was geweest, Gibbons *Opkomst en ondergang van het Romeinse rijk* te lezen. Hij las het voor de tweede keer. Als hij het stukje over de moord op Commodus uit had, zou hij bij Rose Preston-Jones gaan eten. Het zou zijn derde bezoekje worden, de vijfde keer dat ze elkaar thuis zagen, en hij keek er verlangend naar uit. Hij had al een keer de *sortes* voor haar gelezen, en als ze het vroeg, wilde hij dat best nog eens doen.
Al op de dag dat ze hier haar intrek nam, hadden ze elkaar al als zielsverwanten herkend, al hadden ze behalve hun vegetarisme niets gemeen. Marius moest een

beetje lachen (maar alleen in zichzelf) om haar zweverige beroep en newage-manier van leven. Rose was geen intellectueel, maar hij vond dat ze een heldere en aantrekkelijke manier van denken had, en een onschuldig, lief en vriendelijk karakter. Maar iets aan haar kon hij niet helemaal plaatsen, en dat zat hem een beetje dwars. Terwijl hij Miltons *Paradise Lost* uit de boekenkast pakte, die nog van zijn oudoom was geweest, bedacht Marius opnieuw dat hij er vrijwel zeker van was dat hij haar vroeger, lang geleden al, misschien wel dertig jaar, al eens eerder had ontmoet. Het was niet haar naam of gezicht, maar iets aan haar bracht hem een ontmoeting uit het verleden in herinnering. Het kwam door haar persoonlijkheid of haar manier van bewegen, iets wat hij niet nader kon omschrijven en wat hij daarom maar de 'kwaliteit van haar ziel' noemde. Rose zou het volgens hem ook zo omschrijven, daarvan was hij eigenlijk wel overtuigd. Hij zou het haar natuurlijk gewoon kunnen vragen, natuurlijk kon dat, maar iets weerhield hem daarvan, een of ander onduidelijk gevoel van onhandigheid of schaamte. Hij hoopte maar dat het hem binnenkort te binnen zou schieten.

Met het zware boek van Milton in zijn handen liep hij de trap af naar de begane grond. Toen Rose hem binnenliet, leek ze op te doemen uit de nevelen van een ver verleden, toen de wereld nog jong was en alle blaadjes groen. Maar toch kon hij haar nog steeds niet thuisbrengen.

2

Vanwege de recessie hadden de advocaten Crabtree, Livorno en Thwaite minder te doen dan gebruikelijk, en dus had Freddy Livorno een middag vrij genomen.

Nu bevond hij zich in de woonkamer van zijn mooie huisje in Islington, waar hij een boeket droogbloemen ontmantelde dat op een bijzettafeltje stond. Voorzichtig haalde hij de pluimen pampagras eruit, gevolgd door de prikkelige stengels van de kaardenbollen en de slanke, broze stelen van de judaspenning (judaspenning!) met hun doorzichtige ovale zaadlobben. Toen het mandje leeg was, legde hij het hightech afluisterapparaatje erin dat hij in een winkel in Regent Street had gekocht, en zette de droogbloemen terug, zodat het apparaatje niet meer te zien viel.

Daarna was Claudia's computer aan de beurt, die ze uitsluitend gebruikte voor haar journalistieke werk als adjunct-moderedactrice van een landelijke krant. Een klein dingetje, zo klein dat het bijna onzichtbaar was, werd tussen de stekker van het toetsenbord en de daarvoor bestemde aansluiting op de pc geschoven. Dat zou wel voldoende zijn, zei Freddy in zichzelf. Technologie was iets wonderschoons. Wat een verbetering vergeleken met privédetectives! Als advocaat had hij veel met die types gewerkt, maar hij vermoedde dat hun dagen inmiddels geteld waren. Die afluisterapparaatjes kostten een hoop geld – voor deze twee had hij niet veel teruggekregen van de achthonderd pond die hij op de toonbank had neergeteld – maar dat was niets vergeleken bij de rekening van een privédetective.

Freddy was er de man niet naar om te speculeren over de identiteit van de minnaar van zijn vrouw, laat staan over zijn karakter. Zulke details zouden na verloop van tijd vanzelf aan het licht komen. Ze had hem vast ontmoet toen ze hem interviewde voor haar werk. Het was heel goed mogelijk dat ze het had aangelegd met een mannelijk model. Maar dat kon hem weinig schelen. Hij zou niet eens met zekerheid kunnen zeggen of hij nog van haar hield. Maar hij wist wél zeker dat hij haar niet kwijt wilde en ook niet van plan was om haar kwijt te raken. Er was een praktische kant aan de zaak: hij moest een hypotheek afbetalen op dit kleine maar buitengewoon dure huis, en haar bijdrage maakte dat

een stuk eenvoudiger. In deze zware tijden kon je er nooit helemaal zeker van zijn wat de banken zouden doen om hun geld terug te krijgen als een huiseigenaar de aflossing niet meer kon opbrengen. Nee, hij kon de 33,3 procent die Claudia bijdroeg niet missen. En hoewel ze slechts twee jaar jonger was dan hij, was ze een vrouw met wie hij voor de dag kon komen: knap, een prachtig figuur, goed gekleed en intelligent.
Vandaag was ze kennelijk naar Russische les. Freddy geloofde niet in die Russische les, maar vond het niet de moeite waard om dat na te trekken. Dat was niet nodig nu hij over deze handige apparaatjes beschikte. Hij keek in het wijnrek en zag dat er een fles Verdicchio ontbrak, terwijl hij zeker wist dat hij die daar vanochtend nog had zien staan. Ongetwijfeld lag ze daar nu samen met die geheimzinnige minnaar van haar van te genieten, terwijl ze het tussen twee vrijpartijen in rustig aan deden. Morgen, had ze hem verteld, zou ze de hele dag thuis zijn om een stuk te schrijven over hoe je je goed kon kleden tijdens een recessie. Alles wat ze op die computer typte, elke mail die ze verstuurde, zou hij kunnen lezen als ze eenmaal naar bed was gegaan. Daarvoor hoefde hij alleen maar een eenvoudige code in te toetsen. En zodra hij het mobiele nummer van het afluisterapparaatje in de mand met droogbloemen invoerde, zou hij alles wat ze had gezegd op zijn mobieltje kunnen horen. En dan?
Dan zou hij maatregelen nemen.

Als je tegenwoordig voor de krant schreef, hoorden je stukjes vol met verwijzingen te staan, al was het maar heel zijdelings, naar tv-programma's, beroemdheden en popmuziek. Claudia was te jong om ooit anders gekend te hebben en daarom kostte het haar geen moeite om iets met Coldplay te vergelijken, de overeenkomsten tussen een model in opkomst en Cheryl Cole op te merken en op scherpe maar toch geamuseerde toon te verwijzen naar Jonathan Ross' meest recente vloekpartij terwijl hij voor de camera's stond. Dat waren de dingen die haar lezers begrepen. De meesten van hen waren onder de veertig. Claudia had geen geduld met journalisten die Shakespeare citeerden of naar *Rigoletto* verwezen. Dachten ze nou echt dat hun lezers ooit ook maar een voet in het Globe Theatre hadden gezet of naar de opera waren geweest?
Claudia begon met een paar opmerkingen over winkelen. Dat was altijd de favoriete bezigheid geweest van de Britse vrouw, zowel die van onder als die van boven de veertig. Zou dat ooit veranderen? Haar onderzoek had haar een hoop leuke verhalen over winkelen opgeleverd, zoals lijstjes van vrouwen die het meest hadden uitgegeven, het hoogste bedrag dat een vrouw er naar verluidt ooit binnen drie uur doorheen had weten te jagen in Knightsbridge, de stormloop op warenhuizen in het West End zodra die om zeven uur 's ochtends hun deuren openden, en om te laten zien dat ze zich heus wel om de medemens

bekommerde, ook een kort statistisch overzicht van het lijden van de kleine kinderen die in Chinese ateliers achter de naaimachines zaten. Straks zou ze verder gaan met de wijze waarop de kredietcrisis het uitbundige winkelen aan banden zou kunnen leggen, maar nu ging ze eerst even een kopje koffie inschenken uit de pot die ze had gezet voor ze met haar stukje begon.

Ze typte nog twee zinnen voordat ze pauze nam. Claudia hield zich aan een principe dat inhield dat ze al met het volgende deel begonnen moest zijn voordat ze een koffie- of theepauze inlaste. Als je eenmaal een beginnetje had, was het een stuk gemakkelijker om over een halfuur of zo weer aan de slag te gaan. De koffie was zwart en sterk, met een beetje schuim erop dat afkomstig was van de kunstmatige zoetstof die ze erin had gedaan, ook al veroordeelde ze die gewoonte scherp als ze over een gezond dieet schreef.

Ze schoof het dienblad weg voordat ze haar beker neerzette, en duwde daarmee het mandje met droogbloemen iets opzij. Die bloemen leken wat minder fraai geschikt dan anders, maar dat zou ze zich wel verbeelden. Wie zou die dingen nou aanraken, afgezien van zijzelf? Maria was daar veel te lui voor en het idee dat Freddy iets in het huishouden zou doen, was volstrekt belachelijk.

Haar mobieltje meldde haar dat het 10:31 was. Ze belde Stuarts nummer. Hij nam slaperig op, maar klonk ineens heel wat energieker nadat ze hem had verteld hoezeer ze de vorige middag had genoten, en daarbij vrij diep inging op bepaalde details. Nee, vandaag kon ze niet komen. Dat leidde tot wat speelse opmerkingen en woordspelingen over een mogelijk ander gebruik van het werkwoord dat ze zojuist had gebruikt, al dan niet in combinatie met het woordje 'klaar', en daarna stelde ze voor dat hij haar overmorgen mee uit lunchen zou nemen, maar niet in die buurt waar hij woonde, dat absoluut niet. Waarom niet in Hampstead, wat niet te ver weg was om 's middags nog terug te kunnen naar zijn flat, al zou hij dan misschien wel een beetje moe zijn? De suggesties die hij deed voor een aantal manieren om de uren na de lunch door te brengen, ontlokten haar een 'Stuart, wat ben je toch lief' en 'Dat wil ik echt eens proberen. Ik kan gewoon niet wachten!'

Ze zou hem ophalen – 'Vergeet niet dat ik nu een sleutel heb!' – maar ze zou haar auto aan Kenilworth Avenue laten staan, en dan zouden ze samen een taxi nemen. 'En nu moet ik weer verder. Sommige mensen moeten nou eenmaal werken voor de kost, weet je.'

Hij zei iets over een mailtje met de naam van het restaurant om te horen of het goed was, en ze zei dat dat een goed idee was, want ze had zo haar twijfels over de maatstaven die hij aanlegde als hij de rekening gepresenteerd kreeg. Hun gesprek vormde voor haar een stimulans om door te gaan met haar artikel over mode tijdens een recessie en ze ging verder met het onderwerp winkelen voor mannen in kledingzaken in dure wijken.

Ze had Stuart voor het eerst ontmoet in een herenmodezaak, zij het niet in een dure wijk. Eerst had ze gedacht dat hij homo was. De man in het winkeltje in Jermyn Street, die peinzend naar een jas van vicuñawol stond te kijken, en daar ondertussen liefkozend zijn vingers overheen liet gaan, was te slank en te mooi om hetero te zijn – en had daarvoor ook te veel belangstelling voor dit kledingstuk, dat weliswaar in prijs verlaagd was, maar toch nog steeds een forse duizend pond moest opbrengen. Claudia was op hem af gestapt, had zich voorgesteld als journaliste en had hem wat vragen gesteld over kleding. Welke designers bevielen hem het best? Zou hij ooit iets kopen bij M&S? Had hij weleens een maatpak laten maken? De bewondering in zijn ogen en wat ze voor zichzelf omschreef als zijn 'nerveuze' opmerkingen, maakten haar al snel duidelijk dat ze het mis had gehad wat betreft zijn geaardheid. Nee, hij ging die jas niet kopen, hij had net een flat gekocht, maar hij zou graag ergens iets met haar gaan drinken. Zijn ideeën over waar dat drankje dan vandaan zou moeten komen verschilden van de hare, maar Claudia had hem snel duidelijk gemaakt dat ze liever naar een exclusieve bar in St. James's ging dan naar het Caffè Nero. De volgende dag hadden ze elkaar ontmoet in de modieuze champagnebar van St. Pancras Station, en daar toegekeken hoe de Eurostar uit Parijs kwam binnenrijden. Nadat Stuart vijftig pond had neergeteld voor een fles champagne hadden ze een taxi genomen naar Lichfield House.
Claudia had Stuarts opmerkingen over herenmode al lang geleden verwerkt in een artikel (zonder namen te noemen), maar was erin geslaagd om een deel daarvan opnieuw te gebruiken in dit artikel. Nog duizend woorden en toen was ze klaar. Ze zette nog wat koffie en las de mail even door. De bovenste in haar inbox was van Stuart, die liet weten dat hij een tafeltje had gereserveerd in Bacchanalia in Heath Street. Was dat oké? Claudia keek op Google en zag daar dat Bacchanalia prima was, en bepaald niet goedkoop. Ze mailde terug dat ze morgenmiddag om twaalf uur bij hem zou zijn en zichzelf wel zou binnenlaten. Dan konden ze om drie uur terug zijn uit het restaurant, en de rest van de middag zouden ze *hun handen meer dan vol hebben.* Ze was blij dat hij geen sms'je had gestuurd, want de noodzakelijke afkortingen in zulke berichtjes zouden de zwoele toon van hun correspondentie verstoord hebben.

Stuart vond het moeilijk om langs een spiegel te lopen zonder erin te kijken. Zijn eigen spiegelbeeld deed hem altijd veel plezier. Over het algemeen was hij er als hij zijn ogen weer afwendde van overtuigd dat hij nog nooit een man had gezien die er beter uitzag dan hijzelf. Hij besefte maar al te goed dat mannen niet verondersteld worden dat zo te voelen, dat er niet van hen wordt verwacht dat ze veel aandacht besteden aan hun uiterlijk, zolang ze maar schoon zijn en op fatsoenlijke wijze gekleed gaan, en dat een man die met zijn uiterlijk wordt gecomplimenteerd, duidelijk moet laten blijken dat zo'n compliment voor hem niet van belang is of dat hij zich er zelfs wat voor geneert. Daarom kleedde Stuart zich altijd casual en discreet, of, als hij aan het werk was in de City, in een sober pak met een effen das. Maar een van de verzetjes die hij zichzelf gunde, was dat hij zo nu en dan een boetiekje binnenwipte of wat rondzwierf over de herenmodeafdeling van Harrods, terwijl hij zich voorstelde hoe fantastisch hij eruit zou zien in dat tweedjasje van Armani of die sweater van Dolce & Gabbana.

Die ochtend droeg hij jeans, een zwart overhemd en een blauwe sweater, en terwijl hij zichzelf aandachtig opnam in de spiegel in de woonkamer, viel het hem op dat de sweater precies dezelfde kleur had als zijn ogen. Ongetwijfeld had Claudia dat al opgemerkt. Als ze er iets over zei, zou hij een gegeneerd gezicht trekken. Jammer genoeg was hij er nooit in geslaagd om zich de kunst van het blozen eigen te maken. Hoewel zijn vader al tegen de zestig liep, begon hij nog steeds niet kaal te worden, en Stuart, die had gehoord dat kaalheid wordt veroorzaakt door een gen dat van vader op zoon wordt overgedragen, dacht vergenoegd dat hij een goede kans had om zelfs als hij oud was nog een flinke bos haar te hebben. Zijn haar was dik en had een prachtig warme donkerbruine kleur, die tegen zwart aanlag.

Hij had zijn uitnodigingen de vorige avond geschreven en in enveloppen gestopt, waarbij hij Freddy Livorno maar had overgeslagen, en straks zou hij naar buiten gaan om postzegels te kopen en ze te posten. Het was bij hem opgekomen dat hij de uitnodigingen ook gewoon in de postvakjes kon schuiven, maar dat had hij van de hand gewezen omdat het zo krenterig overkwam. Er was vast een bepaalde regel voor zoiets, maar die kende hij niet en je kon maar beter op safe spelen.

Het was heel koud buiten, een van die Engelse dagen hartje winter waarop de hemel blauwgrijs van kleur is, met wittige wolken, wanneer er nog geen sneeuw is gevallen en nergens ook maar een spoor van rijp te bekennen valt, terwijl elke plas water toch al veranderd is in een laagje ijs. Stuart had een winterjas, maar die droeg hij slechts zelden. Jonge mensen dragen een T-shirt als het vriest. Maar misschien was hij daar toch net niet jong genoeg meer voor, en in plaats daarvan trok hij, voor hij zich in de koude buitenlucht waagde, de blauwe sweater aan die zo goed bij zijn ogen paste.

Het postkantoor bestond uit een toonbank in de tabakszaak in Kenilworth Parade, maar één deur verwijderd van de winkel van meneer Ali. Een eindje verderop was de meubelzaak. Alles in de etalage was afgeprijsd: stoelen, tafels, bedden en lampen, met hier en daar een kaartje eraan waar ONGELOOFLIJKE KORTINGEN! op stond. Stuart ging naar het postkantoor, kocht postzegels, postte de uitnodigingen en liep toen naar Design for Living. Hij probeerde te be-

denken of het nou verstandiger was om meubels te kopen die hij niet erg mooi vond maar die wel voordelig waren, of om naar het West End gaan en daar meubels te kopen die hij wél mooi vond, maar die twee keer zo duur waren. Hij dacht aan wat zijn moeder had gezegd over geld en een baan zoeken. De erfenis van tante Helen had hem een fortuin geleken toen hij die kreeg, maar inmiddels had hij de helft ervan besteed aan de flat, en nog heel wat meer aan de zitbank, het kingsize bed en de spiegels, en hij gaf ook een hoop geld uit aan Claudia. Er zou nog heel wat meer drank ingeslagen moeten worden voor het feestje en hij begon er spijt van te krijgen dat hij al die uitnodigingen op de post had gedaan, maar daar viel nu niets meer aan te doen. Hij moest een feestje geven, en in een nog maar half ingerichte flat zou dat niet gaan.
De verkoper die naar hem toe kwam lopen in Design for Living kon zijn geluk nauwelijks op toen Stuart een eettafel en zes stoelen uitkoos, twee leunstoelen, een salontafel en een staande lamp in de vorm van een halfopen zonnebloem op een vergulde metalen steel. Als alles goed ging, zou het deze week voor het eerst zijn dat hij iets verkocht. Stuart had een zwak voor spiegels en ze hadden er een paar die ze toch nooit zouden kwijtraken: een in een vergulde lijst met krullen en tierelantijnen, en een in een matzwarte lijst. De verkoper zei dat hij die laatste er gratis bij zou doen. Stuart vond de spullen die hij had gekocht eigenlijk helemaal niet zo mooi en moest zichzelf dus blijven voorhouden hoe voordelig het allemaal was. De meubels zouden de volgende dag bezorgd worden, zei de verkoper toen Stuart hem zijn creditcard overhandigde.
De schuifdeuren in Lichfield House gingen open toen hij aan kwam lopen. Hij bleef buiten op het bordes staan en tuurde naar het bonnetje van Design for Living, waarop alles wat hij had gekocht keurig stond opgesomd. Badend in golven warme lucht stelde hij zichzelf op de hoogte van het feit dat de leunstoelen vierhonderd pond per stuk hadden gekost en die staande lamp tweehonderdvijftig. Waren dat nou werkelijk zulke lage prijzen? Zijn gemijmer werd onderbroken door Wally Scurlock, de huismeester, die hem op de schouder tikte en hem zei dat alle warmte zo het pand verliet.
'Als u hier blijft staan, meneer, blijven de deuren open, en als de deuren open blijven, stroomt alle warmte naar buiten, snapt u wel meneer?'
Wally scheen te denken dat als hij maar vaak genoeg meneer of mevrouw tegen de bewoners zei, dat wel opwoog tegen de norse toon die hij aansloeg en zijn aanmatigende woorden. Stuart liep naar binnen en was blij dat hij de man niet had uitgenodigd. Hij maakte de voordeur van zijn flat open en keek aandachtig in de spiegel aan de muur in de woonkamer, negentig centimeter hoog en vijfenveertig centimeter breed, in een roestvrijstalen lijst. Hoe koud het ook mocht zijn buiten, zijn gezicht had nog steeds de gebruikelijke licht-olijfbruine kleur, niet verkleumd en al evenmin rood aangelopen. Nadat hij even had geglimlacht

om zijn witte, regelmatige tanden te kunnen zien, stapte hij zijn slaapkamer binnen en deed een stropdas om voor het geval dat zoiets in Bacchanalia verplicht was, al zou dat tijdens de lunch waarschijnlijk niet het geval zijn. Stuart dacht dat een restaurant waar jasje-dasje ook tijdens de lunch al verplicht was, waarschijnlijk een stuk duurder zou zijn dan een restaurant waar ze wat minder streng waren.

Hij liep de keuken in en maakte een grote beker warme chocolademelk voor zichzelf, met een heleboel room uit een pakje erdoorheen. De dichtstbijzijnde winkel waar je verse room kon krijgen was de Tesco, voorbij de rotonde. Als je een huis kocht, wist je eigenlijk nooit hoe gunstig het gelegen was voor de boodschappen. Daar kwam je pas achter als je er al een paar weken woonde. Als je geen auto had en de enige bus die zelfs maar een beetje in de buurt stopte de 113 was, die nergens heen ging waar je naartoe wilde, het dichtstbijzijnde metrostation aan de verafschuwde Northern Line lag, en de dichtstbijzijnde bioscoop vermoedelijk ergens in Swiss Cottage stond, terwijl er binnen een straal van acht kilometer geen fatsoenlijk restaurant te vinden viel, begon je je toch wel af te vragen of je niet beter af was geweest als je je baan had gehouden en al het geld van tante Helen had besteed aan een flat ergens in het centrum.

Helen Morrison was zijn peettante geweest en ze had erop gestaan dat het haar recht was om haar petekind een naam te geven. Stuarts ouders waren van plan geweest om hem Simon George te noemen, maar Annabel Font was zich er heel goed van bewust dat het geen kwaad kon om haar tante tot peettante van haar zoon te maken, en ze wist haar man al snel zover te krijgen dat hij toegaf. Helen was niet alleen ongetrouwd, kinderloos en rijk, maar ook een jakobiet, iemand die koppig vasthield aan het denkbeeld dat de huidige koninklijke familie uit Duitse indringers bestond, ook al hadden die de troon inmiddels al driehonderd jaar bezet gehouden; volgens haar was een obscure prins die ergens in Midden-Europa woonde en van wie niemand ooit had gehoord, degene die eigenlijk de huidige Britse vorst zou moeten zijn. Stuart was een bijna heilige naam voor haar, en namen als Windsor (of Saxe-Coburg-Gotha of Hannover of hoe die mensen zich ook maar wilden noemen) vond ze lachwekkend misplaatst. Dus was hij Stuart gedoopt, en omdat verschillende koningen uit het huis Hannover zo hadden geheten, vond ze het niet eens goed dat hij George als tweede naam kreeg.

Hoewel meneer en mevrouw Font tante Helen in dit opzicht hadden gehoorzaamd, waren ze er toch eigenlijk de mensen niet naar om een tante uitgebreid het hof te maken in de hoop dat ze hun enige kind ooit haar geld zou nalaten. Helen kwam soms bij hen met kerst, ze stuurde hun ansichtkaarten uit de verre oorden waar ze in haar eentje vakantie vierde, en op zijn verjaardag ontving Stuart altijd een cheque van haar voor een heel klein bedrag. Annabel en Helen stuurden elkaar twee of drie keer per jaar een brief, en zo nu en dan belden ze. Toen Stuart met redelijk goede cijfers zijn middelbareschooldiploma haalde, kwam er een heel wat grotere cheque, en toen hij zijn graad haalde aan een universiteit in het oosten van Londen waar nooit iemand van gehoord had, kreeg hij tweehonderd pond. Zijn moeder dwong hem om beleefde bedankbriefjes te sturen en bleef zelfs over hem heen gebogen staan terwijl hij daarmee bezig was, maar dat deed ze ook bij zijn brieven aan mensen die hem een pocketboek cadeau hadden gegeven, of een cd met muziek waar hij nooit naar luisterde.

Helen was vierentachtig toen ze overleed en Stuart vierentwintig. Ze liet hem vierhonderdduizend pond na, maar haar huis in de elegante Edinburghse wijk Morningside en een bedrag van twee miljoen pond gingen naar het vijftig jaar oude kind waarvan niemand wist dat ze het ooit gebaard had, en dat negenenveertig jaar geleden door een slager en zijn vrouw was geadopteerd. Stille waters, diepe gronden, had Annabel Font gezegd toen ze dat hoorde, en gezien de omstandigheden mocht Stuart van geluk spreken dat hij überhaupt iets gekregen had. Dat was hij met haar eens, en de volgende dag diende hij zijn ontslag in bij zijn chef, die zijn ontslag aanvaardde en opmerkte dat Stuart vanwege de naderende recessie binnenkort toch wel te horen zou hebben gekregen dat hij aan een nieuwe uitdaging toe was.

Hij liep wat heen en weer door zijn flat, terwijl hij zich afvroeg waar hij al zijn nieuwe meubels moest neerzetten. Waar zou hij die twee nieuwe spiegels ophangen? Een in de logeerkamer en de andere hier in de woonkamer? Zijn zitbank was donkerrood met een paarse tint erin, en hij voelde zich een beetje moedeloos worden toen het tot hem doordrong dat de stoelen die hij had gekocht een naar oranje neigend koraalrood waren. Zou dat niet erg met elkaar vloeken? Hij zou zich er maar doorheen moeten bluffen en nadrukkelijk moeten verklaren dat dit de allernieuwste kleurencombinatie was. Hij stond weer in zijn slaapkamer en vroeg zich af of dit de beste plek zou zijn om die zonnebloemlamp neer te zetten, terwijl hij zich tegelijkertijd afvroeg of hij het ding hier soms wilde verbérgen voor de kritische blikken van zijn gasten, toen hij hoorde hoe de voordeur openging en er iemand binnenkwam. Hij schrok zich wild, maar een fractie van een seconde later drong het tot hem door dat het Claudia was. Claudia had een sleutel. Hij liep naar de woonkamer.

Ze gaven elkaar een kus, niet zozeer liefdevol maar eerder wellustig. Ze droeg een strak zwart pakje met een heel kort rokje en een jasje met U-vormige lapels die een flink decolleté onthulden. Haar hoge hakken maakten haar langer dan hij was, wat hij niet erg kon waarderen.

'De taxi staat te wachten,' zei ze. 'Maar je hoeft je niet te haasten.'

Hij moest zich dus wél haasten, want hij was degene die zou betalen.

'Zullen we hem maar vragen om ons na de lunch weer op te halen?'

Toen de taxi langs Wicked Wine reed, zag Stuart Olwen naar buiten komen met een voorraadje voor een paar dagen in twee plastic tassen. Het trottoir was droog vandaag, en dus had ze haar pantoffels aan. Het waren donzige roze muiltjes en hun sleehakken klapperden op en neer tijdens het lopen. Terwijl hij bij het tuinhek van zijn huis stond, naast het huis van de Cambodjanen, keek Duncan Yeardon toe hoe ze langzaam naar Lichfield House toe sjokte. Hij hield ervan om te fantaseren over onbekenden. Hij keek veel naar voorbijgangers en hij had een grote verbeeldingskracht. De vrouw kwam een paar keer per week langs met volle plastic tassen. Ze leek te oud om kinderen in huis te hebben, maar misschien had ze wel een invalide man, of misschien zelfs twee mensen – zussen misschien? – die ze verzorgde. Maar natuurlijk was er niets waaruit op te maken viel dat een van die tassen niet vol zat met wasgoed uit de wasserette. Niet iedereen had een eigen wasmachine. Duncan keek toe hoe ze het bordes op liep en zag de dubbele deuren openschuiven.
Zijn eigen huis was te groot voor hem. Het was een twee-onder-een-kapwoning in victoriaanse stijl, met twee bovenverdiepingen, en hij had het gekocht omdat hij altijd al een eigen huis had willen hebben. Maar nu hij er een had, wist hij niet wat hij ermee aanmoest. Het schoonhouden natuurlijk, en dat deed hij dan ook. Onberispelijk schoon zelfs. De meubels anders neerzetten. Overdag zwierf hij vaak van de ene kamer naar de andere en in elke kamer keek hij dan uit het raam. Zijn hele werkzame leven had hij zo hard gewerkt, en zulke lange uren gemaakt, dat hij nooit een vrijetijdsbesteding had ontwikkeld. Hij keek naar mensen en bedacht allerlei verhalen over ze, en intussen dronk hij een heleboel slappe koffie.

In de hal van Lichfield House stonden Michael en Katie Constantine te praten met Rose Preston-Jones. Het was vandaag heel wat minder koud en omdat Rose in de krant had gelezen dat honden met dekjes om oververhit konden raken en daar ziek van konden worden, droeg McPhee nu alleen maar zijn eigen vacht.
'Als u het ene krantenartikel gelooft,' zei Michael, 'waarom gelooft u dan het andere ook niet? Ik bedoel, u gelooft dat verhaal over oververhitte hondjes, maar u gelooft niet dat ontslakken flauwekul is. Die artikelen zijn allebei gebaseerd op uiterst deskundige bronnen en serieus wetenschappelijk onderzoek.'
'O, Michael, jongen, ik wéét dat ontslakken zin heeft,' zei Rose terwijl er blosjes op haar wangen verschenen. 'Ik kan het bewijzen. Zodra hun lichaam gezuiverd is van alle verontreinigende elementen die de doorstroming belemmeren, voelen de cliënten die aan mijn cursus deelnemen zich plotseling opvallend veel beter.'
'Daar zorgt hun lever wel voor. Die ontslakt hen elke dag.' Michael draaide zich om en zei Olwen gedag. 'Hoe maakt u het?'

'Eigenlijk niet,' zei Olwen, en ze sjokte moeizaam naar de lift.
'Je kunt niet zeggen dat háár lever haar lichaam gezuiverd heeft,' zei Rose met stille triomf.
'Alleen omdat daar niet veel meer van over is.'
'Ze heeft Marius gezegd dat ze zichzelf dood aan het drinken is. Ze zegt dat ze al haar hele leven zoveel heeft willen drinken als ze maar wilde, en dat ze daar nu de gelegenheid voor heeft.'
Nu deed Katie voor het eerst haar mond open. 'Maar ze zegt nooit iets, behalve dan "Eigenlijk niet".'
'Iedereen praat met Marius,' zei Rose met een stem waaruit duidelijk bleek dat ze op hem gesteld was.
'Het probleem,' zei Michael, 'met jezelf dooddrinken of doodroken is dat je niet zomaar doodgaat. Het zou prima zijn als je met zulke uitspattingen kon doorgaan totdat je op een dag rustig gaat liggen en dan sterft. Maar zo gaat het niet. Eerst krijg je diabetes, of een beroerte, of een hartaanval, en dan begint de lange, trage en pijnlijke weg naar de dood.'
Rose tilde McPhee op, sloeg haar armen om hem heen en drukte hem tegen zich aan alsof hij elk ogenblik getroffen kon worden door een van de akelige slagen van het lot die Michael zojuist had genoemd. Met een nogal grimmig lachje gaf Michael Katie een arm, en met z'n tweeën liepen ze naar buiten om pizza te gaan eten. In plaats van terug te gaan naar haar eigen flat stapte Rose met McPhee in de lift en ging naar boven om Marius Potter te vragen of hij de sortes voor haar wilde lezen. Die 'lange, trage en pijnlijke weg naar de dood' had haar een naar gevoel bezorgd.

3

'S Nachts was het hier heel stil. Aurelia Grove lag ver genoeg van Upper Street om geen last te hebben van het verkeerslawaai, dat tegen de tijd dat het de door heggen, bladerrijke struiken en coniferen omgeven huizen bereikte, niet meer was dan een licht gedruis. Alle huizen waren vrijstaand of twee-onder-een-kap. Als de buren lawaai maakten, had niemand last van hun muziek, gelach of slaande deuren behalve zijzelf. De stilte was nog dieper als het koud was. Het straattuig dat op mysterieuze wijze rondzwierf, en zo nu en dan een betekenisloze schreeuw gaf of een reeks dierlijke geluiden liet horen, bleef thuis zitten of in pubs en clubs hangen als de temperatuur daalde.

Die avond ging Freddy Livorno kort voor twaalven naar buiten, al kwam hij niet verder dan het bordes. Dat deed hij vaak even, om te zien wat voor weer het was. Vannacht was er een heldere hemel, strak donkerblauw, en de lucht had een bepaalde scherpte alsof er kristallisatie plaatsvond en zijn adem elk ogenblik kon overgaan in ijsvlokken. Hij ging weer naar binnen en deed de deur op het nachtslot. Claudia was al om kwart over tien de trap op gelopen en Freddy vermoedde dat ze was gaan slapen of anders wilde laten lijken alsof ze al sliep als hij straks de slaapkamer binnenkwam. Nou, laat haar maar slapen, of doen alsof, net wat ze wilde. Eerder op de dag had hij het mobiele nummer gedraaid dat hij had aangetroffen op het apparaatje tussen de droogbloemen, en stomverbaasd geluisterd naar haar wellustige gesprek met een naamloze man die ze 'schat' noemde. Dit was zijn kans om te lezen wat ze de afgelopen twee dagen had gemaild, en om de naam van de man, of althans een gedeelte daarvan, te achterhalen. Hij startte haar computer, toetste de code in die het apparaatje zou inschakelen, en verdomd, het werkte.

Zijn vrouw had verschillende mailtjes naar de krant gestuurd waarvoor ze werkte, met als bijlage bij een daarvan een artikel over de invloed van de recessie op het winkelen. Daar had Freddy geen belangstelling voor. De mailtjes aan stuart.font@lichfieldhouse.com interesseerden hem wél. Een ervan begon met 'Ha lieve S' en eindigde met 'Ik kan gewoon niet wachten tot we weer kunnen... (je weet wel wat ik bedoel). Het was fantastisch. Moet ik echt tot donderdag wachten? Je begerige C.' De rest begon en eindigde min of meer op dezelfde manier.

Van wat daartussenin kwam, rezen de haren hem te berge. Freddy was verbijsterd door de kennis en ervaring waarover zijn vrouw bleek te beschikken. Hém had ze daar nooit iets van laten merken. En dat mailadres bevatte niet alleen de naam van die vent, maar ook een belangrijke aanwijzing over zijn adres. Claudia schreef dat ze een sleutel had gekregen. Zou die sleutel de deur ván Lichfield House openen, of een deur ín Lichfield House? Was Lichfield House een enkel woonhuis, een kantoor of een flatgebouw?
Hij besloot de twee apparaatjes nog maar een paar dagen te laten zitten. Ze was niet van plan daar morgen naartoe te gaan, dus waarschijnlijk zou ze nog meer mailtjes sturen, en vrijwel zeker nog een gesprek voeren met die Stuart. Hij moest meer details bemachtigen voordat hij in actie kwam.
Boven was het volkomen stil. Ze sliep de slaap der onrechtvaardigen, dacht hij. Ze had de gewoonte om haar handtasje 's nachts op een tafeltje in de hal te laten staan. Het tasje dat ze nu gebruikte was van zwart leer vol met siernagels en stangetjes (volkomen absurd, vond Freddy) van zilverkleurig metaal, zoals tegenwoordig de mode was, voorzien van een stuk of zes nutteloze ritssluitingen waarmee je volstrekt nutteloze vakjes open en dicht kon maken, en met als extra versiering een nutteloze, vijf centimeter brede riem met een grote gesp van gedreven zilver. Haar huissleutels zaten in een van die vakjes, samen met nog een sleutel. Tegen de tijd dat ze de sleutel van die vent nodig had, zou hij al een kopie hebben laten maken, en de met koperpoets schoongemaakte sleutel die hij er nu voor in de plaats legde, weer hebben verwisseld met het origineel.
Hij deed het licht uit en ging naar boven. In het licht dat door de halfopen deur van de badkamer naar buiten scheen, zag hij dat Claudia lag te slapen, met haar lippen iets van elkaar en een witte hand met lange vingers tussen de kobaltblauwe kussensloop en haar roze wang. Ze lag er altijd elegant bij als ze sliep. Freddy was toch niet zo nuchter en wereldwijs als hij van zichzelf had gedacht. De woorden en uitdrukkingen die ze had gebruikt, hadden hem dieper geschokt dan hij voor mogelijk had gehouden, niet vanwege die woorden zelf – want die kende hij natuurlijk best – maar omdat zijn vrouw die had uitgesproken en ingetikt. Terwijl hij naar haar stond te kijken, vroeg hij zich zelfs af of hij haar nu nog wel wilde. Was haar bijdrage aan het huishoudbudget eigenlijk wel zo belangrijk voor hem? Hechtte hij eigenlijk wel zoveel waarde aan een vrouw met wie hij kon pronken? Misschien toch niet. Wilde hij dan soms wraak? In elk geval wél op Stuart Font in Lichfield House, en die zou hij nemen ook. Maar op haar? Hij liep terug naar de badkamer, trok de deur achter zich dicht en zei hardop: 'Ik wil dat zij weet dat ik het weet. Ik wil dat ze bang voor me is.'

De verkoper in de elektronicazaak bij Brent Cross vertelde Duncan dat hij een week geleden zijn laatste straalkacheltje had verkocht. Duncan wilde geen

straalkachel, zijn huis was zelfs met deze kou warm genoeg; hij kwam een broodrooster kopen, ter vervanging van zijn oude broodrooster dat die ochtend, zoals hij het formuleerde 'de geest had gegeven'.
'Daar hebben we er een heleboel van,' zei de verkoper. 'Maar als je daar een kamer mee kon verwarmen zouden ze allemaal weg zijn. Er is echt een ongelooflijke run op straalkacheltjes geweest.'
'Dat viel toch te verwachten met die kou?' zei Duncan.
'Natuurlijk. En denk maar niet dat je die dingen zomers kunt krijgen, voor als het een paar maanden later koud wordt. Het is niet te geloven, maar zomers hebben we ze niet op voorraad.'
Duncan kocht zijn broodrooster en nam de bus terug naar Kenilworth Avenue. Alle langs de stoeprand geparkeerde auto's waren nog steeds wit van de rijp. Hoewel hij niet over een garage beschikte, had hij wel een korte oprit, en elke keer dat hij daarlangs liep, had hij er opnieuw spijt van dat hij zijn auto had weggedaan. Maar hoe vaak zou hij die gebruikt hebben?
Dankzij het efficiënte verwarmingssysteem was het heerlijk warm in huis. Geen van de huizen waarin hij ooit had gewoond, met zijn ouders, in zijn eentje of naderhand samen met Eva, waren ooit zo goed verwarmd geweest. Het was in geen tien jaar zo koud geweest, maar toch had hij verschillende radiatoren kunnen uitschakelen. Hoe anders moest dat zijn voor die arme mensen die nu tevergeefs probeerden een straalkacheltje of blower te kopen.
Een ijskoude mist daalde neer over Kenilworth Avenue. Tuinieren was nu niet mogelijk, een fikse wandeling vormde geen aanlokkelijk vooruitzicht en hij had al boodschappen gedaan, dus ging hij maar voor het raam in de woonkamer staan en vermaakte zich met kijken naar de voorbijgangers. Sinds Eva's dood en zijn gelijktijdige gedwongen pensionering waren de uren voorbij gekropen, maar hij hield zichzelf regelmatig voor dat hij van geluk mocht spreken dat hij nog gezond was, genoeg geld had en in dit comfortabele, goedverwarmde huis woonde. En intussen stond hij door de ramen naar buiten te kijken.
Aan de overkant van de straat was een bestelwagen met DESIGN FOR LIVING op de zijkant tot stilstand gekomen voor Lichfield House. De bestuurder en een andere man stapten uit en liepen om de wagen heen om het achterluik open te maken. Duncan vroeg zich af waarom ze voor zo'n korte afstand een bestelwagen nodig hadden en of ze niet hadden kunnen volstaan met een steekwagentje of iets dergelijks, maar hield daarmee op toen hij de mannen leunstoelen, tafels, spiegels en een heel lelijke lamp zag uitladen. De jongeman die zich nodig eens moest scheren en eruitzag als een van die fotomodellen in autoreclames kwam het huis uit om toezicht te houden op het naar binnen brengen van het meubilair. En dat was de oplossing van het raadsel waarom de bewoner van nummer 1 hier met zo weinig meubilair was ingetrokken. Mannen die er zo uitzagen, waren

altijd homoseksueel. Hij had een hekel aan het woord gay. Hij zag dat als misbruik van een woord dat vroeger 'beminnelijk' en 'vrolijk' had betekend. De jongeman zou wel een vriend hebben die hij zijn 'partner' noemde, ouder dan hijzelf, en waarschijnlijk niet alleen eigenaar van de flat maar ook degene die het grootste deel van de inrichting betaalde.

Duncan verloor zijn belangstelling voor het tafereeltje en richtte zijn aandacht op het huis ernaast, de andere helft van zijn twee-onder-een-kap. De mensen daar woonden er pas een paar weken en hij had ze nog maar nauwelijks gezien. Er was een jonge vrouw naar buiten gekomen. Ze droeg in beide handen een grote plastic tas en liep door de witte mist naar rechts, in de richting van Kenilworth Avenue, waar zich op het hoogste punt, iets voorbij de rotonde, een Tesco-supermarkt bevond. Ze zag er heel jong uit, hooguit veertien of vijftien, al was ze waarschijnlijk ouder, en ze droeg een dun jack met daaronder een T-shirt en een spijkerbroek. Toen hij haar er zo bij zag lopen, moest Duncan huiveren in zijn warme kamer. Een paar seconden later kwam een veel oudere man het huis uit en liep achter het meisje aan. Hij deed geen poging om haar in te halen, maar bleef een meter of twintig achter haar lopen. Ik durf te wedden dat ze samen terugkomen, dacht Duncan, en dan zijn die tassen helemaal vol, maar toch zal hij niet aanbieden om er zelfs maar één te dragen. Hij probeerde zich voor te stellen wie het waren en hoe hun leven eruitzag. Geen vader en dochter, zoals hij aanvankelijk had gedacht, want ze leken helemaal niet op elkaar. Waarschijnlijk eerder man en vrouw. Ja, dat zou het wel zijn: die man had een advertentie geplaatst waarin hij vroeg om een jong ding uit een of ander Zuidoost-Aziatisch land, en haar vervolgens gekocht (want daar kwam zoiets toch op neer). Hij had met haar te doen, maar troostte zich met de gedachte dat hoe zwaar ze het hier ook had, ze er waarschijnlijk toch heel wat beter aan toe zou zijn dan in Laos of Cambodja of waar ze dan ook vandaan mocht komen.

De bestelwagen van DESIGN FOR LIVING reed weg en vanaf Kenilworth Parade kwam een vrouw in een bontjas aangelopen die eruitzag alsof hij van restjes bont van allerlei verschillende diersoorten aan elkaar was genaaid. Duncan kende haar van gezicht en keek toe hoe ze het huis voorbij dat van de Aziaten binnenliep. Ze zag er al evenmin uit als een Engelse. Niemand was tegenwoordig nog Engels, dacht hij mismoedig. Omdat hij niet wist hoe ze heette, noemde hij haar maar Esmeralda. Je kon van het ene eind van Noord-Londen naar het andere lopen, en onderweg honderden mensen tegenkomen, zonder ook maar één keer je eigen taal te horen. Hij had geen zin om te blijven wachten tot de mensen van hiernaast terug waren, zodat hij zou kunnen zien of zijn voorspelling uitkwam en het meisje de boodschappen zou dragen voor die luie man. Er was een manier in hem opgekomen om de rest van de dag op nuttige

wijze door te brengen, en hij ging naar boven en begon alle laden en kasten in het hele huis opnieuw in te ruimen.
Hij hield van orde, methodisch werken en routine. Toen hij als tiener een opleiding tot automonteur volgde, had hij eigenlijk rechercheur willen worden, voornamelijk omdat hij ervan genoot om puzzels op te lossen. Het sleutelen aan auto's had hij na verloop van tijd laten schieten en in plaats daarvan was hij bij de politie gegaan. Surveillance lopen als wijkagent had geen deel uitgemaakt van wat hij met zijn leven wilde doen, maar het moest nou eenmaal en hij had zich erbij neergelegd. Of het nou mazzel was geweest of een slag van het noodlot, toen hij ongeveer een jaar bij de politie zat, liep hij samen met een collega langs een juwelier, net op het moment dat een paar mannen daar een overval pleegden. Een van hen hield de eigenaar onder schot met een pistool terwijl de ander de brandkast leeghaalde. Duncan wist niet waar hij de moed vandaan had gehaald, en herinnerde zich niets van de gebeurtenissen vlak voor het schot, maar terwijl zijn collega de juwelier omlaagtrok, was hij op de man met het pistool af gedoken. Natuurlijk was het pistool afgegaan. Eén kogel was dwars door Duncans schouder gegaan, en een andere had de glazen toonbank aan splinters geslagen. Toen was er assistentie gekomen, en een ambulance, en de twee mannen waren gearresteerd.
Duncan had een eervolle vermelding gekregen en een medaille voor betoonde moed. Maar intussen was er iets vreemds met hem gebeurd. Hij durfde niet meer. Wat hem er ook toe aangezet mocht hebben om zijn leven te wagen om die juwelier en zijn handelswaar te redden, na dat schot was het verdwenen. Zelfs de gedachte dat hij een paar recalcitrante tieners een standje moest geven, vervulde hem al met angst. Hij had ontslag genomen en was teruggekeerd naar zijn oude liefde: auto's en motoren. Hij was op zoek gegaan naar een baan waarin hij zijn liefde voor auto's, zijn grote deskundigheid op het gebied van automotoren en het genoegen dat hij beleefde aan het oplossen van puzzels met elkaar zou kunnen combineren. De baan die hem werd aangeboden, en die hij aannam, was precies wat hij zocht. Het was een baan bij de wegenwacht, en vijfendertig jaar lang had hij in zijn blauw met geel geblokte busje rondgereden om auto's op te sporen die met panne langs snelwegen, toevoerwegen, straten in de voorstad of plattelandsweggetjes stonden. Een van de dingen die hij prettig vond aan het werk, was dat de klanten altijd zo blij waren hem te zien. Het was net alsof hij hun beschermengel was. Een andere leuke kant van het werk was dat hij in negentien van de twintig gevallen in staat was om het probleem op te lossen, en die ene keer dat hij daar niet in slaagde, gaf hij de onfortuinlijke automobilist een lift naar huis en regelde hij dat de auto werd weggesleept. De opkomst van de mobiele telefoon en naderhand de gps had het werk er alleen maar leuker op gemaakt. Zelfs zijn vrouw had hij tijdens zijn werk ontmoet.

Eva was een jonge vrouw en haar Mini had het begeven op de A12. Ze had het formulier ingevuld dat hij zijn cliënten moest laten invullen, maar onder alle hokjes met UITSTEKEND die ze had aangekruist, had ze bij de toelichting ingevuld dat hij 'een heel aardige man was, zo vriendelijk en attent'. Het bleek dat ze bij haar ouders woonde, niet ver van zijn eigen adres. Terwijl hij daar in die modderige met gras begroeide berm stond, acht kilometer van Chelmsford, had hij haar mee uit gevraagd en zes maanden later waren ze getrouwd. Het was een geslaagd huwelijk geworden en ze waren gelukkig geweest, al hadden ze geen kinderen gekregen. Maar misschien (dacht hij soms) waren ze juist daarom wel zo gelukkig geweest samen. Als enig kind had Eva het huis van haar ouders geërfd en toen hij twee jaar na haar dood aan kanker met pensioen was gegaan, had de opbrengst daarvan, samen met hun bescheiden spaartegoeden, hem in staat gesteld om dit huis aan Kenilworth Avenue te kopen.

Terwijl hij van zijn eigen slaapkamer naar de logeerkamer daarnaast liep, en van daaruit naar de kamer aan de achterzijde om daar een kast op te ruimen, dacht Duncan terug aan die gebeurtenissen uit zijn vroegere leven. Hij had een grote plastic tas mee naar boven genomen en begon Eva's laatste kleren daarin te proppen. Het grootste deel van haar spullen had hij allang naar Oxfam gebracht en hij wist eigenlijk niet goed waarom hij deze nog had bewaard, want er was niets speciaals aan. Haar geur was er niet in bewaard gebleven, en het waren al evenmin haar lievelingskleren geweest. Misschien waren die hier achtergelaten omdat hij niet meer had kunnen dragen toen hij de andere wegdeed. Hij bond de plastic tas met de twee handvatten dicht en keek naar buiten. Raar was dat toch, dacht hij, maar als je een kamer binnenliep waar je niet vaak kwam, keek je bijna altijd even uit het raam.

Hij was uren bezig geweest en de mist was inmiddels opgetrokken. Er lag nog wat sneeuw. In de onverzorgde tuin ernaast zag hij in de schaduwen hier en daar nog grote witte plekken en ook het schuine dak van het zomerhuisje bij de schutting aan de achterzijde was nog wit. Duncan noemde het een zomerhuisje omdat het naast de garage stond en te groot en tja... mooi was om een schuur te zijn. Het had een overhangende dakrand met een roze geschilderde daklijst van figuurzaagwerk, boogvensters en een voordeur met glazen panelen. Hij zag hoe iemand door de achterdeur het huis uit kwam en over het tuinpad naar de schutting aan de achterzijde liep. Deze keer was het een jonge man die Duncan niet eerder had gezien. De broer van de jonge echtgenote die bij het stel logeerde? Ook hij had niet meer aan dan een T-shirt en een spijkerbroek, en Duncan vroeg zich af welk prachtig land vol groene bergen, dichte oerwouden en altijd blauwe luchten de jongeman had verlaten om naar deze koude, eeuwig bewolkte voorstad te komen. Hij keek toe hoe de jongen de deur van het zomerhuisje openmaakte en naar binnen ging.

Omdat er vrijwel geen cliënten waren pakte Freddy, die in zijn werkkamer bij Crabtree, Livorno en Thwaite zat, de plattegrond van Londen die hij had gekocht terwijl er een duplicaat werd gemaakt van de sleutel die hij uit Claudia's handtas had weggenomen. De kans dat de flat – want Lichfield House zou toch waarschijnlijk een flatgebouw zijn – in het register van deze gids vermeld stond, leek hem vrijwel nihil, maar toch wilde hij het proberen. Het register was enorm uitgebreid, maar kijk eens aan! – een van Freddy's geliefde uitdrukkingen – daar was... nee, niet Lichfield House, maar Lichfield Road, een afslag van Kenilworth Avenue, met een postcode in Noord-Londen erachter. Dat was niet noodzakelijkerwijs de plek waar ook Lichfield House te vinden was, maar nadat hij vanmiddag bij de cliënt was langs geweest, zou hij daar toch eens een kijkje nemen.

De reden waarom de cliënt hem wilde spreken, kwam Freddy eigenlijk dichterbij dan hem lief was. De man wilde een scheiding omdat zijn vrouw hem had bedrogen. Nadat hij zich een ongemakkelijk halfuur lang had moeten beheersen om de cliënt niet over handige afluisterapparaatjes te vertellen, reed Freddy naar wat hij in gedachten omschreef als 'een plek voorbij de onherbergzame uitgestrektheid van de noordelijke voorsteden', en vond daar Lichfield Road. Nadat hij de auto had geparkeerd op de enige plek die nog vrij was voor de winkels aan Kenilworth Parade, liep hij Wicked Wine binnen. Een vrouw in een lange jas waarvan de zoom begon los te raken en met een negentiende-eeuws aandoend zwart kapje op was gin aan het inslaan. De man achter de toonbank wikkelde de flessen in vloeipapier en nam het geld aan.

'En waarmee kan ik u van dienst zijn, meneer?'

'Staat hier ergens een gebouw dat Lichfield House heet?' vroeg Freddy.

'Jawel, meneer,' zei Rupert. 'En hebt u even mazzel? Het is vlak om de hoek. Olwen woont er. U kunt wel even met haar mee lopen. Hij kan toch wel even met je mee lopen, Olwen?'

'Eigenlijk niet,' zei Olwen.

Dat vond Rupert kennelijk reuzegrappig, want hij begon te brullen van het lachen en zei: 'Moet je dat wijffie toch eens horen!'

Freddy liep achter de vrouw met het zwarte kapje aan, die nu duidelijk moeite had met de zware tas met flessen. 'Zal ik die van u overnemen?'

'Eigenlijk niet,' zei Olwen met een heel wat killere klank in haar stem dan toen ze met de slijter afrekende. Ze hobbelde over het trottoir, gleed bijna uit over een dun laagje ijs en toen de deuren automatisch openschoven, sjokte ze de flat binnen.

Freddy liep om het ijs heen, bleef op het bordes staan en dacht erover om Stuart Font nu meteen maar aan te spreken. Het probleem was dat hij de wandelstok die hij in gedachten had niet had meegenomen. Hij liep toch maar even naar

binnen en keek naar de postvakjes rechts. Olwen was uit het zicht verdwenen. Net toen Freddy op het onderste postvakje de naam S. FONT zag staan, kwam een man van wie hij aannam dat het de huismeester was over de trap naast de lift naar boven gelopen.
'Komt u soms op bezoek bij een van onze bewoners, meneer?'
'Bemoei je met je eigen zaken,' zei Freddy.
'Dit zijn mijn zaken, verdomme.'
'Krijg de klere,' zei Freddy.
Als hij iets ondernam, zou het moeten wachten tot na de kerst, maar dat was al binnen een week. Toen hij weer naar buiten liep, kwam een lange, uiterst magere man met tamelijk lang, dun grijs haar hem tegemoet, die toen hij naar de postvakjes liep met duidelijk zichtbare tegenzin bleef staan om de verontwaardigde huismeester aan te horen. Freddy ging op zoek naar zijn auto. In zijn afwezigheid had iemand een parkeerbon onder de ruitenwisser geschoven.

Met de post in zijn hand liep Marius Potter de trap op naar de derde etage. Door zijn liftvrees kon hij niet anders. Lang geleden had hij geprobeerd een naam voor deze fobie te construeren, net zoiets als *triskaidekafobie*, ofwel angst voor het getal dertien, of *ailurofobie*, ofwel angst voor katten, maar het probleem was dat de oude Grieken geen liften hadden gekend. Zijn oud-Grieks was nog steeds behoorlijk goed, en dus probeerde hij het werkwoord 'optillen', maar daar bestond geen afgeleid zelfstandig naamwoord van, en hetzelfde gold voor het werkwoord 'verheffen'. Uiteindelijk had hij gekozen voor 'oprijzen' en het daarvan afgeleide zelfstandig naamwoord, wat voor zover hij zich kon herinneren 'epidosis' moest zijn. *Epidosefobie* was het beste wat hij kon bedenken, maar echt tevreden was hij er niet mee. Voor zijn komst naar Lichfield House had hij in een flat op de achtste verdieping gewoond, dus dit was een makkie. Over het algemeen was Marius een anachronisme, een verklaard tegenstander van de vooruitgang. Hij had een hekel aan nieuwe snufjes, al beschikte hij wel over een koelkast en een tv, die hij slechts zelden aanzette.
Zijn flat stond vol meubilair dat hij van overleden familieleden had geërfd. Kaalgesleten leunstoelen, tafels vol butsen en curiosa, zoals pluchen beesten en porseleinen koppen en schalen met eigenaardige gevormde uitsteeksels, die nog het meeste weg hadden van uitvergrote bacteriën. Er waren ook een heleboel boeken, honderden, zowel nieuwe als met stof overdekte oude boeken, en bijna allemaal non-fictie. Een van die boeken, rood, met vergulde letters op de rug, lag opengeslagen op een gietijzeren tafel die eruitzag alsof hij ooit in een pub had gestaan.
Marius ging aan de pubtafel zitten en nam zijn post door. Het meeste was reclame, maar er zat ook een brief bij van zijn zus Meriel in Aylesbury. Meriel was

een van de weinige mensen die het hem niet kwalijk namen dat hij geen computer had, en daarom niet over e-mail beschikte. Net als hij had ze een hekel aan het moderne leven, maar hij moest toegeven dat ze daar verder in ging dan hij, want haar man en zij woonden in een vervallen arbeidershuisje met rieten dak, dat over niet meer dan één kolenkachel beschikte. Ze hadden echter allebei wel telefoon, en hij had nog een mobieltje ook. Misschien zou hij haar bellen en vragen of ze hem kon helpen bij het vinden van de oplossing.
'Rose Preston-Jones?' vroeg Meriel zonder ook maar iets van verbazing in haar stem. 'Je meent haar ergens van te kennen? Nou ja... Natuurlijk ken je haar. Weet je nog toen we allemaal in die commune in Hackney zaten?'
'Was zij daar ook?'
'Een paar dagen maar. Toen is ze weer verder gegaan, maar ze is er wel geweest.'
'Ik kan me haar naam niet herinneren.'
'We kenden haar als Rosie.'
En toen wist Marius het weer. Geen wonder dat hij zich wat ongemakkelijk had gevoeld bij de gedachte het Rose zelf te vragen. Nu begon hij het zich weer te herinneren. Hij was weer terug in de commune, al was het eigenlijk gewoon een kraakpand geweest in een achterbuurt van Hackney. Een groot, oud huis dat zijn zus en hij samen met een stel gelijkgezinde hippies in gebruik hadden genomen. Hij was toen zelfs nog magerder geweest dan nu, en hij had lichtbruin haar gehad, tot halverwege zijn middel. Ze hadden allemaal gebatikte kleren gedragen, behalve Rosie, die zich in kaasdoek had gehuld. Meriel had gelijk gehad toen ze zei dat Rosie maar een paar dagen was gebleven en toen weer verder was gegaan. Niet meer dan een dag en een nacht zelfs, en die nacht hadden Rosie en hij, zonder hulp van hasj of wijn, een bed gedeeld.
Ze hadden met z'n allen in een kring gezeten en er was een joint rondgegaan, maar Rosie wilde niet, en toen had Marius ook maar niet gerookt. Hij was daar gewoon blijven zitten, met zijn arm om haar heen. Ze wist niet waar ze moest slapen, en toen hij haar naar Harriets kamer wilde brengen, had ze zich aan hem vastgeklampt en gezegd dat hij haar niet alleen moest laten... Wat er daarna was gebeurd, herinnerde hij zich als verrukkelijk, volkomen bevredigend, en hij wist nog dat hij in slaap was gevallen met de gedachte dat het morgen zo verder zou gaan, en overmorgen en de dag daarna ook. Maar toen hij wakker was geworden, op een tijdstip dat hij nu krankzinnig laat zou vinden, waarschijnlijk ergens in de loop van de middag, was ze verdwenen. Niet alleen uit zijn bed maar uit het huis, zonder dat iemand wist waar ze heen was. Hij had niet geprobeerd haar te vinden. Het was gewoon een onenightstand geweest, zij het prettiger dan de meeste andere, en op de een of andere manier ook vriendelijker, maar nooit iets wat bedoeld was geweest als het begin van iets blijvends.
En meer dan dertig jaar lang had hij nooit meer aan haar gedacht.

Wat nu? De sortes raadplegen natuurlijk. Waar anderen misschien de Bijbel of de *Aeneïs* gebruikt zouden hebben, zocht Marius al jarenlang wijze raad in *Paradise Lost*. Hij geloofde absoluut niet in welk orakel dan ook, en het verbaasde hem altijd weer hoeveel mensen daar wél geloof aan bleken te hechten. Maar het boeide hem en hij bleef het doen voor mensen die erom vroegen, al ging hij nooit in op de suggesties van degenen die zeiden dat hij een praktijk als waarzegger moest beginnen en zich voor zijn voorspellingen zou moeten laten betalen.
Nu pakte hij het boek op, en zoals altijd sloeg hij het lukraak open. De zinnen die hij het eerste las waren de zinnen die hij gebruikte, en hoewel hij er niet in geloofde, hield hij zich wel aan de regel dat het geen enkele zin had om een orakel te raadplegen als je er vals bij speelde. Hij las: 'Adam keek haar vurig na,/ Verrukt, al zag hij haar ook liever blijven.' Dat kon duidelijk beschouwd worden als een verwijzing naar wat hij die nacht en de dag daarna voor Rose had gevoeld, maar het bood hem geen goede raad. Milton, zo was hem gebleken, liet het soms simpelweg bij een beschrijving van de situatie van de vraagsteller.
Boven zijn hoofd hoorde hij een vertrouwd geluid. Olwen had weliswaar niets te eten gehad, maar was inmiddels toch aan haar slaapje na de lunch begonnen, en de lege fles gleed van haar schoot en rolde over de houten vloer.

De bewoners met ouders die nog in leven waren, gingen met kerst naar huis – zo noemden ze het nog steeds. Rose naar Edinburgh, Stuart naar Loughton en de Constantines naar Katies moeder in Wales. Marius' ouders waren dood, en dat gold, per definitie, ook voor al die familieleden die hem hun meubilair hadden nagelaten. Noor ging naar haar ouderlijk huis in Surrey, Molly ging naar Torquay en Sophie ging naar haar moeder, vader, drie broers en één zus in Purley. Marius was uitgenodigd voor de veganistische kerstviering bij zijn zus in Aylesbury, en moest twee nachten blijven logeren omdat er die dagen geen treinen reden.
Duncan Yeardon zag hen allemaal vertrekken. Hij maakte er voor zichzelf een soort spelletje van en hield bij wie vertrok en wie bleef. Uiteindelijk was alleen Olwen nog over. Hij zag haar kort voor kerstavond in haar oude zwarte jas en haar negentiende-eeuws aandoende zwarte kapje naar Wicked Wine sjokken en terugkomen met heel wat meer dan haar gebruikelijke inkopen. Mrs. Gamp noemde hij haar, naar een personage van Dickens. Ongetwijfeld een weduwe, met volwassen kinderen, en misschien al kleinkinderen. Ze zou wel een feestje geven, dacht hij. Al het eten wat ze nodig had, had ze ongetwijfeld al dagen van tevoren ingekocht.
Wat hemzelf betrof, hij zou alleen blijven. Maar hij had meer dan genoeg te eten en het was heerlijk warm in huis, echt iets om van te genieten. En na verloop van tijd zou hij vanzelf meer mensen leren kennen, want hij was uitgenodigd voor de housewarmingparty van de homoseksueel.

4

Doordat zijn moeder zo kort na zijn terugkeer uit Loughton al had gebeld, was Stuart behoorlijk uit zijn doen. Had hij maar gewoon niet opgenomen toen de telefoon ging. Hij had haar al zo vaak gezegd dat hij geen baan wilde, nu nog niet. Hij zou toch een jaar vrij nemen?
'O, schat, dit is leuk,' had ze gezegd. 'Papa's vriend Bertram Dixon zegt dat hij misschien wel iets voor je heeft. Je moet zijn secretaresse bellen en een afspraak maken voor een sollicitatiegesprek. Volgens papa is dit echt een geweldige kans.'
'Ik wil geen baan bij Bertram Dixon of bij wie dan ook,' had Stuart gezegd, en nu voelde hij de twijfel knagen. Had hij dat aanbod zo luchthartig moeten afwijzen? Kon hij zich dat veroorloven? Hij woonde pas sinds oktober hier in Lichfield House, maar al die tijd had hij enorm veel geld uitgegeven. Toen hij zijn erfenis kreeg, had het een ideale oplossing geleken om de helft daarvan te besteden aan deze flat en de andere helft te investeren, zodat hij van de rente zou kunnen leven. Maar sindsdien was de rente alleen maar gedaald en een groot deel van zijn effecten leverde inmiddels niet meer dan 1,5 procent per jaar op. Hij teerde onthutsend snel in op zijn kapitaal en Claudia maakte het er niet beter op. Toen hij na de lunch samen met haar door Heath Street liep, had ze hem een juwelierswinkel binnen getrokken en daar had ze van hem verwacht dat hij een halsketting voor haar kocht, die zo vlak voor kerst in prijs verlaagd was tot 'slechts duizend pond'. En natuurlijk had hij die voor haar gekocht. Was het wel verstandig geweest om dat aanbod van Bertram Dixon zo nadrukkelijk af te wijzen? Misschien moest hij zijn moeder terugbellen. Maar nee. Hij herinnerde zich hoe vervelend hij die Bertram Dixon vond, een opgeblazen, arrogante kwast voor wie hij nooit zou willen werken.
Zet het van je af. Denk aan iets anders. Hij maakte een beker warme chocolademelk en ging zitten om na te denken over de drie reacties die hij op zijn uitnodiging had ontvangen. Alle drie hadden ze geschreven dat ze kwamen, de Constantines, de oude man hiertegenover en Rose Preston-Jones, die mede namens Marius Potter reageerde. Als iedereen kwam, hoeveel zou dat dan gaan kosten? Hoe had hij ooit kunnen denken dat de twaalf flessen champagne die Rupert gisteren had gebracht voldoende zouden zijn? Hij zou ook wijn moeten

hebben, en spuitwater en sinaasappelsap en borrelhapjes. Hij boog voorover en sloeg zijn handen voor zijn gezicht, maar keek snel weer op toen hij hoorde hoe er een sleutel in het slot in de voordeur werd gestoken. Hij stond op. Dat kon alleen Claudia zijn – maar om tien uur 's ochtends?
Een man die hij nooit eerder had gezien, liep de kamer binnen. Zijn schoenen zaten onder de sneeuw, en er lag ook een dun laagje sneeuw op zijn haar.
Stuart had de man kunnen vragen wie hij was, maar dat deed hij niet. 'Hoe komt u hier binnen?' vroeg hij, terwijl er een afschuwelijk gevoel van naderend onheil in hem opkwam.
'Ik heb een sleutel,' zei de man.
Hij was in de dertig en lang van stuk, zij het niet zo lang als Stuart, en aan zijn hoge voorhoofd was te zien dat hij al wat kaal begon te worden. Het enige wat opviel aan zijn gezicht waren zijn ogen, het soort dat wat meer wit om de irissen lijkt te hebben dan die van de meeste andere mensen. Zijn linkerhand hield hij achter zijn rug. Als hem naar een signalement van de man zou worden gevraagd, zou Stuart gezegd hebben dat hij er intelligent uitzag, al had hij niet kunnen zeggen waaraan hij dat dan had gezien.
'Mijn naam is Frederick Livorno, maar over het algemeen word ik Freddy genoemd.'
Voordat hij zichzelf kon tegenhouden zei Stuart: 'O, mijn god.'
'Dat kun je wel zeggen ja,' zei Freddy Livorno. 'Het is heel verstandig om je God aan te roepen. Je zult hem nodig hebben. De sleutel waarmee ik jouw voordeur heb opengemaakt, heb ik aangetroffen in de handtas van mijn vrouw. Een tas met heel veel vakjes en een hoop metalen tierelantijnen. Frivool, dat zeker, maar je weet hoe vrouwen zijn. Jij bent iemand die de koffer in duikt met de vrouwen van andere mannen, dus jij weet ongetwijfeld heel goed hoe vrouwen zijn, hè?'
'Hoor eens,' zei Stuart, die bang begon te worden, 'we kunnen er best over praten. Waarom gaan we niet even zitten?'
'De reden dat ik niet ga zitten,' zei Freddy Livorno, 'is dat ik in jouw gezelschap liever blijf staan. Ik kom hier niet voor de gezelligheid.' Hij had een heel deftig accent, maar meer van het soort dat je leert op een dure kostschool of een chique universiteit dan de manier van praten die je van je moeder leert als zij toevallig de dochter van een graaf is. 'Ik wist waar je woonde omdat ik de mails van mijn vrouw heb gelezen, en toen een paar dingen met elkaar in verband heb gebracht. Nou, wil je weten waarom ik hier ben?'
Stuart wist niets te zeggen. 'Ik kom je in elkaar slaan. Niemand heeft me zien komen. De huismeester is niet op zijn post. Op straat was niemand te bekennen, ongetwijfeld vanwege de sneeuw.' Hij deed een stap naar Stuart toe en haalde zijn linkerhand tevoorschijn vanachter zijn rug. Een hand met een stok

erin. Geen wandelstok, en ook geen stok die je zou kunnen gebruiken om een plant mee op te binden, maar een korte, stevige knuppel, een centimeter of vier dik en zo te zien gemaakt van een of ander soort tropisch hardhout. Nou, voordat ik je eens flink op je donder geef, vraag ik je: "Hebt u nog iets te zeggen?" zoals de rechter vroeger altijd deed voordat hij een vonnis wees.'

'Je bent gestoord,' zei Stuart, toen hij weer in staat was om geluid uit te brengen. 'Claudia heeft me verteld dat jij gestoord bent. Ja, ik ben haar minnaar. Ze heeft me hard nodig met zo'n bruut als jij.' Zijn mobieltje lag op de nieuwe salontafel, naast de chocolademelk. Hij pakte het van de tafel en zei: 'Ik bel de politie.'

In reactie daarop bracht Livorno zijn stok omhoog, en haalde uit. Hij miste bijna maar de stok schampte Stuarts slaap. Stuart liet het mobieltje vallen en met een schreeuw – want die klap had pijn gedaan – beukte hij met zijn vuisten op Livorno in en stompte hem zonder dat het veel uithaalde in zijn nek en gezicht. Livorno haalde opnieuw uit en deze keer raakte de stok hem tegen de zijkant van zijn hoofd en schouder, zodat Stuart wankelde en letterlijk sterretjes zag, net als in de strips die hij vroeger veel las. Stuart deed een stap naar achteren, toen nog een, en zocht op de tast naar een wapen. Hij dacht niets. Zijn geest was plotseling volkomen leeg. Hij was zich alleen maar bewust van zijn drang tot zelfbehoud en de noodzaak van zelfverdediging. Op een boekenplank stond een zware glazen vaas die zijn moeder ooit van tante Helen had gekregen, met randen van bijna tweeënhalve centimeter dik. De vaas was te zwaar om in één hand te houden en dus pakte hij die met beide handen vast, net toen Livorno opnieuw uithaalde. Het zou een hardere klap zijn geweest dan de vorige twee, en als het raak was geweest, zou Stuart uitgeschakeld zijn geweest, maar hij stapte snel opzij. Hij hield zijn beide handen om de dikke, gladde bovenrand geklemd. Zijn geest was nog steeds volkomen leeg, leeg van alle moraal, alle angst en alle voorzichtigheid – vooral van alle voorzichtigheid – en toen de stok woest in zijn onderbuik werd gestoten, haalde hij uit naar Livorno's hoofd. Maar de man dook weg en de vaas raakte hem op zijn linkerschouder.

Livorno viel en veegde in zijn val de beker chocolademelk van tafel, zodat hij nu op zijn rug lag, midden in een steeds groter wordende plas bruine vloeistof op Stuarts donkergrijze karpet. Stuart liet zich naast hem op de vloer zakken. Alles deed pijn, maar hij was zich vooral bewust van een scherpe pijn in zijn hoofd en een reeks verlammende steken in zijn onderbuik. Het drong tot hem door dat hij de vaas nog in zijn handen hield en toen hij die neerzette, herinnerde hij zich zonder dat dat ergens op sloeg dat hij dat ding had willen gebruiken om selderijstengels in te zetten. Het viel hem op, misschien wel voor de eerste keer, dat er een bloemetjespatroon in het oppervlak was aangebracht en dat er een vlinder neerstreek op een van de bloemen. Livorno had de stok laten vallen toen hij zijn evenwicht verloor en de twee wapens lagen naast el-

kaar, net als de twee mannen. Toen begon Stuarts mobieltje, dat ongeveer dertig centimeter van hem vandaan lag, 'Nessun dorma' te spelen.
Stuart pakte het mobieltje en zag dat het Claudia was. Hij liet het toestel maar overgaan. Hij keek opzij net toen Livorno dat ook deed, zodat ze elkaar recht in de ogen keken. Op een bepaald moment moest hij Livorno een harde stomp op zijn oog hebben gegeven, want zijn linkeroogkas begon op te zwellen en paars aan te lopen. Als dit een film was, zo dacht hij, zou een vechtpartij ervoor gezorgd hebben dat alles goed kwam. Hij zou opstaan en ik zou opstaan, en we zouden elkaar een hand geven en naar buiten gaan om samen wat te drinken. Maar dat doen we niet, want we hebben per slot van rekening geen ruzie gekregen omdat een van ons iets onbeleefds tegen de ander heeft gezegd of iets heeft gezegd wat de ander zou kwetsen of dat soort flauwekul. We hebben het aan de stok gekregen, of liever gezegd, hij heeft besloten mij met een stok te lijf te gaan omdat ik met zijn vrouw naar bed ben geweest, en dan ligt het toch anders. O god!
Livorno duwde zich met zijn linkerelleboog half overeind en ging rechtop zitten. Hij keek Stuart zwijgend aan. Tegen die tijd deed Stuarts hoofd zo'n pijn dat hij wist dat hij naar de EHBO zou moeten. Hij deed zijn ogen dicht. Toen hij ze weer opendeed, was Livorno opgestaan. De man hield zijn linkerarm vlak onder de schouder vast, en drukte die tegen zijn zij. Hij gaf Stuart een schop tegen zijn dijbeen, meer als teken van minachting dan uit boosaardigheid. Stuart ging op zijn knieën zitten en krabbelde toen overeind, terwijl hij zich bewust was van een felle stekende pijn in iets wat weleens zijn blaas zou kunnen zijn. De telefoon maakte het geluid dat hij liet horen als er een sms binnenkwam. Het was Claudia weer.
'Gaat het?' zei hij tegen Livorno.
'Ik ben gewond aan mijn schouder,' zei Livorno. 'Ik hoop dat ik jou meer kwaad heb gedaan. Als je je ooit nog bij mijn vrouw in de buurt waagt, als je zelfs maar met haar prááat, doe ik iets ergers. Kun je daarmee leven, klerelijer dat je d'r bent?'

Stuart zat op de afdeling Eerste Hulp te wachten tot er een dokter beschikbaar was. Het was voor het eerst dat hij op een EHBO-afdeling was, al had hij van vrienden en kennissen wel verhalen gehoord over de urenlange wachttijden en de ongure types die naast je konden komen zitten. ('Niet te geloven, schat, die lucht!') Het gesprek om hem heen ging alleen maar over de kou en de sneeuw, en hoe ongebruikelijk dat was in Londen, het zou wel komen door de klimaatveranderingen of zo. Sommige mensen waren uitgegleden op een spekgladde stoep en hadden hun enkel of pols gebroken, of ze waren zo hard onderuitgegaan dat ze hun rugspieren hadden verrekt. Stuart had te horen gekregen dat hij zijn mobieltje hier niet mocht gebruiken en toen hij vroeg of hij ergens koffie kon krijgen, werd hem een machine gewezen. Het was maar goed dat hij op dit moment vrij was – die term beviel hem beter dan 'werkloos' – want hij had hier inmiddels al drie uur gezeten zonder dat ook maar iets erop wees dat hij binnenkort aan de beurt zou zijn.

Na drie uur en vijftig minuten riep een verpleegster zijn naam en zei dat de dokter hem kon ontvangen. Toen ze voor hem uit liep naar spreekkamer, zei ze met iets triomfantelijks in haar stem dat ze had gezegd dat hij hooguit vier uur zou moeten wachten, en daarin had ze toch maar gelijk gehad, hè?

De arts was een zeer aantrekkelijke jonge vrouw, net een actrice in een van die ziekenhuisseries, die hem vroeg hoe hij erin geslaagd was op zo'n manier zijn hoofd te stoten en tegelijkertijd ook nog een schaafwond op zijn onderbuik op te lopen. Stuart zei dat hij gevallen was in de sneeuw.

'Dan hebt u zeker op uw hoofd op het trottoir gestaan,' zei ze. 'En daarna bent u opgekrabbeld en hebt u uzelf een schop in uw onderbuik gegeven?'

Ze lachte veelbetekenend en stelde verder geen vragen, maar stuurde hem weg om een röntgenfoto te laten maken. In de fotokamer wilden ze niet vertellen wat er aan de hand was. Hij zou een paar dagen moeten wachten op de uitslag, maar er werd hem wel verzekerd dat hij niets had gebroken.

Toen hij in de taxi zijn mobieltje aanzette stond er 15 GEMISTE OPROEPEN op het schermpje. Toen begon het ding te piepen en Claudia's naam verscheen in beeld.

'Ik heb je telkens gebeld, en twee keer een sms'je gestuurd. Waar heb je gezeten?'

Het klonk alsof ze dat niet wist. Maar ze moest het nu toch wel weten. Hij sprak behoedzaam.

'Ik ben wat spullen gaan kopen voor het feest en toen gevallen in de sneeuw. Ik was vergeten mijn telefoon mee te nemen.'

'O, schat! Heb je je bezeerd?'

Ze wist het duidelijk niet. Freddy had het haar niet verteld. Stuart zei dat hij zeven uur op de Eerste Hulp had gezeten, een enorme overdrijving.

'Het heeft geen zin om een mobieltje te hebben als je het niet bij je draagt,' zei ze, en toen: 'Je gaat me vast vermoorden, schat, maar volgens mij ben ik jouw sleutel kwijt. De sleutel van je flat bedoel ik. Ik wéét dat ik die gisteravond uit het tasje van gisteren heb gehaald en het in het tasje van vandaag heb gestopt. Dat weet ik heel zeker, maar hij is er niet. Hij zal er wel uit gevallen zijn in de metro. Ik was spullen uit mijn tasje aan het halen toen ik in de metro zat, en toen moet die sleutel eruit gevallen zijn. Je zult een nieuw slot op de deur moeten zetten.'

Stuart voelde zich er niet tegen opgewassen om haar te vertellen dat niemand in de metro zou weten op welk slot die sleutel paste. En dat ze hem bovendien niet was kwijtgeraakt in de metro... dat ze hem helemaal niet was kwijtgeraakt.

Freddy had hem uit haar tasje gehaald en zichzelf ermee binnengelaten.
'Dus als ik na mijn werk langskom, zul je me moeten binnenlaten, oké?'
'Ik zit onder de blauwe plekken' zei hij.
'O, maar dat is heel sexy. Dan fantaseer ik dat je een gewonde krijger bent. Ik kom om een uur of zeven.'
Inmiddels deed alles pijn. In de verte hoorde hij de klok van St. Ebba's Church slaan. Er was niets te eten in de flat, hij had sinds negen uur 's ochtends niet meer gegeten en hij rammelde van de honger. Het sneeuwde nog steeds, maar hij zou de deur uit moeten gaan om iets te kopen, en daarbij heel goed moeten oppassen dat hij niet viel en zo zijn leugens tot waarheid zou maken.
Marius Potter stond in de hal en haalde net zijn post uit het postvakje van nummer 3. In Stuarts ogen was Marius een overblijfsel uit het verre verleden van de jaren zestig, een stokoude hippie, en om de een of andere reden, die hij niet goed wist te omschrijven, vond hij zulke mensen ergerniswekkend. Maar misschien was dat eigenlijk ook helemaal niet zo moeilijk te beschrijven. Het had iets te maken met de manier waarop Marius Potter hem begroette met een 'Een goedemiddag', een ouderwetse manier van praten waarvan Stuart dacht dat het sarcastisch bedoeld was.
Het sneeuwde niet meer, maar, zoals Maria van het pizzarestaurant zei, de lucht zat er nog vol mee. Ze sprak alsof de zware donkere wolken die zich nu ophoopten boven Kenilworth Parade zakken met sneeuw waren, die bij het minste of geringste leeggeschud zouden worden. Stuart, die in veel opzichten erg behoudend was, bestelde een pizza margarita. De wat buitenissiger varianten met ananas en krab boezemden hem afgrijzen in.
'Je kunt maar beter eens naar die arm laten kijken,' zei Maria. 'Die ziet er gemeen uit.'
Alsof zijn schouder een valse hond was, dacht Stuart. Hij zou eigenlijk zijn camera moeten halen om foto's te maken van Kenilworth Avenue en Kenilworth Parade onder een dikke laag sneeuw. Hij zou de rotonde moeten oversteken om foto's te maken van Kenilworth Green, St. Ebba's Church en het kerkhof, die allemaal schuilgingen onder een dikke laag sneeuw. Als dat niet werd vastgelegd, zou in de toekomst niemand geloven dat het hier ooit gesneeuwd had. Maar hij zou niet in staat zijn om een camera te hanteren. Het lukte hem nauwelijks om zijn mobieltje te gebruiken, en met zijn linkerhand had hij nooit veel gekund. Het was net een sprookje, dacht hij, al was dat geen bijzonder oorspronkelijke gedachte. Iets uit een sprookje van Grimm, al die huizen met hun kerstboompjes in de voortuin, die oprezen uit een dikke laag sneeuw.
Hij nam een glas sinaasappelsap bij zijn pizza. Hij was nooit erg dol geweest op alcohol – hij kon er niet goed tegen en werd heel snel dronken. Twee glazen wijn bezorgden hem al een kater. Heel anders dan Claudia, die een verbazingwek-

kende hoeveelheid drank achterover kon slaan zonder dat op welke manier dan ook aan haar te merken viel dat ze iets anders dan water had gedronken. Aanvankelijk had het hem verwonderd dat ze niet scheen te weten dat Freddy gewond was geraakt, maar dat kon natuurlijk heel goed. Ze was de hele dag op pad geweest om onderzoek te doen voor een of ander artikel, en was nog steeds niet thuis. Als die twee elkaar niet regelmatig belden, zou ze het nog niet van Freddy gehoord hebben. Als je zelf niet werkte, zoals hij op dat moment, verloor je al snel je gevoel voor de wijze waarop werkende mensen hun leven indeelden. Ze zou hier over drie uur zijn. Zou hij het haar vertellen? Moest hij het haar vertellen? Hij kon het toch niet maken om voor haar te verzwijgen dat hij gewond was geraakt in een gevecht met haar man?
Gewoonlijk zou hij als Claudia kwam opgewonden zijn geweest en voorbereidingen hebben getroffen voor haar komst door een fles wijn in de ijskast te leggen – niet voor zichzelf maar voor haar – en door te kijken of de wasbak in de badkamer wel schoon was en – hij ontbeet meestal op bed, met geroosterd brood met zijn moeders zelfgemaakte marmelade erop – het beddengoed te controleren op broodkruimels en koffievlekken en indien noodzakelijk de lakens verwisselen. Vandaag ontbrak die gebruikelijke uitgelatenheid echter. Hij had hoofdpijn en een kloppende pijn in zijn schouder, zijn blauwe plekken schrijnden en de pijn in zijn onderbuik – of waar dan ook precies – werd steeds erger. Zelfs als hij dat zou willen, zou hij niet in staat zijn om het bed te verschonen. Het vooruitzicht van vrijen met Claudia bezorgde hem over het algemeen een middag vol verrukkelijke fantasieën, maar deze keer liepen alleen al bij de gedachte aan Claudia die haar kleren uittrok de rillingen hem over de rug. Hij kon het niet, niet met die pijn in zijn onderbuik, niet na dat gevecht met haar man. Hij herinnerde zich weer wat Freddy Livorno had gezegd voor hij het huis uit liep. 'Als je je ooit nog bij mijn vrouw in de buurt waagt, als je zelfs maar met haar prááát, doe ik iets ergers.' Wat zou dat zijn, 'iets ergers'? Stuart was vooral bang voor verminkingen in zijn gezicht. Was dat wat Freddy bedoeld had? Hij bukte zich om het dienblad met het pizzabord en het lege glas op te tillen, en merkte toen een doffe glans op aan de voet van de bank. Het was de sleutel waarmee Freddy zichzelf had binnengelaten. Stuart stopte die in zijn zak, ging zitten, pakte zijn mobieltje en belde Claudia. De stem die hij aan de lijn kreeg, was niet die van haar voicemail, maar van Claudia zelf.
'Claudia, ik moet afzeggen. Ik voel me niet goed. Ik voel me behoorlijk beroerd zelfs.'
'Omdat je bent uitgegleden in de sneeuw? Wat is er gebeurd?'
'Ik ben best ongelukkig terechtgekomen,' zei hij. 'Volgens mij heb ik iets gescheurd.'
'Maar schatje toch, dat kán helemaal niet. Wat ben je toch een doetje! Maar dat

vind ik nou juist zo leuk aan jou. Hoor eens, over een uurtje ben ik bij je. Woonde je maar niet in zo'n achterafbuurt.'
Hij hoefde haar niet binnen te laten, dacht hij. Maar hij wist dat hij niet over de kracht beschikte om haar voor de deur te laten staan. Hij zou haar wel moeten binnenlaten. Hij was inderdaad een doetje, dat viel niet te ontkennen.

Rose Preston-Jones was aan het koken voor zichzelf en Marius Potter: zoutvrije wortel-komijnsoep, met daarna rucolasalade met artisjokkenhartjes en brood van spelt en pompoenpitten. Zelfs de mensen die haar ontslakkingskuur volgden, waren vaak niet bereid om de maaltijden te eten die zij klaarmaakte en voorschreef. Maar Marius deelde haar smaak. De sortes die hij die ochtend voor haar had gevonden – 'een tweetal nieuwe kostbare droppen/ in hun kristallen sluis' – beschouwden ze allebei als van toepassing op de glazen met vruchtensap die ze bij de maaltijd zouden drinken. Geen van hen dronk ook maar een druppel alcohol.
Marius klopte aan om halfzeven. In de gang was hij meneer en mevrouw Constantine tegengekomen en terwijl hij met hen stond te praten waren de schuifdeuren opengegaan om een jonge vrouw binnen te laten die op heel hoge hakken liep. Ze had aangebeld bij Stuart Font en toen er niet onmiddellijk werd opengedaan, had ze op de deur getikt met haar mobieltje. Dat deed Katie Constantine eraan denken dat haar mobieltje gestolen was.
'Terwijl Michael en ik in de bus zaten. We zaten vooraan op de bovenverdieping. Ik was zo moe dat ik mijn hoofd op zijn schouder had gelegd en mijn ogen dicht had gedaan. Mijn handtasje lag aan de andere kant naast me, en kennelijk heeft iemand zijn hand erin gestoken en het eruit gehaald.'
Marius zei dat mensen die in armoede leefden, zoals zoveel mensen dus, zich gemakkelijker in verzoeking lieten leiden dan andere.
Katie sloeg daar geen acht op. 'Op zich vind ik dat niet zo heel erg, maar al mijn sneeuwfoto's stonden erop. Het sneeuwt niet meer en het lijkt me niet dat het nog eens zo zal gaan sneeuwen.'
Bij Rose thuis begroetten Marius en Rose elkaar met een zedige kus. Marius had een mobieltje, al gebruikte hij dat slechts zelden. Rose was van mening dat je van mobieltjes hersenletsel kon oplopen. Katie, zei ze, was nog jong genoeg om blijvend letsel te kunnen voorkomen als ze zo verstandig zou zijn om geen nieuw toestel te kopen, en ze feliciteerde Marius ermee dat hij de batterijen van zijn toestel zo vaak liet leeglopen. McPhee, die soms dacht dat hij een kat was, omdat hij als puppy was grootgebracht tussen een stel jonge katjes, sprong op Marius' knie en rolde zich op. Rose zette granaatappelthee en Marius vertelde haar over de bezoekster aan nummer 1, en haar hoge hakken, waarover Rose zei dat ze daar later in haar leven veel last van zou krijgen, en dat het waarschijnlijk

noodzakelijk zou blijken om allerlei eeltknobbels weg te snijden.
Het was donker buiten, maar de straatlantaarns wierpen een donkergeel licht op de laatste resten sneeuw. Toen Rose opstond om nog wat thee in te schenken zei ze tegen Marius dat hij even moest komen kijken. Aan de andere kant van de straat liep een van de jonge Aziaten het tuinpad van het linkerdeel van de twee-onder-een-kap op, met in beide handen een zware plastic tas vol boodschappen. Een oudere man liep achter hem aan, maar bleef vijf of zes meter achter hem. Rose trok de luxaflex omlaag.
'Dat huis heet Springmead. Dat is me nooit eerder opgevallen.'
'Mij ook niet,' zei Marius, die zat te denken aan wat zijn zus hem had verteld en wilde dat hij haar nooit naar Rose had gevraagd. Zou hij dit ongemakkelijke gevoel ooit nog van zich af kunnen zetten? Maar toch, in deze aantrekkelijke, wat verlepte vrouw, die nog steeds zo slank was als een meisje van zestien, en die een stem had die nog steeds jeugdig klonk, kon hij het lieve, verlegen meisje zien met wie hij al die jaren geleden de liefde had bedreven. Maar hij was er zeker van dat het enige wat zij zag een oude man was, vermoeid en afgeleefd, en met zijn citaten uit het werk van een door niemand meer gelezen dichter ook een beetje belachelijk.

5

Claudia stond zich aan te kleden en Stuart lag vanuit zijn bed mismoedig naar haar te kijken. Dit was al de tweede keer dat ze bij hem op bezoek was geweest sinds zijn ontmoeting met Freddy, en het was duidelijk dat ze geen weet had van het gevecht; het was al even duidelijk dat Freddy's verwondingen, ondanks dat gedoe over zijn schouder, minder ernstig waren dan die van Stuart zelf.

'Ik moest naar de Eerste Hulp,' had Stuart tegen haar gezegd.

Als Freddy ook naar het ziekenhuis had gemoeten, zou ze hem dat toch wel verteld hebben. Dan zou ze toch wel 'Hé, Freddy ook' gezegd hebben? Maar waarom had Freddy het haar niet verteld? En belangrijker nog, waarom had Freddy haar niet verteld dat hij wist dat ze een verhouding had? De man had gezegd dat als Stuart Claudia ooit weer zou zien, als Stuart zelfs maar met Claudia durfde te práten, hij 'iets ergers' zou doen. Wat betekende dat? Dat hij zijn gezicht zou verminken, of hem zelfs zou vermoorden? Claudia trok op verleidelijke wijze haar kousen aan. Met toenemende angst begon Stuart zich af te vragen waarom ze eigenlijk kousen droeg. Maar weinig vrouwen droegen die. Hij stelde zich voor dat Freddy de kamer binnen kwam lopen – misschien had hij wel een tweede duplicaatsleutel laten maken, misschien zelfs wel een hele hoop sleutels... Plotseling stond hij op en liep naar de badkamer.

Freddy voerde duidelijk iets in zijn schild. Iets wat niet voor de hand lag, of misschien nog wel erger, iets wat juist wél voor de hand lag, iets doodgewoons. Misschien denkt Freddy dat hij zijn vrouw beter helemaal niets kan zeggen. Misschien zegt hij wel in zichzelf: 'Ik wil haar helemaal niet waarschuwen. Stuart, die moet ik waarschuwen, en dat heb ik al gedaan, zodat die vent als zij bij hem voor de deur staat haar heel duidelijk te verstaan geeft dat hij háár niet wil zien. Wie weet stuurt hij haar wel weg, wie weet krijgt hij zelfs ruzie met haar, wat kan mij dat schelen?' Weggedoken in zijn lichtbruine ochtendjas nam Stuart zichzelf aandachtig op in de spiegel en liep toen naar de woonkamer, waar Claudia op de bank zat, met haar benen over elkaar, zodat de bovenrand van haar kousen goed te zien viel. Ze keek naar de vlek op het kleed.

'Is dat bloed, schat?'

Stuart zei nee, natuurlijk niet, het was warme chocolademelk, of liever gezegd: het was warme chocolademelk geweest. Hij was er nog niet aan toe gekomen om het op te ruimen. 'Claudia.'
'Ja, wat is er? Ik hoef nog niet weg, hoor. We hebben nog minstens een uur. Je vergeet toch niet nog even een sleutel voor me te laten maken, hè?' Terwijl hij in de badkamer was, moest ze de krat van Wicked Wine gezien hebben. 'Zullen we een van die flessen champagne opentrekken?'
'Die zijn voor mijn feestje,' zei hij streng, en toen: 'Claudia, we moeten eens praten.'
'Hoezo?'
Hoezo? Een uitzinnig ogenblik dacht hij erover om haar te zeggen dat hij weg moest – Zijn moeder was ziek en hij moest haar verzorgen... Zijn vriend in San Francisco was ziek... Maar welke zieke zou nou door hem verzorgd willen worden? In plaats daarvan wist hij uit te brengen: 'Deze... relatie van ons begint me te veel te worden. Als ik zo emotioneel bij jou betrokken raak, kan ik niet telkens weer dagenlang zonder je.' Het stond hem tegen om iemand wijs te maken dat hij van haar hield terwijl dat niet het geval was, maar dit was niet het moment voor scrupules. 'Ik hou van je, Claudia. Ik aanbid je.' Waarom klonk 'aanbidden' zoveel minder oprecht dan 'houden van'? 'Ik vind het onverdraaglijk om je terug te laten gaan naar Freddy. Als dit zo blijft, kunnen we maar beter uit elkaar gaan.'
'O, Stuart,' zei ze, en ze trok haar rok over haar knieën. 'Ik had geen idee dat je het allemaal zo serieus nam.'
Hij begon dit leuk te vinden. Rat die je bent, zei hij in zichzelf. Schoft. 'Als ik je niet voortdurend om me heen kan hebben, als ik je niet helemaal voor mezelf alleen heb, dan is het maar beter om je helemaal niet meer te zien. Ik vind het hartverscheurend, ik zal er bijna aan onderdoor gaan, maar dan is dat voor ons allebei toch het beste... Begrijp je dat?'
Ze kwam naar hem toe, sloeg haar armen om hem heen en legde haar wang tegen die van hem. Stuart schreeuwde het bijna uit toen ze haar armen tegen de blauwe plekken op zijn rug en schouders duwde. 'Het hoeft niet permanent te zijn, schat. Laten we eerst eens uitproberen hoe het voelt om uit elkaar te zijn. Laten we elkaar maar een tijdje niet zien... Twee weken? Maar we bellen elke dag.'
En met die halve maatregel moest hij zich maar tevreden stellen. In elk geval was ze in alle emotie die duplicaatsleutel volkomen vergeten.

Olwens vader was een dronkenlap geweest, en haar moeder, die hem niet alleen wilde laten begaan, dronk ook veel. Maar Louis Forgan had een vaste baan gehad, en zelfs iets van een sociaal leven, en van zijn verslaving had hij maar weinig laten merken, behalve dan aan degenen die wisten waarop ze moesten letten. Olwen en haar broer hadden het heel gewoon gevonden dat er altijd drank in huis was, voornamelijk whisky, maar ook bier en wijn. Ze aanvaardden dat als de norm, en als ze bij vriendjes thuis waren, vroegen ze zich af waarom er niet in elke kamer flessen stonden en waarom de ouders van die vriendjes nooit een glas in de hand leken te hebben. Maar toen was het kennelijk tot de één jaar oudere Douglas doorgedrongen wat er aan de hand was, en tijdens het avondeten kondigde hij aan dat hij zijn hele leven lang nooit meer alcohol zou drinken, zelfs geen druppel.

Sinds ze respectievelijk negen en tien jaar oud waren, hadden de beide kinderen altijd wijn bij het eten te drinken gekregen. Olwen beschouwde die gewoonte als de oorzaak van haar eigen verslaving, en in de tijd dat ze nog kranten las, en nog televisie keek in plaats van die alleen maar aan te hebben staan, was ze vaak boos geworden over artikelen en programma's waarin ouders werd aangeraden kinderen wijn te drinken te geven om hen op die manier te leren 'op verantwoorde wijze met alcohol om te gaan'. In haar jeugd had ze zich zorgen gemaakt over haar verlangen naar alcohol, en zich daar diep ellendig over gevoeld. Ze had altijd vol verwondering en bijna met ongeloof naar Louis gekeken, die ook toen hij eenmaal het huis uit was, had vastgehouden aan zijn voornemen. Er kwam geen druppel bier, wijn of sterkedrank over zijn lippen, en daar was hij zo te zien volkomen tevreden mee. Ze had zich enorm ingespannen om zijn voorbeeld te volgen en soms was ze er lange perioden in geslaagd om het zonder alcohol te stellen. Haar vader was gestorven aan levercirrose en haar moeder aan wat haar arts omschreef als 'alcoholgerelateerde problemen'.

In een van haar geheelonthoudende fasen was Olwen getrouwd. Haar man was een sociale drinker, en omdat hij totaal niet op de hoogte was van haar familiegeschiedenis had hij haar weten wijs te maken dat een glaasje van het een of ander geen kwaad kon. De eerste keer dat ze weer iets dronk, na zes maanden droog te hebben gestaan, was pure verrukking. Ze nam nog een tweede glaasje, samen met David, en was meteen weer terug op het punt waarop ze zich had bevonden voor ze hem ontmoette. Lange tijd had ze een fles rode wijn in de keuken bewaard en tegen David gezegd dat ze die gebruikte bij het koken. Het was altijd hetzelfde merk wijn, zodat hij niet kon zien of het nou de eerste fles was of de vijfentwintigste die al bijna leeg was. Die wijn betaalde ze uit eigen zak, want ze had altijd gewerkt, meestal als secretaresse van de een of andere functionaris en één keer als hoofd van de typekamer.

Het huwelijk was stukgelopen, deels omdat David kinderen wilde en Olwen dat een angstaanjagend vooruitzicht vond. Ze dronk te veel. Toen ze weer alleen was, had ze volledig aan haar verlangen toegegeven en was naast wijn ook elke dag een paar glazen gin gaan drinken. Hoewel ze zich er niet van bewust was, had ze kennelijk van haar ouders geleerd hoe je een zware drinker kon worden zonder daar veel van te laten merken aan mensen die niet wisten waarop je moest letten. Bill was er zo eentje. Hij was geheelonthouder, meer uit smaak dan uit innerlijke overtuiging. Hij hield gewoon niet van alcohol. Als ze samen uitgingen, bestelde hij drankjes voor haar en zei dat hij het prettig vond om haar te zien genieten en dat hij haar bewonderde omdat ze 'er zo goed tegen kon'. Als ze van Bill droomde, zoals nu bijvoorbeeld, zag ze hem alleen maar als dom, als een sukkel die zich wel heel gemakkelijk om de tuin had laten leiden. Hij had al bijna het punt bereikt waarop hij haar ten huwelijk vroeg – en dat was waar het in haar droom altijd om ging – voordat hij haar vertelde dat hij twee kinderen had. In de droom had hij er vijf, maar die twee van hem waren zo moeilijk geweest dat het er net zo goed tien hadden kunnen zijn. Toen ze wakker werd, lag ze zich af te vragen, en niet voor het eerst, waarom ze eigenlijk met Bill getrouwd was en waarom ze het allemaal op zich had genomen, al die zorg, al dat geploeter in het huishouden, altijd maar doen alsof ze Margaret en Richard graag mocht en altijd maar de schijn ophouden dat ze geen gin of wodka – als er maar alcohol in zat – nodig had om niet knettergek te worden.

Toen ze wakker werd, had ze dringend behoefte aan een borrel, maar ze had geen drank meer in huis. Er had nog minstens vijf centimeter wodka in de fles gezeten die ze toen ze gisteravond was gaan slapen naast haar bed op de vloer had gezet. Dat meende ze zich in elk geval te herinneren, maar misschien had ze de fles wel leeggedronken voordat ze in slaap viel, of was ze 's nachts wakker geworden en had ze toen de fles leeggedronken. In elk geval zat er nu duidelijk niets meer in. Ze stond moeizaam op en strompelde naar de keuken, waar ze in het drankkastje keek. Ze merkte dat er een angstwekkende vermoeidheid op haar neerdaalde en toen ze haar woonkamer binnen schuifelde, slaagde ze er nog maar net in om de gehavende oude sofa te bereiken voordat ze in elkaar zakte. Het felle zonlicht dat door het raam naar binnen scheen, wierp helle, goudkleurige lichtplekken op haar gezicht. Vloekend draaide ze zich om, zodat ze naar de vlekkerige rugleuning lag te staren. Haar hevige verlangen naar alcohol was nu zo sterk dat het bijna gewelddadig werd. Hoewel ze erop voorbereid zou zijn geweest om naar Wicked Wine te strompelen en zich onderweg vast te klampen aan schuttingen en hekjes, en een paraplu als wandelstok te gebruiken, besefte ze dat haar versleten, zwakke lijfje dat nooit zou halen. Als ze Rupert belde, zou ze hem dan zover kunnen krijgen dat hij een bestelling kwam brengen of dat iemand anders een fles gin liet brengen? Net zoals de meeste niet al te grote voorwerpen in haar flat lag de telefoon op de vloer. Ze bukte zich en zocht er op de tast naar, totdat ze zich herinnerde dat haar abonnement afgesloten was. British Telecommunications of hoe dat bedrijf ook mocht heten had het al weken geleden afgesloten omdat ze was vergeten de rekening te betalen.

Alle trots die Olwen ooit had gehad, was allang verdwenen. Ze had haar trots weten te bewaren gedurende haar twee huwelijken. Al die tijd was ze erin geslaagd het allemaal te verhullen – haar verslaving, de alcoholdampen die ze uitademde en haar wankele, onvaste manier van lopen – maar dat had ze allemaal met een zucht van verlichting laten varen toen ze eindelijk alleen was en had besloten zich dood te drinken. Ze liet zich van de sofa op de vloer zakken en nadat ze naar de voordeur was gekropen, trok ze zich omhoog door zich vast te houden aan de handvatten van een ingebouwde ladekast. Nadat ze de voordeur had weten open te krijgen, liet ze zich met een smak op de vloer vallen, kroop naar nummer 5 en begon met haar vuist op de deur te slaan. Even later verscheen Noor Lateef in de deuropening, met Sophie Longwich vlak achter zich. Ze stonden vol ongeloof naar Olwen te kijken, die daar in een smerige roze nachtjapon met een oeroude bontjas eroverheen in de hal lag, en wendden toen hun ogen af. Geen van hen had haar ooit meer horen zeggen dan 'Eigenlijk niet', en ze reageerden op haar woorden alsof Rose Preston-Jones' hondje McPhee plotseling was gaan praten.
'Zouden jullie even naar de winkel om de hoek kunnen gaan om een fles gin voor me te halen? Rupert is nu al open. Het is halftien. Ik betaal jullie wel als jullie terug zijn.'
Toen ze van de schrik bekomen was, zei Sophie, de meest praktische van de twee: 'Zal ik een dokter voor u bellen? Of een ambulance laten komen?'
'Ik hoef alleen maar een fles gin.'
Noor stond haar met open mond aan te gapen en deed een stap naar achteren.
'Dat zou niet in de haak zijn,' zei Sophie. 'Het spijt me, maar dat kan ik niet voor u doen. U moet naar een dokter.'
Nog steeds op haar knieën schudde Olwen met alle kracht die ze maar in zich had haar hoofd, draaide zich om en kroop terug naar de open voordeur van haar eigen flat. De meisjes deden hun deur dicht en terwijl ze elkaar stonden aan te kijken, kwam Molly Flint met een grote handdoek om zich heen geslagen de badkamer uit. Ze hadden alle drie een beschermde jeugd gehad, al was een vrijdag- of zaterdagavond in een pub of club voor hen allemaal een vast onderdeel van de week; maar hoewel ze zich op dergelijke avonden weliswaar tamelijk milde drinkgelagen permitteerden, en anderen te zien kregen die er wat dat betreft veel erger aan toe waren dan zij, was de aanblik van echt alcoholisme voor hen iets nieuws. Ze waren geschrokken van Olwens vervuilde toestand, haar piekerige haar, smerige nachtpon en opgezwollen voeten – net brokken rundvlees in de toonbank van een slagerswinkel. De rauwe wanhoop op haar gezicht had dat beroofd van die zelfbeheersing, dat proces van opruimen en egaliseren waaraan de gelaatstrekken van oude mensen onderhevig zijn en dat hun een nietszeggende uitdrukking verleent die bijna opgewekt aandoet.

'Als ze ons had gevraagd melk voor haar te halen, hadden we dat heus wel gedaan,' zei Noor.
'Melk is geen drank,' zei Sophie. 'Dat zou haar geen kwaad doen.'
Molly, die doorging voor een filosofisch denker, zei: 'Dat weten jullie niet. Misschien is ze wel allergisch voor melk. En het is toch niet aan ons om met het vingertje te zwaaien? We moeten ons niet moralistisch opstellen.'
'Weet je wat we doen?' zei Sophie met een besluitvaardig knikje. 'We halen een halve fles gin voor haar, of zelfs zo'n heupflacon, en als we dat gedaan hebben, kunnen we naar Michael Constantine stappen om te horen wat hij ervan vindt.'
De anderen zeiden dat dat hun een goed idee leek, en ze begonnen de vereiste vijf pond bij elkaar te schrapen.

'Je roddelt te veel,' zei Wally Scurlock tegen zijn vrouw. 'Zo kom je nog eens in moeilijkheden.'
Mevrouw Scurlock, die Richenda als voornaam had, zei: 'Daar hebben we het nou al zo vaak over gehad, Wally. En zoals ik je ook als zo vaak heb gezegd: en wat dan nog? Wie gaat mij nou in moeilijkheden brengen?'
'Jij brengt jezelf in de problemen als je daar in de gang zo hard je maar kunt gaat staan brullen dat niemand hier de deur uit gaat om te werken. Probeer het maar niet te ontkennen. Ik heb je gehoord.'
'Nou, het is toch zeker ook zo? Je hebt die drie meisjes die studeren... zeggen ze. En geen van de anderen heeft een echte baan. Toen ik jong was, en toen jij jong was al helemaal, zag je in zo'n gebouw als dit, met zes appartementen erin, 's ochtends iedereen de deur uit gaan, op weg naar zijn werk van negen tot vijf, allemaal... Nou, misschien zouden de vrouwen zijn thuisgebleven, of in elk geval sommige vrouwen dan. In die tijd deden ze zelf het huishouden nog.'
'Dan had jij geen baan gehad,' zei Wally triomfantelijk. Richenda maakte alle appartementen in Lichfield House en Ludlow House schoon, plus twee in Hereford House en vijf in Ross House. Haar moeder had ook al appartementen schoongemaakt, en haar grootmoeder ook, maar die hadden zich op dat werk gekleed, haar moeder in een 'sportpantalon' en een katoenen blouse, haar grootmoeder in een overall. Richenda zei tegen de bewoners dat ze haar 'gewone kleren' aanhad omdat ze net zomin als Wally een uniform wilde dragen. Als die gewone kleren – hoge naaldhakken, een kort strak rokje en een strak truitje met daaronder een laag uitgesneden T-shirt – hier en daar wat verbijstering opleverden, gaf Richenda de klanten duidelijk te verstaan dat ze het maar te accepteren hadden. En anders moesten ze maar eens kijken wat het zou opleveren als ze met een van die alleenstaande moeders in zee gingen die een kaartje onder de deur door schoven om hun diensten als werkster aan te bieden – hun hele huis

leeggehaald en een uitnodiging aan elke inbreker in heel Noord-Londen om langs te komen wanneer het uitkwam.
Ze begon bij het huis van Stuart Font. Ze was van plan geen schoonmaak- of poetsmiddelen te gebruiken, en geen ander apparaat dan de stofzuiger, en toen Stuart op de vlek wees die de warme chocolademelk op het karpet had achtergelaten, zei ze, bijna nog voordat hij zijn zin had afgemaakt, dat dit een klus was voor een firma die tapijten reinigde. Niet lang daarna had de vrouw met wie Stuart 'het hield' gebeld, en hoewel hij door de manier waarop hij van de ene kamer naar de andere liep en telkens over zijn schouder keek, duidelijk aangaf dat hij alleen wilde zijn, was Richenda achter hem aan gelopen, terwijl ze de stofzuiger met zich mee trok en aandachtig naar zijn kant van het gesprek luisterde.
Na haar vertrek wachtte Wally Scurlock nog tien minuten voor hij met zijn tuingereedschap in een canvas tas naar buiten ging. Hij had vrijwel geen enkele belangstelling voor andere mensen tenzij ze binnen de categorie vielen van degenen voor wie hij juist heel veel belangstelling had. Daarom merkte hij Duncan Yeardon, die met een doos oud papier in zijn armen de voordeur van nummer 3 uit kwam, al net zomin op als de cipres naast Duncans voordeur. Het jonge meisje met het zijdezachte bleke gezicht en het sluike zwarte haar dat Springmead uit kwam lopen, was echter een heel ander verhaal. Hongerig keek Wally naar haar ranke gedaante, haar lange, slanke benen en haar handen als bloemblaadjes, die een zwarte plastic zak vasthielden die hem veel te zwaar voor haar leek. Hij dacht erover om de straat over te steken en aan te bieden die zak voor haar te dragen, maar wees dat idee zodra het in hem opkwam al van de hand. Het had geen enkele zin om de aandacht op je te vestigen, en het kon zelfs gevaarlijk zijn.
Zijn zelfgemaakte afspraak was om halfelf en het was nu tien voor half. Hij liep langs de honderd jaar geleden door sir Robert Smirke ontworpen kerk die tegenwoordig Bel Esprit Centre heette en was omgebouwd tot een miniwinkelcentrum met snackbar en kinderspeelruimte, en liep snel Kenilworth Avenue op, een straat met allerlei verschillende soorten huizen: korte blokken rijtjeshuizen met twee bovenverdiepingen, vrijstaande huizen en twee-onder-een-kapwoningen, met daartussendoor flats die sterk leken op Lichfield House, Ross House en Ludlow House, maar wat eerder gebouwd waren. Aan het eind van de avenue was een rotonde, met daaromheen een kapperszaak, een tabakszaak, de plaatselijke vestiging van een hypotheekbank en een winkel die badkamers verkocht, maar die bezig was zijn deuren te sluiten. Wally stak twee afslagen over en liep het volgende deel van Kenilworth Avenue op. Voorbij Kenilworth Green en St. Ebba's Church, die ongeveer zeshonderd jaar ouder was dan het op een na oudste bouwwerk hier in de buurt, stond de lagere school, die heel toepasselijk

Kenilworth Primary School was gedoopt. De leerlingen zouden elk ogenblik naar buiten komen voor het speelkwartier.
Het was heel lang geleden sinds er iemand was begraven op het kerkhof van St. Ebba's Church, maar de graven en grafzerken waren er nog. Wally, wiens familie uit Merton stamde, had op geen enkele begraafplaats hier in de buurt verwanten liggen, maar stond nu met een strak gezicht naar het graf van Clara Elizabeth Carbury te kijken. Die naam beviel hem wel, maar belangrijker nog dan Clara's naam was de locatie van haar grafzerk, niet ver van de smeedijzeren poorthekken die het kerkhof scheidden van het schoolterrein. Clara, zo zou hij niet naar waarheid hebben gezegd tegen iedereen die het vroeg, was zijn overgrootmoeder. Hij had de inscriptie inmiddels al zo vaak gelezen dat hij die uit zijn hoofd kende. *Clara Elizabeth, geboren 1879, overleden 1942, geliefde echtgenote van Samuel Carbury. Blijf bij mij, Heer, want d' avond is nabij. RIP.*
Het grootste deel van het kerkhof was niet goed onderhouden, de meeste grasperken stonden vol met veel te hoog gras en de graven zelf waren overwoekerd met onkruid. Maar het graf van Clara Carbury was een voorbeeld voor alle nabestaanden, van wie de meesten nalatig waren en zich niet om de overledene bekommerden, want de marmeren rand was schoon en glimmend gepoetst, het gras was keurig bijgehouden en vrij van onkruid en in de stenen urn stond een goedgesnoeide potplant, behalve dan als die er door de plaatselijke jeugd weer eens uit gehaald en stukgesmeten was. Hoewel het graf er door zijn toedoen keurig uitzag, liet Wally zich op zijn knieën zakken om opnieuw met zijn onderhoudswerkzaamheden te beginnen. Hij haalde een snoeischaar uit zijn tas en voor het wat nauwkeuriger werk een schaartje, een plantenschepje, een harkje en een pakje met poetsdoekjes. Hij was net begonnen met het afknippen van het gras dat de afgelopen week was opgekomen, net zoals een kapper het haar in de nek en aan de slapen wat bijwerkt, toen de schoolkinderen gillend en schreeuwend de speelplaats op holden. De meisjes gilden, zoals Wally maar al te goed wist, en de jongens schreeuwden. Hij was geïnteresseerd in de meisjes, en van hieruit kon hij ze goed zien hollen en springen, waarbij hun rokjes opwaaiden in de lichte wind. Hij hoefde nauwelijks op te kijken van het schepje dat hij nu hanteerde om een niet-bestaande paardenbloem weg te halen.
Later die week zou hij wat verder op pad gaan, naar Daneforth Comprehensive, als de brugklassers daar netbal speelden. In Daneforth Grove had je geen handige begraafplaats, maar een raam in het trappenhuis van een torenflat met sociale huurwoningen keek uit over het schoolterrein. Op woensdagochtend ging Wally daar een halfuurtje staan in het kader van een buurtactiviteit die Salute-4Seniors werd genoemd. Het enige wat dat inhield, was dat hij een bezoek moest brengen aan een gepensioneerde en twintig minuten lang met hem of haar een praatje maken. Een makkie, dat ervoor zorgde dat hij daarna rustig een

uurtje kon gaan kijken hoe die jonge tieners rondsprongen op het sportveld. Tot nu toe had geen enkele ouder of andere vervelende bemoeial zijn wekelijkse bezoekje opgemerkt of er anders in elk geval niets achter gezocht.

Het jonge meisje liep eerst over het tuinpad van Springmead naar het zomerhuis. Daarna kwam de jongen. Terwijl Duncan naar hen stond te kijken door het raam van zijn slaapkamer, besloot hij dat haar broer en zij daar waarschijnlijk gingen zitten om met elkaar te kunnen praten in hun eigen taal. In het huis zelf zouden ze vermoedelijk slechts zelden de kans krijgen om ongestoord samen te zijn, want de man van middelbare leeftijd met wie het meisje getrouwd was, zou ongetwijfeld zeer veeleisend zijn en verwachten dat zij hem op zijn wenken bediende en dat de broer zich keurig aan de huisregels hield. Hij had de man niet naar buiten zien gaan, maar waarschijnlijk zou die nu niet thuis zijn. Het leek wel of er tegenwoordig lang niet zoveel mensen elke dag naar hun werk gingen als vroeger, maar hoogstwaarschijnlijk zou de man nu toch wel werken. Als Duncan over mensen fantaseerde, gaf hij hun over het algemeen namen, en nu noemde hij de echtgenoot meneer Wu, naar een liedje van George Formby over een man die in een Chinese wasserij werkt, en de jongen en het meisje Oberon en Tijgerlelie. Hij zag hen het zomerhuis binnengaan en over hun schouder kijken voordat ze de deur achter zich dichttrokken.
Duncan zette het raam open, net zoals hij dat in alle andere slaapkamers ook al had gedaan. Het was zacht weer vandaag, en hoewel hij de verwarming laag had gezet, was het huis zo goed geïsoleerd dat het binnen nog steeds heel warm was. Binnenkort zou hij de verwarming helemaal uit kunnen zetten. Duncan was er eigenlijk nogal trots op dat hij een bijdrage leverde aan het terugdringen van de klimaatveranderingen terwijl hij het tegelijkertijd zelf heel behaaglijk had en zijn energierekening zo laag mogelijk hield.
In het zomerhuis zaten Xue en Tao op rotanstoelen, zonder iets te lezen, zonder ergens naar te kijken en zonder iets te zeggen. Na een tijdje liet Xue zich op de vloer zakken en bleef daar liggen, terwijl ze haar blote armen en benen tegen de koude tegels duwde.

6

Omdat hij nooit praktiserend arts was geweest, voelde Michael Constantine zich niet helemaal op zijn gemak bij het idee dat hij zich nu met een patiënt moest bezighouden. Voor zover hij wist was dat misschien niet eens toegestaan. 'Als het nog eens gebeurt,' zei hij, 'kun je maar beter een ambulance bellen.'

Sophie Longwich had hem niet verteld dat ze een halve fles gin had gekocht en die aan de vrouw op nummer 6 had gegeven toen ze opendeed, een vrouw die in haar ogen nauwelijks nog iets menselijks over zich had, in haar gerafelde bontjas en met haar grijze haar dat zo verwaarloosd was dat het als een stel dreadlocks om haar gezicht heen bungelde. Ze maakte zich zorgen om Olwen, maar was tegelijkertijd bang voor haar. Ze was grootgebracht door zachtmoedige, hoffelijke ouders, en er was haar geleerd om respect te koesteren voor de mensen die ze in gedachten nog steeds 'grote mensen' noemde. Grote mensen wisten hoe ze hun leven moesten leiden. De lange jaren hadden hun geleerd hoe ze moesten leven, en nu ze er een had ontmoet die niet wist hoe dat moest, voelde ze zich geschokt en verbijsterd.

Haar huisgenoten waren de deur uit, Molly naar de kunstacademie in Hornsey en Noor naar haar opleiding Bedrijfsadministratie in Wembley. Sophie had vandaag geen colleges aan haar universiteit op de South Bank, en hoewel ze een heleboel moest lezen, merkte ze dat ze zich niet kon concentreren op Scott Fitzgerald en J.D. Salinger. In de loop van de ochtend was ze een paar keer de overloop op gelopen om aan Olwens deur te luisteren. Eerst had ze daar niets gehoord. Ze stelde zich voor dat Olwen zichzelf een glas gin inschonk met iets erdoorheen – sinaasappelsap of tonic of een van die andere dingen die je met gin kon mixen. Het kwam niet bij haar op dat het spul ook onverdund gedronken kon worden. Olwen zou zich nu vast heel wat beter voelen. Ze zou wel in bad zijn geweest en schone kleren aangetrokken hebben. Het idee van een schoongeboende en weer als menselijk wezen herkenbare Olwen had een geruststellende uitwerking op Sophie. Ze kon zich nu toestaan om na te denken over de vijf pond die de halveliterfles gekost had. Noors vader was rijk – hij had deze flat gekocht – en Molly's ouders waren in goeden doen, maar zij, Sophie,

was een van vijf kinderen, en moest leven van haar studiebeurs, die vroeg of laat volledig terugbetaald zou moeten worden.
Ze las nog wat in *The Great Gatsby* en liep toen terug naar Olwens voordeur. Ze hoorde iets bewegen in de flat, gevolgd door een dreun, die klonk alsof er iets tegen een muur werd gesmeten. Ze wachtte. Olwen zei iets, ze vloekte, kennelijk was ze woedend, en zo te horen roffelde ze met haar vuisten op de vloer. Sophie was nu werkelijk bang. Ze holde terug naar nummer 5, naar de slaapkamer die ze met Molly deelde, en die toevallig ook het verst verwijderd was van de overloop en van Olwens voordeur.

Niets is beter in staat om ons nieuwe dingen te laten ontdekken dan een gedwongen verandering in je manier van leven. Om te ontkomen aan Claudia's telefoontjes ging Stuart nu veel de deur uit. Er werden lange wandelingen gemaakt, hij ging twee keer naar de bioscoop, op dinsdagavond ging hij iets doen met zijn oude vrienden Jack en Martin, op woensdagavond dronk hij iets met een vroeger vriendinnetje, gewoon om nog eens terug te denken aan vroeger, en de volgende dag ging hij zelfs bij zijn ouders langs. Hij had gemerkt dat het niet nodig was om zijn mobieltje mee te nemen. Voor hem was dit een openbaring. Sinds zijn vijftiende of zo was hij nooit meer ergens naartoe gegaan zonder zo'n ding op zak. Maar toen hij zich zonder mobieltje buitenshuis waagde, viel de hemel niet op hem neer en hij werd al evenmin onverwacht getroffen door een zware ziekte. Het was eigenlijk heel rustig om niet om de vijf minuten 'Nessun dorma' te horen, en heel vredig om niet telkens weer met Claudia te moeten praten.
Toen hij thuiskwam, stonden er een hoop berichten op zijn voicemail. Twee van Claudia, een van zijn moeder, van wie hij drie uur geleden afscheid had genomen, en een van Martin, die hem uitnodigde om zondag samen met hem en zijn vriendinnetje te gaan lunchen. Stuart had alles gewist en was nog steeds niet door de bliksem getroffen. De uitslag van de röntgenfoto's kwam binnen en hij bleek niets gebroken te hebben, maar dat wist hij al. Hij nam zijn eigen spiegelbeeld aandachtig op en voelde zich rustig en opgewekt. Wat was hij toch knap! Terwijl hij stond te peinzen aan wie hij zichzelf deed denken, kwam José Mourinho in hem op, maar dan natuurlijk een jongere versie. Fitness was een andere manier om aan de telefoon te ontsnappen. Zijn figuur was perfect, maar het kon geen kwaad om er alvast een beetje voor te zorgen dat het dat ook bleef. En bovendien had hij van Jack gehoord dat een fitnessclub een fantastische manier was om meisjes tegen te komen, en dat ze ook allemaal hartstikke mooi waren, want anders zouden ze het heus niet wagen om bijna al hun kleren uit te trekken en in een gympakje op en neer te springen op een crosstrainer.
Als de twee weken voorbij waren, zou hij een confronterend gesprek moeten

Toen hij naar het fitnesscenter was geweest en voor twaalf keer vooruit had betaald, kwam het verlangen naar een sigaret weer in hem op. Iedereen zei dat je daar vooral niet aan toe moest geven. Zodra je er een had gerookt, kon je weer helemaal van voren af aan beginnen. Stuart liep langs de kapper, de hypotheekbank en de inmiddels gesloten badkamerzaak, en liep de tabakszaak binnen. Het was een grote zaak, die niet alleen rookwaar verkocht, maar ook kranten en snoep, ansichtkaarten en pakpapier. Niets waarschuwde hem voor wat er op komst was, niets zei tegen hem *Ga weg, draai je om, ga weg hier*. Als dit zijn noodlot was, misschien wel het meest belangwekkende moment van zijn hele leven, zoals voorspeld door de sortes, dan herkende hij het niet als zodanig. Als op dit moment werd bepaald hoe hij later aan zijn einde zou komen, dan had hij daar toch geen weet van, en al evenmin besefte hij dat dat lot nu als het zwaard van Damocles aan één enkel haartje boven zijn hoofd hing. Hij had nooit van Damocles gehoord. Hij dacht alleen maar aan sigaretten: welk merk zou hij zou nemen en of hij een wegwerpaansteker nodig zou hebben of ook wel toe kon met een doosje lucifers.
Hij zag dat er behalve de man achter de toonbank nog twee andere mensen in de winkel waren, een man en een meisje. Als hij erover had nagedacht, zou hij misschien tot de conclusie zijn gekomen dat die twee niet bij elkaar hoorden, want het meisje stond met haar rug naar hem toe voor de toonbank te wachten tot ze geholpen werd en de man zocht zo te zien een verjaardagskaart uit. En toen, nadat ze haar wisselgeld in ontvangst had genomen, draaide het meisje zich om. Het lied over 'een vrouwe lief en zoet,/ nimmer beroerde een gezicht zo mijn gemoed' was Stuart niet bekend, maar dat was wel het gevoel dat nu in hem opkwam; nooit eerder had hij een gezicht gezien dat zijn gemoed zozeer beroerde als dit. Met een ernst en een intensiteit die hem volkomen vreemd waren, besefte hij dat dit de mooiste vrouw was die hij ooit had gezien, en als het mogelijk was om liefde op het eerste gezicht te voelen, dan was dat wat hem nu overkwam. Het was geen Europees gezicht, maar leek afkomstig uit Zuidoost-Azië: een bleke huid met volstrekt regelmatige gelaatstrekken, een korte bovenlip, een volle mond, en grote, ernstige, goudbruine ogen met dikke wimpers. Vanuit een scheiding in het midden hing haar sluike zwarte haar als twee gordijnen langs haar hoofd.
Ze keek hem aan, sloeg die fraaie ogen neer en maakte het pakje sigaretten open dat ze zojuist had gekocht. Stotterend bestelde hij bij de man achter de toonbank hetzelfde merk en terwijl hij volkomen gedesoriënteerd naar kleingeld zocht, liet hij wat munten op de vloer vallen. Hij bukte zich om ze op te rapen, het meisje bukte zich eveneens en overhandigde hem met een kort knikje een muntje van twee pond.
'Dank u wel,' zei hij. 'Heel vriendelijk bedankt.'

De man die een verjaarskaart had gekocht, was nu heel dicht bij hen en stond zwijgend naar haar te kijken. Omdat deze man in de veertig was, met een rond gezicht, en omdat hij ook zwart haar had, besloot Stuart dat het haar vader wel zou zijn. Misschien wel een strenge vader, een moslim, zoals een heleboel mensen uit dat deel van de wereld. Hij pakte zijn sigaretten van de toonbank en toen hij zich omdraaide, waren het meisje en haar vader verdwenen. Haar nu kwijtraken was het akeligste wat hij zich maar kon voorstellen. Haastig liep hij de winkel uit en keek wat verwilderd om zich heen, maar hij hoefde niet lang te zoeken. In het portiek van de badkamerwinkel stond ze tegen de dichtgespijkerde deur geleund en rookte een sigaret.
Hij stond met een strak gezicht naar haar te kijken. Haar ogen waren nu op de oude kerk en Kenilworth Primary School gericht, dus ze had hem niet in de gaten. Haar vader was nergens te bekennen. Ze was zo slank als de steel van een bloem, en haar zwarte gewatteerde jas zat als een cocon om haar heen. Haar enkels, dacht hij met enige overdrijving, waren niet breder dan de duimen van een ander meisje. Ze had nu haar sigaret op en trapte het peukje uit, maar in plaats van het op het trottoir te laten liggen, raapte ze het op met een tissue en stopte die in haar zak. Hij kon haar niet zomaar laten gaan, hij moest haar volgen. Dat hield in dat hij ook haar vader zou moeten volgen, want de man was inmiddels tevoorschijn gekomen uit het steegje tussen de vestiging van de hypotheekbank en de kapperszaak, en liep nu haastig met haar naar de volgende afslag van de rotonde.
Het ene moment liepen ze er nog, en een ogenblik later, zo leek het wel, zaten ze plotseling in een van de geparkeerde auto's. De portieren werden met een klap dichtgetrokken en haar vader reed weg. Het was een zwarte Audi, dat drong nog tot hem door, maar pas toen het al te laat was, kwam het in hem op om het nummer te noteren. Er zat niets anders op dan naar huis te gaan. Op weg naar huis rookte hij een sigaret, en dat leidde ertoe dat hij zich afvroeg waarom hij ooit gestopt was. Hij voelde zijn opgezwollen zenuwen bijna weer slinken.
Zijn mobieltje meldde dat er drie berichten waren: een van zijn moeder en twee van Claudia. Claudia had ook een bericht ingesproken op zijn vaste nummer. Dat bericht luisterde hij af. Waarom nam hij nooit op? Was hij ziek? Of was hij weg? Als hij niet binnen vierentwintig uur terugbelde, zou ze naar zijn huis komen, ondanks het pact dat ze hadden gesloten.
Stuart stak nog een sigaret op en maakte een beker warme chocolademelk. Waarom dachten vrouwen toch dat ze zich met zeuren en dreigen aantrekkelijker konden maken? Hij dacht aan het mooie meisje bij de tabakszaak, haar ogen, haar lange slanke handen, haar volle rode mond. Zij zou nooit tegen een man zeuren, maar een lieve en onderdanige metgezel zijn. Ze hadden zoveel

gemeen! Ze waren allebei buitengewoon knap en aantrekkelijk, een stel dat kon verwachten op straat aangegaapt te worden, en ze rookten allebei, dat zag je tegenwoordig niet vaak meer. Hij wist nu dat hij Claudia nooit meer wilde zien. Freddy kon gerust zijn. Hij hoefde zijn vrouw niet langer in de gaten te houden, hij hoefde niet te controleren wie ze ontmoette, hoefde geen privédetectives achter haar aan te sturen – of wat hij dan ook gedaan mocht hebben – want hun verhouding was voorbij. Het was jammer dat hij zoveel geld had besteed aan die halsketting, maar als dat alles was wat hij hoefde te betalen om zichzelf te bevrijden, dan was dat eigenlijk een koopje.
Maar hoe zou hij dat mooie meisje ooit terugvinden?

Op de eerste maandag van februari sneeuwde het. Lang niet zo hard als vlak voor kerst, maar toch was er sprake van een serieus 'weeralarm', zoals dat in de media werd genoemd. Die ochtend viel er bijna twintig centimeter, zodat er een witte deken over de tuinen en trottoirs lag en de auto's schuilgingen onder een donzig witte sluier. Er brak paniek uit toen het verkeer op de snelwegen tot stilstand kwam, de luchthavens dichtgingen, de bussen van straat verdwenen en de ondergrondse niet langer functioneerde. Toen Claudia belde nam Stuart behoedzaam op. Alsof hij haar had gesmeekt om te komen, vertelde ze hem op verwijtende toon dat het nu onmogelijk voor haar was om het huis uit te gaan. Hij realiseerde zich dat dit de dag was waarop hun proefscheiding zou aflopen, en zei een beetje te opgewekt dat ze daar vooral niet over in moest zitten, natuurlijk kon ze nu maar beter thuisblijven.
De datum die ze prikten om elkaar opnieuw te ontmoeten was toevallig een dag voor zijn housewarmingparty. Claudia was nu natuurlijk niet uitgenodigd. Ze had begrepen dat dat wat pijnlijk zou kunnen zijn. De meeste bewoners van Lichfield House hadden de uitnodiging aangenomen, evenals Martin en zijn vriendin en Jack, plus twee echtparen uit Chester House aan wie Rose Preston-Jones hem had voorgesteld. Het waren cliënten van haar. Het ene echtpaar deed mee aan haar ontslakkingskuur en het andere kreeg acupunctuur. Noor Lateef en Molly Flint hadden gevraagd of ze hun vriendje mochten meenemen. Toch zou Stuart er veel voor over hebben gehad om onder dat feestje uit te kunnen. Hij vond het inmiddels vrijwel onbegrijpelijk dat een feestje hem destijds een goed idee had geleken. Natuurlijk zou het allemaal heel anders zijn geweest als hij het mooie meisje had kunnen uitnodigen, maar sinds hun ontmoeting bij de tabakszaak had hij haar niet meer gezien, al was hij nog wel een paar keer daarnaartoe gegaan, in de hoop dat ze toevallig binnen zou komen terwijl hij er was. Een van de gevolgen daarvan was dat hij inmiddels weer op dertig sigaretten per dag zat. Deze sneeuw zette alles voorlopig even in de wacht. Bijna iedereen had zijn uitnodiging aangenomen. Zelfs meneer en mevrouw Scurlock zouden komen.

Over het gebrul van de stofzuiger heen had Richenda zomaar, zonder enige inleiding, gezegd dat Wally en zij met veel genoegen uitzagen naar 'dat feessie van jou, Stuart'. Moeizaam liep hij naar Lichfield Parade om nog wat champagne in te slaan, plus bier en wijn, en onderweg gleed hij voortdurend uit, zodat hij zich regelmatig moest vastgrijpen aan een met een dikke laag sneeuw overdekt tuinhek. Aanvankelijk kon hij het niet geloven, maar Wicked Wine was gesloten. Niet zomaar voor een dagje, maar voor altijd. Net als veel andere winkeliers had Rupert zwaar te lijden gehad onder de recessie. De klanten sloegen in wat ze nodig hadden bij de grote supermarkten, en als die niet hadden wat ze zochten, dan deden ze het maar zonder. Stuart vroeg zich af of het sluiten van de slijter een aanvaardbaar excuus zou vormen om het feestje niet door te laten gaan, maar besloot dat dat niet het geval was. Er reden geen bussen. Op de televisie hoorde hij dat bijna alle metrolijnen stillagen, met uitzondering van de Victoria Line, maar daar had hij niets aan. Zoals de meeste mensen die niet elke dag naar hun werk moeten of die hadden besloten vandaag maar thuis te blijven, zat Stuart naar de televisie te kijken en te wachten op de meest recente weerberichten. Het sneeuwde de hele ochtend. Soms was de sneeuw licht en luchtig, soms vielen de vlokken snel en dicht op elkaar gepakt. Tussen de sneeuwbuien in kwamen kinderen en ouders met kinderen de huizen uit met dienbladen, deuren, plastic zakken en zo nu en dan ook een echte slee, en roetsjten daarmee Kenilworth Avenue af.

Katie Constantine typte vijfentwintig pagina's van een historische roman over Perkin Warbeck, en haar man besteedde zijn tijd aan het aan de kaak stellen van de Bach-bloesemtherapie, waarbij hij een extra venijnige passage besteedde aan Rescue Remedy. Hij probeerde de brieven te vergeten die die ochtend waren bezorgd. Eén daarvan was afkomstig van een vooraanstaand tricholoog, die reageerde op de column waarin Michael had verklaard dat vrouwen die hun benen schoren het risico liepen op sterkere haargroei. Volslagen slabberdewatski, schreef de haarkundige. Michael had dat woord nooit eerder gehoord, maar hij begreep wel dat het niet gunstig was.

Molly, Sophie en Noor sjouwden met moonboots aan naar het pizzarestaurant, waar ze een zeer langdurige lunch genoten, die bestond uit margarita's, pizza's met perzik, ansjovis en bacon, en als toetje vanilleyoghurt met stukjes chocolade. Ze waren er van twaalf uur tot halfvier mee bezig, dus er werd niet opengedaan toen Olwen aanbelde in de hoop iemand te vinden die boodschappen voor haar kon gaan doen. Marius Potter, bij wie ze daarna aanbelde, liet haar binnen, maar weigerde om drank voor haar te gaan halen bij de Tesco-supermarkt aan Kenilworth Avenue.

'Het is veel te glad,' zei hij, 'en al die kinderen die de helling afglijden maken het alleen maar erger. Ik heb geen zin om mijn been te breken. Ik ben bang dat u

het zonder zult moeten stellen.' Hij had erover gedacht om aan dat laatste zinnetje 'voor deze ene keer' toe te voegen, maar hij was een vriendelijk man, en hij liet het bij een glimlachje.
Olwen besefte dat ze nog minder goed in staat zou zijn dan hij om over het spekgladde trottoir naar de supermarkt te lopen. De sluiting van Wicked Wine had haar achtergelaten in een toestand die wisselde tussen paniek en depressie. Zodra deze sneeuw verdwenen was, zou ze een wekelijkse bestelling plaatsen bij een van de slijterijen in Edgware. Wat kon het haar nou schelen als de man die al die drank kwam bezorgen haar zou uitlachen en over haar zou roddelen?
Marius was naar beneden gelopen om even bij Rose langs te gaan en haar te vertellen over zijn gesprek met Olwen toen hij Stuart tegenkwam, die er in een ruimvallende witte trui, spijkerbroek en moonboots nog knapper uitzag dan anders. Hij had een plastic tas van Harrods in zijn hand.
'Als je naar de Tesco gaat,' zei Marius op satirische toon, 'zou je dan een liter van Olwens vaste vergif willen meenemen?'
'Dat meent u toch niet?'
'"Eigenlijk niet", zoals zij zou kunnen zeggen. Ik zeg het alleen maar omdat ze het mij net heeft gevraagd.'
'Kijkt u eens naar de overkant,' zei Stuart, 'naar die twee huizen, nummer 3 en nummer 5. Het huis aan de linkerhand heet Springmead. Waarom ligt er geen sneeuw op het dak? Alle andere daken liggen er vol mee, maar daar ligt niets.'
'Ach, dat is eenvoudig te verklaren,' zei Marius, die over het algemeen toch niets van moderne technologie moest hebben. 'Ze verwarmen hun huis met zonne-energie, en de zonnepanelen liggen op het dak. Op die panelen blijft de sneeuw niet liggen.' En na die woorden liep hij Rose' flat binnen om haar te vertellen over de verklaring die hij uit zijn duim had gezogen en die Stuart voor zoete koek had geslikt. Maar praten met Rose, en in haar gezelschap verkeren, was minder prettig dan voorheen. De herinnering aan die ontmoeting van lang geleden, aan de nacht die ze samen hadden doorgebracht, vormde voor hem een zware last. Om onduidelijke redenen had hij het gevoel dat hij haar op de een of andere manier om de tuin leidde of haar zelfs bedroog, en die gedachte zou hij alleen maar van zich af kunnen zetten door het haar te vertellen. Maar wat als zij zich die nacht ook nog herinnerde, maar dan vol afschuw, en dat ze met schaamte, of erger nog, met afkeer, terugdacht aan de man met wie ze toen het bed had gedeeld? Mismoedig hield Marius zich voor dat het uitgesloten was dat ze hem had herkend. Met zijn huidige uiterlijk, vel over been, met holle ogen en dun grijs haar, zag hij er heel anders uit dan het toenmalige broekie van de commune in Hackney.
Met zware passen liep Stuart de helling van Kenilworth Avenue op, waarbij hij goed oplette dat hij zijn voeten in de ovale gaten zette die daar waren achterge-

laten door degenen die hier al eerder hadden gelopen, net zoals de dienaar die de voetsporen volgde van de goede koning Wenceslas, uit het bekende Engelse kerstlied. Hij was op weg naar de tabakszaak, in de hoop daar het mooie meisje te vinden.

7

Wally Scurlock was Kenilworth Avenue helemaal afgelopen tot aan het kerkhof, en zat zelfs al op zijn knieën voor het graf van Clara Carbury voordat het tot hem doordrong dat er iets mis was. De klok van St. Ebba's Church had een dubbele slag laten horen, halfelf, maar er waren geen schoolkinderen het speelterrein op komen rennen. Zelfs met zijn handschoenen aan merkte hij dat zijn vingers gevoelloos werden, en zijn in rubberlaarzen gestoken voeten voelden aan als ijsklompen. Misschien waren de kinderen wat later vanwege het weer. Met alles had je last van het weer, dat kloteweer bedierf alles! Hij ijsbeerde wat heen en weer en sloeg met zijn gehandschoende handen op zijn bovenarmen. Je werd verondersteld daarvan op te warmen, maar daar merkte hij niets van. De klok gaf drie slagen, kwart voor elf, en toen besefte hij wat er aan de hand was. De school was dicht! Zo ging dat als het hard sneeuwde: dan gingen de scholen dicht. De katholieke school, die te zien was vanuit de torenflat waar de gepensioneerden woonden, zou nu ook wel dicht zijn. Wally voelde zich beroofd van wat hij beschouwde als een legitieme en onschuldige bezigheid, een tijdverdrijf dat hem redde van de uitspatting waar hij werkelijk – heftig en vol enthousiasme – de voorkeur aan gaf.

Het kerkhof lag er vredig stil bij onder zijn dikke donzige sneeuwdek. Het was in geen jaren zo stil geweest in dit deel van Londen: de auto's reden niet, de bussen stonden in de garage, de voetgangers bleven thuis. Wally wist wat er zou gebeuren als hij door de sneeuwgedempte straten terugliep naar zijn woning in het souterrain van Lichfield House. Richenda zou ergens aan het schoonmaken zijn. Toen hij aan Richenda dacht voelde hij haat in zich opkomen. Met haar grote boezem en brede heupen, haar grove dichtgeplamuurde gezicht en gelakte haar vormde ze volstrekt het tegenovergestelde van alles waar hij naar verlangde, maar juist omdat ze zo was, was hij met haar getrouwd. Een echte vrouw, een grote vrouw, dat was wat een man als hij hoorde te willen. Maar al een paar weken na hun huwelijk had hij doorgekregen dat hij helemaal niet op haar viel. Als ze 's avonds samen in bed lagen was zijn verbeeldingkracht niet groot genoeg om zich voor te stellen dat de kloppende massa die hij in zijn armen hield een van die schoolkinderen was, of dat lieftallige, tengere meisje uit Springmead.

Zelfs met al het licht uit, de luxaflex omlaag en de gordijnen dicht, was dat verbeelde meisje niet realistisch genoeg om de werkelijkheid van Richenda te verdrijven.
Maar toch was dat meisje in zijn verbeelding een volwassen vrouw. Op de een of andere manier wist hij dat. Ze had maar heel kleine borsten en de benen van een tiener, en haar rug en schouders waren smal, maar ze was een jaar of vijfentwintig. Als hij destijds had geweten wat hij nu wist, had hij wel zo'n vrouw kunnen vinden, en zou zij hem dan niet hebben gered van het kerkhof en de torenflat, en van meer nog, heel veel meer? En van wat hij straks zou gaan doen?
Door het raam van Rose Preston-Jones zag hij Richenda stofzuigen. Als ze hem had herkend, dan liet ze daar toch niets van merken. Zijn voeten waren stijf van de kou, hij kon ze nauwelijks meer voelen. Toen hij op zijn vrijwel gevoelloze voeten naar de trap liep, kwam er een nieuwe golf van ressentiment in hem op. Wat moest je voor een architect zijn om een flat te ontwerpen met een lift voor de bewoners op de begane grond en de bovenverdieping, maar alleen maar een trap voor de huismeester in het souterrain? Naar beneden lopen ging nog wel, maar iemand wel tien tot twintig keer per dag de trap op laten lopen was opzettelijke wreedheid. Het was nu al zo erg en hij was nog maar in de veertig. En dan waren er de andere flats – Ross House, Hereford House en Ludlow House – daar was hij ook huismeester en daarom zag hij zich vaak gedwongen om de deur uit te gaan, weer of geen weer, om in een van de andere gebouwen een of ander onbenullig klusje te doen.
Richenda had een briefje voor hem achtergelaten. Ze liet altijd briefjes voor hem achter. Op dit exemplaar stonden een boodschappenlijstje en een opdracht om de telefoonmaatschappij te bellen over een storing in de lijn. Dat kon wel wachten. Dat kon hij allemaal ook wel doen als ze terug was. Maar wat hij wilde en nodig had, wat hij gewoon doen móést, kon alleen maar als zij de deur uit was.
Het was maar een klein appartement, niet meer dan woonkamer, slaapkamer, keuken en badkamer. De computer stond in de slaapkamer. Hij deed de deur achter zich dicht en wilde maar dat hij die op slot kon doen. Er zat een sleutel in het slot, maar hij durfde niet. Als Richenda terugkwam en merkte dat die deur op slot zat, zou ze niet rusten voor hij haar had verteld waarom. Wist hij maar of ze bij Rose Preston-Jones was begonnen en de flat van Stuart Font nog moest doen, zodat hij nog twee uur de tijd zou hebben, of dat ze Stuarts huis al had gedaan en halverwege dat van Rose was – in gedachten noemde hij de bewoners altijd bij hun voornaam – en daarom nog maar een halfuur bezig zou zijn. Zou ze daarna meteen doorgaan naar Hereford House, of eerst even thuiskomen?
Hij ging zitten en zette de computer aan. Toen de foto's die hij wilde zien in beeld verschenen, kreeg hij het warm en zijn hart begon sneller te kloppen. Hier

had je echt geen fantasie bij nodig. Hij downloadde nooit iets. Daar was hij veel te bang voor. En bovendien, hij kon ze toch niet uitprinten en hij was er vrij zeker van, bijna volkomen zeker zelfs, dat als je die foto's niet downloadde, niemand erachter kon komen wat je had uitgespookt. Maar er was niemand wie hij daarnaar kon vragen. Niemand kon er toch achter komen welke sites je had bezocht? Hij verlangde ernaar om wat foto's te downloaden. Een of twee maar... nou vooruit, zes dan. Hij zou zich zoveel prettiger voelen als hij printjes van die foto's had en ernaar kon kijken zonder hier binnen te komen. Dan zou hij een gelúkkig man zijn.
En wat kon het nou voor kwaad? dacht hij, terwijl hij van de ene naar de andere foto klikte. Het was niet echt. Het waren alleen maar foto's en video's, droombeelden.

Hoewel er in andere delen van Engeland nog steeds grote hoeveelheden sneeuw vielen, vroor de sneeuw in Londen eerst op en begon toen te smelten. Op donderdagochtend regende het. Olwen had niet gedacht dat ze ooit zo blij zou zijn om het te zien regenen. Nu kon ze tenminste de deur uit zonder uit te glijden en languit op het natte trottoir terecht te komen. Het was net zo ver naar de winkel van meneer Ali op de hoek als naar het inmiddels gesloten Wicked Wine, maar dat was nog steeds heel wat dichterbij dan de Tesco. Eigenlijk heette de winkel van meneer Ali op de hoek Alcazar Foods, maar iedereen noemde die nou eenmaal zo. Ook Sophie, toen Olwen gisteren de voordeur had opengedaan en haar de lift uit had zien komen met een fles sauvignon blanc.
'Van meneer Ali,' had Sophie gezegd. 'Zelf drinkt hij geen alcohol, maar hij verkoopt het wel.'
'Alleen maar wijn?' had Olwen gevraagd, want ze deinsde ervoor terug om het rechtstreeks te vragen.
'Nou, hij heeft vooral eten en zo. En er was een vrouw die iets kocht om haar gootsteen mee te ontstoppen.'
Olwen trok haar oude zwarte jas aan, wikkelde een sjaal om haar hoofd en ging op zoek naar een paraplu. Ze was er niet helemaal zeker van waarom ze er niet in slaagde er een te vinden – omdat er geen paraplu in huis was of omdat ze zo enorm liep te trillen en te beven dat ze niet goed kon zoeken. Er was niemand in de hal en dat deed haar genoegen, want ze wist dat geen van de andere bewoners bereid zou zijn om de inkopen te doen die voor haar van levensbelang waren. Ze had het hun stuk voor stuk gevraagd, en ze hadden allemaal geweigerd. Niet onbeleefd of sarcastisch trouwens. Het scherpste antwoord had ze gekregen van Michael Constantine, die had gezegd dat dit een uitgelezen kans voor haar was om te stoppen met drinken.
Het pad door de voortuin naar de straat zat nog vol met plakken grijze, verijsde

sneeuw, waarin voetafdrukken diepe kraters hadden achtergelaten. De regen die er nu op viel had het spul nog niet weggespoeld, al was het nu wel mogelijk om onder de grote gaten in het ijs de donkere steen van het pad te zien. Wally Scurlock had de boel al dagen geleden moeten schoonvegen en het niet moeten laten wachten tot vandaag. Nu het was gaan regenen, zou hij er helemaal niet meer aan beginnen en erop vertrouwen dat de regen het pad wel voor hem zou schoonspoelen. Olwen ging op weg. Ze zette haar schoenen in de holten en merkte verbaasd op hoe glad het oneffen oppervlak nog steeds was. Er was niets om je aan vast te houden behalve dan de buxushaag en die was niet meer dan een halve meter hoog. En ze was niet alleen onvast ter been, maar ook nog verzwakt door voedselgebrek.

Toen ze voor zich uit keek, kon ze zien dat het op Kenilworth Avenue niet veel beter was dan hier, en op de plekken waar de sneeuw hard was geworden door het vele sleeën misschien zelfs nog erger. Ze had bijna het poorthek bereikt toen ze achterover viel en met haar achterhoofd tegen de bakstenen rand sloeg waarmee het pad was afgezet. Rose was degene die haar vond, nog geen twee minuten later al, toen ze met McPhee naar buiten kwam omdat de hond nou eenmaal uitgelaten moest worden, hoe slecht het weer ook was. Voor ze Olwen zelfs maar durfde aan te raken, belde Rose een ambulance. Toen legde ze haar eigen warme winterjas over de bewusteloze vrouw, ging op het lage muurtje zitten en terwijl ze huiverend haar armen om zich heen sloeg om warm te blijven bleef ze wachten tot de ambulance er was. McPhee, die heel wat minder gewetensvol was, rende druk blaffend om haar heen, zodat zijn lijn om haar benen werd gewonden, want een uitgestelde wandeling bezorgt een hond altijd veel hartzeer.

Michael kwam de deur uit op weg naar het postkantoor en verklaarde dat Olwen waarschijnlijk een hersenschudding had. Hij merkte iets op wat Rose over het hoofd had gezien, namelijk dat Olwen een snee in haar achterhoofd had, en dat er bloed in de sneeuw sijpelde.

'Zal ik haar wat Rescue Remedy geven?' vroeg Rose. 'Of zou mijn eigen kruidenelixer misschien beter zijn?'

'Zit er alcohol in dat spul? Anders spuugt ze het toch maar uit.'

Rose vond dat voor een arts iets afschuwelijks om te zeggen. Daaruit bleek maar weer eens hoeveel beter een beoefenaar van de alternatieve geneeskunde in een dergelijke situatie zou functioneren. Na tien minuten kwam de ambulance, en twee verplegers, een man en een vrouw, namen Olwen mee naar het ziekenhuis. Rose zwaaide haar opgewekt na toen ze wegreden, en liep toen met McPhee een blokje om, waarbij ze zich behoedzaam een weg baande over het ijs en door de smerige sneeuw, en verlangend uitzag naar het moment waarop ze straks als ze terug was aan Marius zou vertellen wat Michael had gezegd.

Stuart nam een taxi naar de Tesco, en liet zich daarna naar huis rijden met een achterbank vol flessen drank, chips, nootjes, kaas en toastjes. Hij had ook een slof sigaretten gekocht. Die was prijzig en maakte de kosten van dit feestje dat hij nu met afgrijzen tegemoet zag er nog weer een stuk hoger op, ook al was hij niet van plan om zijn gasten sigaretten aan te bieden. Zijn koelkast was te klein voor twee flessen champagne en twee flessen witte wijn tegelijk, maar hij kon er wel een paar in de sneeuw zetten, als er zaterdag tenminste nog sneeuw lag. Zijn moeder, die belde toen hij nog maar net vijf minuten thuis was, dacht van wel.
'Het spijt me, schat, maar met dit weer kunnen we echt niet naar de plek waar je nu woont komen.' Annabel Font zei altijd 'waar je nu woont'; de naam van de voorstad waar Stuart zijn huis had gekocht kreeg ze niet over haar lippen. 'Het heeft hier zo enorm hard gesneeuwd. Maar ja, dat weten jullie op het platteland natuurlijk ook wel.'
Loughton mocht dan aan de rand van Epping Forest liggen, het maakte al een jaar of zeventig geen deel meer uit van 'het platteland'. Stuart liet haar echter maar gaan. Hij was zo opgelucht dat zijn ouders niet zouden komen dat hij zich onmiddellijk volkomen uitgelaten voelde. 'O, maak je er maar niet druk om,' zei hij. ' Er komt nog weleens een feestje.'
'Nou, dat mag ik hopen, Stuart. Het verbaast me eigenlijk dat je ons niet eerder hebt uitgenodigd. Per slot van rekening woon je daar nu al drie maanden, of zijn het er vier? In elk geval al een hele tijd.'
Stuart zei niets, en zijn opgewekte stemming begon weg te trekken. 'Heb je nog gedacht over een baan?' zei zijn moeder.
'Ik heb je toch al gezegd dat ik pas op zijn vroegst in april weer een baan ga zoeken.'
'Die houding van jou kan geen kwaad als het goed gaat met de economie, Stuart – ik zeg nu wat papa heeft gezegd – maar tegenwoordig is dat erg riskant. Weet je wat ik van Maureen Rivers heb gehoord? Haar zoon heeft honderddrieënzeventig sollicitatiebrieven moeten schrijven voordat hij zijn huidige baan kreeg. Maar het is natuurlijk wel een heel goede baan.'
In zijn slaapkamer hoorde Stuart 'Nessun dorma' spelen.
Claudia. Hij nam zo snel als hij maar kon afscheid van zijn moeder, stak een sigaret op en liep terug naar de wijn en de hapjes. De tafel bij het raam in de woonkamer was de beste plek om het allemaal neer te zetten, dacht hij, dan konden de gasten de keuken binnenlopen voor een drankje. Waar zou hij de glazen neerzetten? Terwijl hij voor het raam stond, drong het plotseling tot hem door dat hij maar een stuk of zes glazen had. Hij zou er wat moeten kopen – nog meer kosten. Waar hield het allemaal op? Bij die gedachte, die vraag waarop geen antwoord te geven viel, keek hij op en zag aan de overkant van Kenilworth Avenue het mooie meisje lopen. Haar vader liep een eindje links van haar en ze

kwamen zijn kant op. Het feestje, de drankjes en de glazen waren op slag vergeten. Hij trok de dikke trui aan die hij zojuist had uitgetrokken en rende zijn appartement uit, de hal door en de ijskoude buitenlucht in. Het meisje en haar vader waren verdwenen.

Afgezien van de klap op haar hoofd, leek er heel weinig mis te zijn met Olwen. Haar hersenschudding was van korte duur en ze had geen permanent hersenletsel opgelopen. Haar stiefdochter Margaret kwam haar opzoeken in het ziekenhuis. Olwen kon zich niet herinneren dat ze iemand in Lichfield House had verteld dat ze een stiefdochter had, of wat voor familie dan ook, maar Margaret zei dat ze gebeld was door een zekere Katie. 'Als je weg mag,' zei ze op een toon en met een woordkeuze waaruit wel bleek dat ze verwachtte dat het antwoord nee zou luiden, 'zul je waarschijnlijk wel geen zin hebben om een paar dagen bij ons te komen logeren, neem ik aan.'

'Eigenlijk niet,' zei Olwen, maar toen herinnerde ze zich dat ze dat alleen maar tegen haar buren zei. 'Nee, dankjewel. Ik red me thuis wel.'

Margaret en haar broer hadden het Olwen zo kwalijk genomen dat ze toen Margaret acht was en Richard zes hun leven was binnengedrongen, had geprobeerd de plaats van hun overleden moeder in te nemen en zelfs bij hun vader op de kamer was gaan slapen, dat ze hun best hadden gedaan om haar het leven zo zuur te maken dat ze weer weg zou gaan. Het was hen gelukt om Olwen het leven zuur te maken, maar ze was niet weggegaan. Ze was gebleven omdat ze zich niet gewonnen wilde geven en omdat ze weliswaar niet van Bill hield, maar hij beslist wel van háár leek te houden. Ze was gestopt met werken en thuis gebleven om op de kinderen te passen. Ze waren onbeleefd tegen haar, en soms zelfs gewelddadig. Ze stalen spullen bij Woolworths; toen ze elf was zei Margaret tegen haar vader dat Olwen een vriendje had, en dat ze haar had zien zoenen, en toen ze veertien was, beweerde ze dat Olwen haar had aangerand. Hoeveel hun vader daarvan geloofde, had Olwen nooit geweten, maar zijn houding tegenover haar was veranderd. Hij had tegen haar gezegd dat ze weer een baan moest zoeken – het was duidelijk niet goed voor haar om voortdurend thuis te zitten bij de kinderen. Dus was Olwen weer aan het werk gegaan, en vrijwel onmiddellijk daarna waren Margaret en Richard veranderd van een soort duivelsgebroed (zoals ze hen in gedachten had omschreven) in beschaafde mensen. Ze waren allebei gaan studeren en hadden daarna een eigen huis gekocht, en als ze thuis kwamen, zoals ze nu en dan deden, gedroegen ze zich tegenover haar alsof ze altijd een prettige en gelijkmatige relatie hadden gehad. Maar Olwen had er genoeg van gehad. Op haar achtenvijftigste had ze een scheiding aangevraagd en op de dag dat ze zestig werd, was die definitief toegekend.

Jaren en jaren had ze, omwille van haar huwelijk en van de kinderen, haar

drankgebruik streng in de hand gehouden en niet meer dan een paar glazen wijn per dag gedronken. Maar als Bill een paar dagen weg was – want hij ging zo nu en dan een paar dagen in zijn eentje naar zijn zus en zwager in Lincolnshire – was ze het hele weekend lang aan het comazuipen. Die term was destijds nog niet in gebruik en zo had ze het dan ook niet genoemd. Ze had er geen naam voor gehad. Ze dronk gewoon de hele dag door totdat ze buiten bewustzijn raakte en als ze de volgende dag weer bijkwam, zette ze het opnieuw op een drinken tot het donker werd. Voor zover ze wist, had Bill daar nooit ook maar enig vermoeden van gehad.
Toen ze weer op zichzelf woonde, met twee pensioenuitkeringen, had ze zich met een zucht van opluchting die bijna een vorm van geluk was, overgegeven aan een toestand van permanent comazuipen en nu lag ze hier, in dit ziekenhuis. Margaret wist niets van haar alcoholisme. Geen van hen had daar ooit weet van gehad. Net als honderden andere mensen was Olwen uitgegleden in de sneeuw en daarbij gewond geraakt. Maar ze had nooit eerder een ongeluk gehad van welk soort dan ook, en dat zou waarschijnlijk ook nooit meer gebeuren – of in elk geval pas tijdens de volgende strenge winter. Margaret beschouwde het als uitzonderlijk onbaatzuchtig en zorgzaam van zichzelf dat ze zelfs maar even op ziekenbezoek was gekomen.
'Nou, ik neem aan dat je het wel redt, hè?'
'Ja, hoor,' zei Olwen. 'En nu ga ik even wat slapen.'
Alleen door haar ogen dicht te doen en aanstalten te maken om te gaan slapen wist ze de afschuwelijke ontwenningsverschijnselen te hanteren, want ze had de afgelopen tijd alleen niet gedronken als ze lag te slapen. Ze dacht aan de winkel van meneer Ali. Het meisje had daar een fles wijn voor haar gekocht. Zou hij ook sterkedrank verkopen? Olwen dacht aan alle buurtwinkeltjes in Londen waar ze ooit geweest was. De winkels die wijn verkochten, hadden ook sterkedrank verkocht. Terwijl ze probeerde in slaap te vallen, klampte ze zich daaraan vast.
Op zaterdagochtend reed een andere ambulance dan de wagen waarin ze naar het ziekenhuis was gebracht, haar weer naar huis, al was het eigenlijk geen ambulance maar iets wat een taxibusje werd genoemd, dat vol zat met mensen die op verschillende plekken in Noord-Londen werden afgezet. Olwen vroeg de chauffeur of hij haar kon afzetten bij de winkel van meneer Ali.
'Dat kan ik helaas niet doen, schat,' zei de bestuurder. 'Ik heb opdracht om je naar huis te brengen, snap je wel?'
'Het duurt maar een minuutje.'
Met een klank in zijn stem die helemaal niet paste bij dat 'schat' zei hij: 'Sorry, schat, maar dat zal helaas niet gaan.'
De anderen begonnen onrustig te schuiven op hun stoel en lieten morrende

geluiden horen uit angst dat hij alsnog van mening zou veranderen. De bestuurder stopte voor Lichfield House en hielp Olwen over het nog steeds niet schoongeveegde tuinpad, waarop sinds de vorige keer dat ze hier geweest was, nog meer sneeuw, regen en hagel was blijven liggen. Hij bracht haar naar de lift, drukte op de knop, controleerde of ze de huissleutel nog bij zich had en keek toe hoe ze met de lift omhoogging. De liftdeur ging open en ze stond oog in oog met Molly Flint, die net de lift in wilde stappen, samen met een jongen met lang haar die een ring door zijn neus had en een zilverkleurig pennetje door een van zijn wenkbrauwen.
'Eigenlijk niet,' was niet bruikbaar voor dit dringende verzoek. 'Als jullie de deur uit gaan, zouden jullie dan even langs de winkel van meneer Ali willen lopen om te kijken of hij wodka heeft? Gin is ook goed als hij geen wodka heeft.'
De jongen schudde verwoed van nee en Molly zei: 'Het spijt me, maar dat gaat nu niet' en daarbij dacht ze aan Sophie, die haar vijf pond nooit had teruggezien. 'Ik ben al te laat.'

Met twee dozen in zijn armen, elk met zes wijnglazen van John Lewis erin, was Stuart op weg naar de Starbucks, waar hij met Claudia had afgesproken. Hij had gereageerd op haar meest recente bericht, lafhartig ontkend dat ook maar een van al die andere berichten hem had bereikt, en zich manhaftig voorbereid op deze lang van tevoren afgesproken ontmoeting. De enige voorwaarde die hij stelde, was dat het niet bij hem thuis zou zijn.
Niets van dat alles was voldoende om hem te redden van de toorn van Freddy Livorno. Omdat hij eraan twijfelde of Stuart zijn waarschuwing wel voldoende serieus had genomen, had Freddy zijn apparaatjes weer tussen de droogbloemen gezet. Tijdens het telefoongesprek met Stuart klonk Claudia opgetogen. Ze moest er slecht aan toe zijn, dacht Freddy woedend, als ze zo opgewonden raakte over een ontmoeting met haar minnaar in een koffieshop. Claudia vroeg of ze morgen op Stuarts feestje mocht komen.
'Dat zullen we nog weleens zien,' zei Freddy hardop.

8

Het mooie meisje moest hier ergens in de buurt wonen. Hij had haar met haar vader over Kenilworth Avenue zien lopen. Misschien waren ze alleen maar bij vrienden op bezoek geweest, maar in dat geval zou het raar zijn dat ze van hieruit helemaal naar de rotonde waren gelopen om sigaretten te halen. Nee, haar familie en zij moesten hier in de buurt wonen. Als hij navraag deed bij zijn buren, en misschien in de winkels aan Kenilworth Parade, zou hij haar zeker wel weten te vinden.

Terwijl hij met Claudia koffie zat te drinken in de Starbucks aan Euston Road, dacht Stuart voortdurend aan het mooie meisje. Naderhand kon hij zich vrijwel geen woord herinneren van wat Claudia allemaal had gezegd, al stond hem nog bij dat ze het woord 'verliefd' had gebruikt. Wat hij zich nog wel wist te herinneren, was dat ze voor de tweede maal, heel nederig en smekend voor haar doen, had gevraagd of ze op zijn feestje mocht komen.

'O, best hoor, denk ik,' had hij heel lomp gezegd. Het verbaasde hem dat er vrouwen waren, van wie Claudia er duidelijk een was, die je juist aardiger gingen vinden, en ook steeds begeerlijker, als je ze onvriendelijk behandelde. Het was een openbaring voor hem. Nadat ze afscheid hadden genomen, liep hij te denken dat hij daar in de toekomst maar eens gebruik van moest maken, maar niet met het mooie meisje – natuurlijk niet, dat sprak vanzelf. Als hij haar ooit zou vinden – en dat móést, dat móést – zou hij nooit wreed voor haar zijn, maar haar behandelen als een kostbare schat. Hij zou haar koesteren als het exquise juweel dat ze was.

Hij was nog geen vijf minuten thuis en stak net zijn eerste sigaret van de dag op toen Claudia op de vaste lijn belde om te laten weten dat ze zeker op zijn feestje zou komen. Ze zag er verlangend naar uit.

Het was een mooie dag, maar opnieuw heel koud. In de schaduw lag hier en daar nog wat rijp. Hij schoof de lange tafel tegen het raam, zette er borden op en legde de papieren servetjes met bloemmotief in twee keurige stapels neer. Richenda had gezegd dat hij servetjes moest hebben en dat de papieren servetjes die hij al in huis had, met kerstboompjes erop, niet geschikt waren. Er waren meer mensen op straat dan gebruikelijk, die snel hun inkopen deden voordat het opnieuw zou gaan sneeuwen, zoals voor de komende nacht was voorspeld. Wally Scurlock liep het tuinpad op met een doorzichtige rode plastic tas met een klein flesje erin. Stuart zag dat hij op het bordes Rose Preston-Jones tegenkwam, die McPhee uitliet. Hij liep terug naar de keuken, maakte een grote beker warme chocolademelk en begon zo veel mogelijk flessen champagne en wijn in de koelkast te proppen als hij er maar in kon krijgen. De koudste plek die hij kon bedenken, was de bloembak in de buitenvensterbank van de slaapkamer. Stuart zette de resterende twee flessen champagne en vier flessen wijn in de bloembak. Daar zouden ze wel koud blijven. Trots op zijn vindingrijkheid stak hij nog een sigaret op en keek peinzend in de spiegel van de logeerkamer. Het leed geen twijfel dat een knappe man er heel wat sexyer op werd met een sigaret in zijn mond. Hij poseerde, eerst met de sigaret tussen zijn lippen en daarna met de sigaret tussen zijn vingers, een paar centimeter van zijn gezicht. Geen wonder dat Claudia verliefd op hem was.

Olwen was erin geslaagd om zonder alcohol de nacht door te komen. Dat wil dus zeggen: ze leefde nog. Ze vond wat oud brood achter in de ijskast, schraapte de lichtblauwe schimmel eraf en nadat ze de laatste restjes uit een oud potje marmelade erop had gesmeerd, at ze een boterham. Er was niets om die mee weg te spoelen behalve water, en toen ze dat had gedronken, moest ze overgeven.

Als die innerlijke vragensteller aan wie alle harten hun geheimen veilig kunnen openbaren, haar gevraagd zou hebben waar ze bang voor was, zou ze gezegd hebben dat ze helemaal nergens bang voor was, behalve dan om zonder drank te zitten. Maar nu was ze bang voor de tocht die ze voor de boeg had. Er lag ijs op de plassen op het tuinpad. Op de trottoirs werd niet gestrooid. Het hele land had te kampen met een tekort aan zout, dat kennelijk een onmisbaar bestanddeel vormde van het grindmengsel dat op de stoepen werd gestrooid. De volgende keer dat ze viel, zou ze iets breken, dat wist ze wel zeker, en dat zou inhouden dat ze vele weken zonder drank kwam te zitten. Met haar bontjas aan nam ze de lift naar beneden en van boven aan de keldertrap riep ze naar Wally Scurlock. Na verloop van tijd, toen ze meer dan tien keer geroepen had, kwam hij naar boven.

Het kleine beetje respect waarmee de Scurlocks de bewoners van de vier flats behandelden, werd niet betoond aan degenen die dat niet waardig werden geacht. Dat waren onder meer een echtpaar in Hereford dat elke dag tot een uur of twaalf in bed lag, een man in Ludlow House van wie ze vermoedden dat het een travestiet was, en Olwen natuurlijk.

'Ja, wat is er?' Wally kwam achterdochtig de trap op.

'Zou u voor mij een fles wodka willen halen bij meneer Ali? Gin is ook goed.'

Het drong tot Olwen door dat dit verzoek enige beleefdheid vereiste. 'Alstublieft?'
'Dat gaat wel wat kosten.'
Een ogenblik dacht ze dat hij het over de prijs van de wodka had, maar al snel besefte ze dat hij voor zijn diensten betaald wilde worden. Ze droeg altijd veel geld bij zich, dat ze met tweehonderd pond tegelijk uit een geldautomaat bij het postkantoor aan Kenilworth Parade haalde. 'Vijf pond?'
'Tien,' zei Wally. 'En vooruit betalen.'
Hij was niet lang bezig, en binnen een kwartier stond de fles waar ze zo naar had gesmacht bij haar thuis op het aanrecht. Tot dan toe was Olwen er niet zeker van geweest of meneer Ali wel sterkedrank verkocht, en dit vormde een bevestiging. Maar toch, voor de eerste keer sinds ze haar intrek had genomen in Lichfield House, begon ze te begrijpen dat ze zou moeten minderen. Ze zou het met deze fles moeten uitzingen tot maandag. Tegen die tijd zou het ijs misschien wel weer verdwenen zijn. Nadat het eerste goddelijke glas was volgeschonken, ging ze op de bank zitten en besloot naar Stuarts feestje te gaan. Aanvankelijk had ze daar zelfs niet over gepeinsd, maar nu ze eraan dacht, er zou daar vast iets te drinken zijn. Alleen maar wijn misschien, maar met vier of vijf glazen zou ze wat minder snel door de wodka heen zijn...

Stuart had bij drie mensen aan de overkant ook een uitnodiging in de brievenbus gedaan. Niet omdat hij wilde dat Duncan Yeardon, meneer en mevrouw Pember of mevrouw Jones en meneer Lee op zijn feestje kwamen, maar omdat een van hen hem misschien zou kunnen vertellen waar het mooie meisje woonde. Duncan was de enige die had gereageerd, maar misschien was het hier niet de gewoonte om schriftelijk te reageren als je werd uitgenodigd voor een feestje.
De drie meisjes aarzelden of ze naar het feestje zouden gaan, maar ze begonnen wat mismoedig te worden van de bittere kou. Molly en Sophie hadden er de hele dag over lopen dubben of ze zouden gaan, en hun vrienden dus niet zouden gaan opzoeken in een *wine bar* in Haymarket (maar die zouden waarschijnlijk toch niet komen opdagen). Noor kon natuurlijk doen en laten wat ze maar wilde. De prins zou haar komen ophalen in zijn witte Lexus.
'Stuart is heel aantrekkelijk, vind je niet?' zei Molly.
Sophie haalde haar schouders op. 'Ja, maar volgens mij is hij homo.'
'Zou het?'
'Elke keer dat hij door de hal loopt, kijkt hij in de spiegel. Denk je dat we een fles moeten meenemen?'
'Als je wilt. Meneer Ali heeft witte wijn uit Moldavië voor 3,99.'
Michael en Katie Constantine gingen ook. Ze hadden gezegd dat ze zouden komen en het was tegen hun principes om dan niet te komen opdagen. Het

feestje zou om halfacht beginnen en Rose Preston Jones had Marius Potter uitgenodigd voor een vroege avondmaaltijd. Zuringsoep vooraf, gevolgd door pilav van walnoten met spruitjes en kastanjes, en grapefruityoghurt toe. McPhee ging bij Marius op schoot zitten en likte aan zijn linkerhand.
Rose had hem gevraagd om de sortes te lezen voor ze naar het feestje gingen, en Marius had *Paradise Lost* mee naar beneden genomen. Met zijn ogen op Rose gericht sloeg hij het boek lukraak open en bedacht intussen hoeveel mooier ze eruitzag dan al die vrouwen die hun gezicht dichtplamuren met make-up. De zin die hij las, geneerde hem een beetje, maar deed zijn hart ook sneller kloppen, en er viel niet aan te ontkomen om die hardop voor te lezen.
'Belichaamd leven voor een leven aan/ Mijn zij, als lieve troost met mij verenigd;/ Ik zoek je op en ik eis je op als deel van/ Mijn ziel, als wederhelft.' Het was natuurlijk dwaas om zich nu te generen. Rose had op een bevallige manier gebloosd, zoals bij haar naam paste. Zijn eigen gêne zou heel wat minder zijn geweest zonder die herinneringen aan Hackney. Toen er een blosje op haar wangen verscheen, leek ze weer het meisje van lang geleden, zodat hij het bijna onbegrijpelijk vond dat hij haar niet onmiddellijk had herkend toen ze hier haar intrek nam.

Claudia was de eerste. Waarschijnlijk was het voor het eerst van haar leven dat ze ergens te vroeg voor was, dacht Stuart. Ze feliciteerde hem met zijn vondst om de bloembak als ijskast te gebruiken, trok een fles champagne open en schonk zichzelf een glas in. Ze had natuurlijk niets meegenomen. Het zou hem verbaasd hebben als ze dat wel had gedaan. Daarna kwamen Marius en Rose, en toen meneer Lee en mevrouw Jones, die Ken en Moira bleken te heten en die klaagden over de kou. Die middag was de zus van een van hen in haar nieuwe BMW geslipt, de auto was total loss en als ze haar veiligheidsgordel niet om had gehad... Duncan Yeardon kwam binnen terwijl Moira het ongeluk beschreef en vertelde over allerlei dingen die hij in een grijs verleden had meegemaakt bij de wegenwacht. Stuart begon zich zorgen te maken toen ze allemaal bedankten voor de wijn en in plaats daarvan mineraalwater wilden hebben. Hij hoopte maar dat hij daar voldoende van had.
'Anders drinken ze maar kraanwater,' zei Claudia, die inmiddels het feestje was gaan runnen alsof ze zijn echtgenote was.
Wat Olwen betrof, hoefde hij zich daar geen zorgen om te maken. Ze stoof rechtstreeks op de witte wijn af en schonk zichzelf een groot limonadeglas vol. Ze werd met opgetrokken wenkbrauwen begroet, want ze droeg een jurk. Een paar uur geleden, nadat ze de wodkafles vrijwel halfleeg had gedronken, waren er herinneringen bij haar opgekomen aan de weinige feestjes die ze in haar leven had bezocht, voornamelijk bedrijfsfeestjes. Voor een van die feestjes had ze een

jurk aangehad, en die moest nog ergens in een kast hangen. De appartementen in Lichfield House waren goed voorzien van kasten, en ze trok de ene na de andere open. Er viel een hoop rommel uit, oude kranten, ongewassen kleren en tientallen zo niet honderden lege flessen, groen, bruin en kleurloos, plus een enkele blauwe fles waar ooit Bombay Sapphire-gin in had gezeten. De flessen rolden over de vloer.

De laatste kast bevatte de kleren die ze had gedragen voordat ze op joggingpakken was overgeschakeld. Eerst kon ze de jurk niet vinden en toen ze met haar hand over de bovenste plank ging, voor het geval ze het ding had opgerold en erin had gepropt, voelde ze een fles. Een volle fles Absolut-wodka. Tranen van vreugde dropen haar over de wangen.

Toen herinnerde ze zich het weer. Ze had die fles hier verborgen voor precies zo'n noodgeval als zich de afgelopen paar ijskoude dagen had voorgedaan – ze had het ding daar verborgen en was het vervolgens vergeten. Een ogenblik waren de tranen er ook voor de kwelling die ze had moeten doorstaan toen ze helemaal zonder drank had gezeten en niemand haar had willen helpen, maar het terugvinden van de jurk – zwart, oeroud, wanhopig toe aan een bezoekje aan de stomerij en met een loshangende zoom aan de achterkant – zorgde ervoor dat haar huilbui snel voorbij was. Zodra ze de jurk over haar hoofd had getrokken, nam ze een teug wodka en stapte ze in de lift om haar vondst te gaan vieren op Stuarts feestje.

Het grote glas wijn in haar hand weerhield haar er niet van om een flûte champagne te pakken toen Claudia rondkwam met het dienblad en ze allemaal een dronk uitbrachten op Stuarts '*happy home*'. Tegen die tijd waren Jock en Kathy Pember ook binnengekomen. Molly en Sophie, vergezeld door Molly's vriendje, kwamen veel te laat, maar zoals Sophies vader altijd zei, hoorde dat er nou eenmaal bij. Er was al een groot deel van de champagne doorheen gegaan voordat ze binnenkwamen, en hun Moldavische witte wijn werd dankbaar in ontvangst genomen door Stuart, die hun alle drie een kus gaf en daarmee Molly ervan overtuigde dat hij toch geen homo was. Een verdere bevestiging daarvan werd, tot haar grote schrik, geleverd door Claudia, die zich aan hem vastklampte en hem in zijn nek kuste.

De Constantines dronken witte wijn, rijkelijk verdund met water uit de kraan. Ze praatten met elkaar, en zo nu en dan wat met Marius Potter en Rose Preston-Jones. Rose zei dat ze Michael iets wilde vragen. O god, dacht Michael. Allerlei mensen wilden hem voortdurend iets vragen, en meestal was dat wat ze moesten doen aan hun overgewicht, of hun hoofdpijn, of hun voorhoofdsholteontsteking. Rose had echter een vraag die niets te maken had met gezondheidsproblemen. Ongetwijfeld ten gevolge van gestage doses *Paradise Lost* wilde ze weten of het waar was dat mannen een rib minder hadden dan vrouwen omdat Eva was

gemaakt van een rib die was weggenomen uit Adams zij. Michael onderdrukte de aandrang om het uit schreeuwen en te gaan stampvoeten, en verklaarde zwaarwichtig dat dat niet het geval was. Mannen en vrouwen hadden hetzelfde aantal ribben. Intussen stond hij bezorgd naar Olwen te kijken. Hij zou zich maar al te graag gedragen als een gewetensvolle barman en 'Volgens mij heb je nu wel genoeg gehad' tegen haar zeggen.
Tot nu toe had hij zich niet werkelijk gerealiseerd hoe zwaar verslaafd ze was. Hij had de flessen wel gezien die ze mee naar binnen zeulde, maar hij kon niet weten hoe lang ze daarmee deed of met hoeveel mensen ze die deelde. Ze was niet dronken geweest toen ze binnenkwam, maar ze was waarschijnlijk nooit dronken in de gebruikelijke zin des woord. Je zou net zo goed kunnen zeggen dat ze altijd dronken was. Hij was dicht genoeg bij haar in de buurt geweest om te merken dat ze naar gin rook, of liever gezegd stonk. Hij had ergens gelezen dat vrouwen zoals zij in het verleden kamfer gebruikten om hun dranklucht te maskeren en Olwen rook inderdaad naar mottenballen, maar de kamfer op haar kleding was niet voldoende om de zware alcoholdampen te overstemmen. Het afgelopen halfuur had ze haar limonadeglas wijn drie keer bijgevuld. Dat ze nu wel genoeg had gehad, was veel te zwak uitgedrukt. Maar je kon nou eenmaal niet naar een medegast op een feestje toestappen en zoiets zeggen. Hij wierp haar een afkeurende blik toe, maar, zoals hij al had gevreesd, merkte ze daar niets van en schonk ze zich nog een groot glas wijn in.
Onder de laatkomers waren ook Jack met zijn vriendin en Martin. Stuart had Hilary nooit eerder ontmoet. Hij was niet alleen een bewonderaar van zichzelf, maar al net zozeer een kenner van vrouwelijk schoon, en als zodanig was hij zwaar teleurgesteld in haar verschijning. Geen make-up, haar dat nodig eens gewassen moest worden en een figuur dat hard aan een dieet toe was. Het verbaasde hem, maar misschien kon iemand die er zo uitzag als Jack niet al te kieskeurig zijn. Martin en Jack hadden bier meegenomen en Stuart bedacht dat dat hoogstwaarschijnlijk nooit opgedronken zou worden, al zei hij dat maar niet.
'Is dat een bloedvlek?' was bijna het eerste wat Jack zei.
Hilary gaf een gilletje. 'Nee, natuurlijk niet,' zei Stuart kortaf.
Het was net negen uur geweest. Noor kwam om vijf over negen binnen met de prins, die een witte zijden tulband droeg waar met een juwelen speld een veer op was geprikt. Ze hadden allebei een fles heel goede rode wijn meegenomen. Het feestje, zo fluisterde Claudia Stuart in zijn oor, terwijl ze hem een arm gaf, ging prima. De mensen vermaakten zich. Michael en Katie Constantine en Duncan Yeardon hadden ook flessen wijn meegenomen en er was ruim voldoende te drinken. Iedereen – zelfs degenen die überhaupt aan hen hadden gedacht – was meneer en mevrouw Scurlock inmiddels al vergeten. Dat bracht

een zekere mate van opluchting met zich mee, want niemand wist of je zulke mensen op een feestje nou bij hun voornaam moest noemen of niet, laat staan dat ook maar iemand wist waarover je het met ze zou moeten hebben. Net toen Stuart besloot dat de huismeester en zijn vrouw van gedachten veranderd waren, kwamen ze toch. Richenda droeg een minirok met laarzen tot aan de knie en Wally begroette alle aanwezigen met de woorden: 'Nou, ik ben de huismeester maar, dat weet ik, maar – en dat zeg ik met alle verschuldigde hoogachting tegenover iedereen – als we elkaar ontmoeten tijdens zo'n sociale gelegenheid als deze, waarvoor de heer Font ons zo vriendelijk heeft uitgenodigd, neem ik aan dat niemand er bezwaar tegen zal hebben als we iedereen bij de voornaam noemen. Geen bezwaar? Nou Stuart, reuze bedankt dan maar dat je ons hebt uitgenodigd.' En hij zette nog een fles met meneer Ali's Moldavische witte wijn op tafel.

'Kom mee naar de slaapkamer,' zei Claudia nogal hooghartig tegen Stuart, alsof ze van plan was onder vier ogen eens een goed gesprek met hem te voeren over de manieren van zijn meest recente gasten.

Zo mak als een lammetje liep Stuart met haar mee. Nog voordat de deur in het slot was gevallen, had ze haar armen om hem heen geslagen en klampte ze haar mond op de zijne. Verzet was onmogelijk – en belachelijk. Maar hij was niet van plan om zich door haar het bed in te laten sleuren. Niet met al die mensen hier maar een paar meter vandaan.

'Straks,' zei hij omdat hij niets anders kon bedenken, toen hij ergens op straat een autoportier met een klap hoorde dichtslaan. Het geluid werd gevolgd door luide voetstappen op het tuinpad. Claudia deed een stapje naar achteren. Hij bleef stokstijf stilstaan. De voetstappen klonken onnatuurlijk luid, alsof de bezoeker die nu met dreunende stappen door de hal beende, herrie wilde schoppen. Er werd tegen Stuarts voordeur getrapt, zodat die open vloog en met een klap tegen de muur sloeg. Een van de vrouwen begon te gillen.

De onmiskenbare stem van Freddy Livorno, diep, krachtig en zeer luid, zei: 'Waar is hij? Waar is die vent die het met mijn vrouw doet?'

'O god,' jammerde Claudia. 'O god, ik geloof het gewoon niet.'

'Ik wel.' Stuart wilde onder het bed kruipen om zich daar te verstoppen. Maar het had geen zin. Hij moest naar de woonkamer.

Freddy stond bij de voordeur, die hij inmiddels hard achter zich had dichtgesmeten, en zwaaide met een knuppel zo dik als een boomtak. Het was net alsof de een of andere held uit oude tijden in de deuropening stond, Belisarius misschien, of Joshua, een grote man met een dodelijk wapen in zijn vuisten. De gasten stonden hem wezenloos aan te gapen. Olwen nam een nog grotere slok dan gebruikelijk. Toen hij Stuart zag, deed Freddy een paar stappen naar voren, zodat er een paar vierkante meter vrijkwamen tussen hem en de deur naar de gang, en Moira en Ken maakten van de gelegenheid gebruik om in stilte naar buiten te glippen. Molly en Sophie, die in een hoekje wat hadden staan roddelen met Marius en Rose, waren veel te gefascineerd om nu al weg te gaan, om maar niet te zeggen dat ze op nog veel meer spanning en sensatie hoopten. De uitdrukking op Wally's gezicht, een mengeling van angst en fascinatie, was die van een man die is gekomen om zich rustig een stuk in zijn kraag te drinken en in plaats daarvan in een Romeinse orgie is beland.

Misschien omdat hij over een publiek beschikte en er altijd van genoot om bekeken te worden, deed Stuart een paar stappen in Freddy's richting en zei: 'Hoe durf je hier zomaar naar binnen te lopen? Dit is huisvredebreuk.'

'Ik ga nog heel wat meer breken. Waar is mijn vrouw?'

'In de slaapkamer.'

'In de slaapkamer? Jij hebt wel lef zeg!' Misschien genoot Freddy er ook wel van om in het brandpunt van de belangstelling te staan, want hij richtte zich nu tot het hele gezelschap. 'Dames en heren!' Die woorden waren absurd maar niemand lachte. 'Dames en heren, ik weet niet wie u bent of wat u hier doet, maar deze man, uw gastheer, deze ploerterige schoft, doet het al een hele tijd stiekem met mijn vrouw.' Kathy Pember en Duncan hapten naar adem. 'Ik had ook heel wat grovere taal kunnen gebruiken, maar uit respect voor uw gevoeligheden heb ik daarvan afgezien. U zult vast graag willen weten wat ik nu ga doen en dat zal ik u vertellen. Ik ga deze man doodslaan.'

Zonder iets te zeggen, en zonder dat Freddy het opmerkte, glipte Marius Potter weg. Hij zorgde dat hij achter de andere toeschouwers bleef tot hij de voordeur had bereikt. Toen hij alleen in de hal stond, deed hij iets wat hij in zijn hippietijd, toen hij een diepe minachting koesterde voor de 'smerissen' of 'juten' zelfs nooit overwogen zou hebben. Maar nu was hij oud en lag dat allemaal anders. Hij belde 112 en vroeg naar de politie. Moest hij, nu hij zijn plicht had gedaan naar boven gaan, naar zijn eigen appartement? Nee, want het zou bijzonder onridderlijk zijn om Rose alleen achter te laten, nu ze misschien wel in gevaar verkeerde. Terwijl hij daarover na stond te denken kwam Duncan Yeardon nummer 1 uit gelopen en met een beschaamde glimlach naar Marius glipte hij door de automatische schuifdeuren de nacht in, gevolgd door meneer en mevrouw Pember. Hij had Stuarts voordeur op een kier laten staan. Toen hij een luide schreeuw hoorde, liep Marius haastig weer naar binnen.

In zijn afwezigheid waren er verschillende dingen gebeurd. Olwen en de meisjes van nummer 5 hadden zichzelf opgesloten in de keuken. Claudia was nergens te bekennen, maar bevond zich waarschijnlijk nog in de slaapkamer. Richenda was degene die het op een gillen had gezet toen haar man, die probeerde Freddy en Stuart uit elkaar te houden, door Freddy ruw omver was geduwd en languit op de vloer was terechtgekomen. Stuart stapte over hem heen en zei tegen Claudia's

echtgenoot: 'Luister nou, we kunnen erover praten. Kijk eens wat de vorige keer is gebeurd. Toen zijn we allebei gewond geraakt.'
'Deze keer ben jij de enige die gewond raakt.' Freddy pakte de zware selderiebak die Stuart inmiddels op de schoorsteenmantel had gezet, en duwde die Richenda in de armen met de woorden: 'Hier, pak aan. Zet dat ding ergens anders meer. Ik wil niet dat je getuige wordt van een moord.' Tegen de rest van de nog aanwezigen zei hij: 'U kunt maar beter gaan.' Hij stapte opzij om hen door te laten en toen Wally hinkend de deur uit was gestrompeld, draaide Freddy zich snel om, bracht zijn knuppel omhoog en liet die met venijnige kracht neerkomen op Stuarts hoofd. Of liever gezegd dat probeerde hij. Met een weerzinwekkend, misselijkmakend geluid van brekende botten raakte het ding Stuart op zijn bovenarm. 'Niet in mijn gezicht, niet mijn gezicht!' schreeuwde hij.
Claudia kwam de slaapkamer uit en rende naar hem toe.
'Uit de weg jij,' brulde Freddy, en hij raakte Stuart opnieuw, deze keer in zijn nek, zodat hij languit tegen de grond sloeg. Freddy liet de knuppel vallen en wreef in zijn handen, alsof hij naar volle tevredenheid zojuist een klusje had geklaard.
Stuart ging rechtop zitten en Claudia liet zich naast hem op haar knieën zakken.
'Hij heeft mijn ruggengraat gebroken,' schreeuwde hij. 'Ik zal nooit meer kunnen lopen.' Hij krabbelde moeizaam overeind en moest zich vastgrijpen aan het meubilair om niet te vallen. 'Mijn arm is gebroken.'
'Ja, maar jammer genoeg ook niet veel meer dan dat.' Freddy raapte zijn knuppel op en keek de kamer rond. Behalve Stuart en Claudia was iedereen inmiddels verdwenen. 'Maar voorlopig is dat wel voldoende. De volgende keer, áls er een volgende keer komt, sla ik je dood.' Hij keerde zich naar zijn vrouw toe. 'Mee jij,' zei hij. 'Mee naar huis.'
Gehoorzaam deed ze wat haar gezegd werd. Terwijl ze in zijn auto stapten, die in Kenilworth Parade geparkeerd stond, kondigden loeiende sirenes en blauwe zwaailichten de komst van de politie aan. 'Laten we maken dat we hier wegkomen,' zei Freddy grijnzend.

9

'Wat is dat voor een vlek?' vroeg de jongste van de twee politiemensen.
'Het is geen bloed hoor,' zei Stuart.
De politieman zei niet dat hij dat zelf wel zou uitmaken, maar zijn gezicht sprak boekdelen. Ze hadden te horen gekregen dat er een vechtpartij of iets dergelijks aan de gang was in deze flat, maar er was niemand te bekennen, behalve de eigenaar, al wezen een volle asbak en talloze lege en halflege glazen, gemangelde stukken kaas en toastkruimels er wel op dat hier mensen op bezoek waren geweest. Stuart had gezegd dat hij geen aanklacht wilde indienen.
'Weet u dat wel zeker?'
Daar was hij eigenlijk helemaal niet zo zeker van, maar terwijl de politiemensen de flat doorzochten, had hij erover nagedacht. Hij kon een aanklacht indienen, maar alle mogelijke getuigen waren verdwenen. Claudia was zonder afscheid te nemen of zelfs maar te vragen hoe hij zich voelde met Freddy meegegaan. Hij, Stuart, zou er heel dom uitzien als dit de kranten haalde, en dat zou ongetwijfeld het geval zijn. Als Freddy nou naar de gevangenis zou moeten voor, pak 'm beet, een jaar of tien, zou het anders liggen. Maar waarschijnlijk zou een proces er alleen maar toe leiden dat Freddy een voorwaardelijke straf kreeg, of misschien zelfs niet meer dan een taakstraf. En omdat hij advocaat was, zou zo'n taakstraf dan hoogstwaarschijnlijk inhouden dat hij een paar weken pro Deo zijn eigen beroep zou moeten uitoefenen.
'Ik weet het heel zeker,' zei hij.
'Die arm moet u laten behandelen,' zei de jongste van de twee, en hij gaf Stuart de telefoon aan, zodat hij een ambulance kon bellen.

In zijn tijd, dacht Duncan, zou het omschreven zijn als 'huisvredebreuk' of 'wanordelijk gedrag', maar hoe het tegenwoordig heette, zou hij echt niet weten. Hij was heel blij dat hij tijdig had weten weg te komen. Een andere reden tot opluchting was de warmte in zijn eigen huis. Niet dat het bij Stuart koud was geweest, maar je zou het er wel koel kunnen noemen. Het was er waarschijnlijk niet meer dan een graad of twintig. Hij wist niet hoe warm het hier

binnen was, hij had geen thermometer, maar hij vermoedde dat het op zijn minst zevenentwintig graden zou zijn. En dat was prima, daar had je nou echt behoefte aan als het buiten twintig graden vroor.
De politie was gekomen. Vanachter zijn raam had hij ze zien arriveren, en terwijl hij daar in de heerlijke warmte stond en er een dun mengsel van sneeuw en ijzel tegen de ramen sloeg, verwachtte hij elk ogenblik hen met een geboeide Freddy naar buiten te zien komen. Maar niets van dat alles. De politiemensen kwamen zonder arrestant naar buiten gelopen, net op het moment dat er een ambulance arriveerde. Toen verscheen Stuart in de deuropening. Hij werd voortgeduwd in een rolstoel en zijn linkerarm zat in een mitella gemaakt van een Burberry-sjaal. Zelfs door het mengsel van regen en ijzel herkende Duncan het ruitjespatroon nog. Waarom moest je in een rolstoel zitten als je gewond was aan je arm? Het zou iets te maken hebben met die stomme veiligheidsvoorschriften van tegenwoordig, vermoedde hij. Eén ding was zeker, die jongeman was beslist geen homo. Integendeel zelfs.
Het was een opwindende avond geweest, maar nu leek alles achter de rug. Tien voor halfelf, bedtijd eigenlijk. Duncan trok de gordijnen dicht, zodat de heerlijke warmte nog beter bewaard bleef. Hij deed de voordeur op het nachtslot, liep de keuken binnen om een glas water vol te schenken voor het geval hij 's nachts dorst zou krijgen, en toen hij bij de trap even bleef staan, viel hem onverwacht iets op. Het behang begon los te komen van de muur langs de trap. Zou dat door de warmte komen? Hij nam aan dat dat niet onmogelijk was. Voor hem was dat een teken dat hij dat behang nodig eens weg moest halen. Het was hem toch nooit bevallen, en het zou een mooie gelegenheid zijn om het hele huis een likje verf te geven. Hij zou het zelf doen, met wat gebroken wit werd genoemd, al heette dat tegenwoordig anders. Napelswit, Havannawit en zo. Maar misschien zou hij ook wel het zuivere, ongebroken wit nemen, dat hij eigenlijk het mooiste vond. Hij liep de trap op en ging slapen.

In de roddeltoptien van Lichfield House moest Olwens drankmisbruik zijn eerste plaats prijsgeven aan het vanuit alle mogelijke invalshoeken uitgebreid doornemen en analyseren van de aanval op Stuart Font. Richenda Scurlock zei tegen haar man dat het haar niet uitmaakte hoeveel sekspartners alleenstaande mensen erop nahielden, dat deed niemand kwaad, maar als je getrouwd was, lag het anders.
'Daar heb jij helemaal niets mee te maken,' zei Wally, die nog steeds liep te hinken van de kneuzingen aan zijn been die hij had opgelopen toen Freddy hem omver had geduwd. 'Wees maar blij dat ze je niet als getuige willen hebben.'
'Jou willen ze ook niet.'
'Godzijdank niet, nee.'

Wally zat te denken aan de sites die hij bezocht. Hij was onschuldig, dacht hij. Hij had niets misdaan en wat Stuart Font allemaal uitspookte, had niets met hém te maken. Maar stel nou eens dat die politiemensen hier binnen waren gekomen... stel nou eens dat ze naar zijn computer hadden gekeken en dat ze, omdat ze per slot van rekening experts waren, erin geslaagd zouden zijn om... Maar dat hadden ze niet gedaan en dat zouden ze ook niet doen. Godzijdank. Hij wilde de politie hier helemaal niet in de buurt hebben. Hij vroeg zich af wie ze eigenlijk gebeld had. Een of andere bemoeial, waarschijnlijk die dokter Constantine, als dat al een echte arts was.

Richenda moest iets tegen de drie meisjes gezegd hebben, want ze leken teleurgesteld dat ze niet voor de rechtbank zouden moeten verschijnen. 'Maar als iemand bij iemand anders naar binnen loopt,' zei Molly, 'en hem, zeg maar, in elkaar slaat met een knuppel, dan kan hij toch niet zomaar ongestraft weglopen?'

'Kennelijk wel,' zei Marius Potter, die het helemaal niet erg vond dat niemand hem had gevraagd wie de politie had gebeld.

Halverwege de zondagochtend zei Katie Constantine tegen haar echtgenoot: 'Is het niet heerlijk, Michael, dat je nu gekwalificeerd arts bent, en dat je tegen iedereen kunt zeggen dat je arts bent als er zoiets als dit gebeurt?'

'Maar ik voel me helemaal geen arts, want ik heb geen baan. Je kunt geen arts zijn in het luchtledige. Ik zou niet eens durven zeggen dat ik arts was.' Hij zuchtte en las verder in de stapel brieven die hij had ontvangen in reactie op dat artikel waarin hij had geschreven dat sint-janskruid volstrekt nutteloos was als geneesmiddel tegen depressie. Hij had daar een enorme stapel brieven over ontvangen, en zelfs nog meer mailtjes. De meeste daarvan waren negatief van toon en in sommige werd hij zelfs uitgescholden. Dat zat hem niet lekker, want net als de meeste andere mensen vond hij het vreselijk om schriftelijk uitgescholden en beledigd te worden, maar het enige bericht dat hem werkelijk bang maakte, was afkomstig van een hoogleraar Medische Psychiatrie aan de een of andere universiteit. De professor merkte op dat Michaels artikel feitelijk onjuist was, omdat recent onderzoek had uitgewezen dat sint-janskruid, mits voorzichtig en met enige terughoudendheid aangewend, wel degelijk een verlichtende invloed had op bepaalde soorten van depressie en daarom niet langer als alternatieve geneeskunde kon worden omschreven. Dat was nog erger dan die haarkundige. Er was ook een mailtje van de redactie, waarin hem werd gevraagd of hij wilde reageren, met andere woorden, of hij zich wilde verdedigen. Michael had nog niet gereageerd, en was ook niet van plan om dat alsnog te doen, want er was niets wat hij tot zijn verdediging zou kunnen aanvoeren.

Stuarts arm zat in het gips. Er zouden weken voorbijgaan voor hij die weer kon gebruiken. Hij zei tegen zijn moeder dat het feest een succes was geweest, maar dat hij de dag daarna was uitgegleden op het ijs en zijn arm had gebroken.
'Maar er ligt geen ijs meer,' zei ze. 'De regen heeft alles weggespoeld. Hier in elk geval wel. Waar jij woont, is dat misschien anders.'
Van Claudia had hij niets meer vernomen. Zo nu en dan vroeg Stuart zich af waaraan hij Freddy's bezoek van zaterdagavond nou eigenlijk te danken had gehad. Had Claudia hem verteld dat ze naar zijn flat zou komen? Of had hij haar horen telefoneren? Hij dacht er maar niet al te lang over na. Hoe je er ook tegenaan keek, hij mocht van geluk spreken dat hij er zo gemakkelijk van af was gekomen. Als Freddy niet zo beroerd gemikt had met die knuppel, was hij, Stuart, nu dood geweest.
Op maandagochtend belde een van de meisjes van nummer 5 bij hem aan om te vragen of ze soms ergens mee kon helpen. Het was Molly Flint, maar hij wist haar naam niet, of was die vergeten, en hij nam niet de moeite om ernaar te vragen. Molly woog zo'n vijf kilo meer dan eigenlijk had gemoeten, en in gedachten noemde hij haar 'de dikke'.
'Je kunt de vaatwasser wel leeghalen,' zei hij. 'Ik ben erin geslaagd om hem vol te krijgen, maar alles eruit halen en opbergen is moeilijk met maar één arm.'
'Dat lijkt me wel, ja. Waar zal ik deze glazen neerzetten?'
'Ze zijn nieuw. Misschien kun je er een plek voor vinden in een van die kasten daar. En als je daarmee klaar bent, zou je dan een beker warme chocolademelk voor me kunnen maken? Maak je maar niet druk over de rommel. Die ruimt Richenda wel op.'
Molly zette alle glazen heel keurig in de kast, stouwde de vaatwasmachine opnieuw vol met de borden die Stuart nog had laten rondslingeren, maakte chocolademelk en zette die samen met een schotel met wat Duchy Originals-citroenbiscuitjes voor hem neer.
'O, dankjewel,' zei Stuart. 'Vertel eens. Heb je hier weleens een heel mooi meisje rond zien lopen, een Thaise of Vietnamese of zo, een jaar of twintig, en altijd samen met haar vader? Ik vroeg me af of jij soms wist waar ze woont.'
'Nee, sorry, dat weet ik niet,' zei Molly verdrietig.
'Jammer. Dan ga ik nu maar even liggen, denk ik. Ik heb pijn in mijn hoofd op de plek waar dat monster me geraakt heeft.'

Claudia had niet gebeld omdat ze haar kaak had gebroken. Zo voelde het in elk geval. Op zondagochtend had Freddy geen woord tegen haar gezegd, en op geen enkele manier gereageerd op haar sarrende opmerkingen en verontwaardigde vragen. Maar toen had hij zich plotseling omgedraaid en haar een harde stomp in haar gezicht gegeven.

‘Ik zou maar geen aanklacht indienen,’ zei hij tegen haar terwijl hij haar naar de Eerste Hulp van het dichtstbijzijnde ziekenhuis reed. ‘Als ze je vragen wie dit heeft gedaan, geef je hetzelfde antwoord als Desdemona: “Niemand, ikzelve, vaarwel”. Dat wil zeggen, dat schrijf je dan maar op, want voorlopig zul je wel niet kunnen praten.’

Claudia begon te huilen.

‘Naar mijn mening,’ zei Freddy, ‘was het vroeger allemaal heel wat beter geregeld. Toen was huiselijk geweld gewoon een privékwestie tussen man en vrouw, en de politie ging ervan uit dat zulke dingen er nou eenmaal bij hoorden.’

Het was niet voor het eerst dat meneer Ali naar Saoedi-Arabië ging, maar deze keer nam hij zijn oudste zoon mee, zodat er niemand achterbleef om op de winkel te letten. Toen Olwen met haar boodschappentassen voor de deur stond, merkte ze dat de zaak gesloten was. Ze schuifelde terug naar het postkantoor, waar ze een munttelefoon hadden. Een stel vandalen had al een paar keer de telefoonhoorn van het snoer gerukt, maar op het moment was het toestel intact. Olwen vroeg de man achter de toonbank naar de gele gids. Met het potlood dat met een stuk touw aan de kale muur was bevestigd, maakte ze aantekeningen op een bonnetje dat een klant had laten rondslingeren.

Het voeren van telefoongesprekken waarin ze iets verzocht of reageerde op een verzoek, had ze bij de verschillende bedrijven waar ze haar hele leven lang had gewerkt altijd gedaan. Dat was niet nieuw voor haar. Wel nieuw voor haar was de instelling van de slijterijen. De eerste twee die ze belde, wilden een creditcardnummer hebben, plus de datum waarop de creditcard zou verlopen, voordat ze ook maar iets wilden bezorgen, en Olwen had haar creditcard niet meegenomen. Op het derde adres dat ze belde werd gezegd dat ze maar even langs moest komen om haar eigen gin en wodka uit te zoeken, maar dat kon niet, want die winkel zat ergens in Edgware. De vrouw in de vierde winkel zei dat ze nooit bezorgden.

De mensen die het postkantoor binnenliepen, namen haar nieuwsgierig op. Het verbaasde hen om iemand te zien die kennelijk niet over een vaste lijn beschikte, en al evenmin over een mobieltje. Terwijl ze terugliep naar Lichfield House kwam ze Wally Scurlock tegen, die net terugkwam van het kerkhof. Het weer begon wat beter te worden, de scholen waren weer open en terwijl hij nadrukkelijk bezig was geweest met zijn onderhoud aan het graf van Clara Carbury had hij zich twintig minuten lang vermaakt met kijken naar de leerlingen van de Kenilworth Primary School.

‘Wilt u een fles gin en een fles wodka voor me halen bij de Tesco?’ vroeg Olwen. ‘Ik betaal ervoor.’

‘Ik had ook niet anders verwacht, mevrouw.’

'Tien pond.'
'Twintig,' zei Wally. 'En het zal moeten wachten tot vanmiddag. Ik heb nu geen tijd om terug te lopen.'
Toen hij langs Hereford House liep, had hij zijn vrouw zien stofzuigen in een van de appartementen op de begane grond. Toen hij dat zag, had hij zich met een golf van opwinding – de opwinding van een verslaafde – gerealiseerd dat hij nu zou kunnen toegeven aan die smerige gewoonte van hem. Want wat hij daar op het kerkhof had gedaan, en soms ook deed in de torenflat, was zelfverwennerij, maar ook niet meer dan dat, en het verbleekte bij het bijna extatische genot dat het kijken naar die websites hem opleverde. Toen de scholen dicht waren en Richenda ergens aan het schoonmaken was, had de computer hem aangetrokken zoals een magneet een naald: aanvankelijk heel zachtjes maar vervolgens met een brute kracht die ertoe leidde dat hij aan het scherm gekluisterd zat.
Vroeger zou hij niet geloofd hebben dat hij ooit in staat zou zijn om zo behendig de ene site na de andere te vinden. Maar hij had inmiddels gemerkt dat je nooit beter leert dan als je een brandend verlangen voelt om je bepaalde kennis eigen te maken. Op al die ijskoude dagen waarop hij zich als het maar even kon niet buiten de deur waagde, had hij al snel allerlei manieren gevonden om de veel explicietere, hárdere films te vinden, en zichzelf toegestaan om dingen te zien waarvan hij nooit had gedroomd dat ze zelfs maar mogelijk waren. Daar konden de speelse leerlingetjes van Kenilworth Primary School niet aan tippen.
Maar het ontbrak Wally niet helemaal aan een geweten. Het gevolg daarvan was dat hij niet alleen erg bang was voor de politie, maar zichzelf ook – al was dat nog zo'n flauwekul – moest voorhouden dat het echt volstrekt onschadelijk was wat hij deed. Het waren foto's, video's, maar het was niet écht. Toen de politie het gebouw was binnengekomen, had hij dat aanvankelijk angstaanjagender gevonden dan hij zichzelf had laten merken. En ook heel wat angstaanjagender dan hij Richenda had laten merken. 's Nachts was hij regelmatig badend in het zweet wakker geworden terwijl hij zich voorstelde wat er had kunnen gebeuren, wat die politiemensen hadden kunnen doen. Die angst zorgde ervoor dat hij haastig terugging naar het kerkhof, waar hij met een schaartje in de hand neerknielde voor het graf van Clara Carbury en zich voorhield dat dit beter was dan die computer, dat dit volstrekt onschuldig was, niet meer dan een kinderloze man die toegaf aan zijn kinderliefde door naar een stelletje spelende kinderen te kijken. Maar tegelijkertijd wist hij dat het niet zo was, en dat dit niet onschuldig was.
Voor het eerst sinds Stuarts feestje, toen de politie was geweest, ging hij weer met dat vertrouwde en ademloze gevoel van verwachting aan de computer zitten. Hij drukte op de startknop en schoof met de muis naar het icoontje van Internet Explorer.

'Ander genoegen/ blijft mij vreemd./ Ik grijp de kans die mij nu toelacht.' Dat was het resultaat van de sortes van 13 februari. De kans waarnaar verwezen werd, zou Valentijnsdag kunnen zijn, morgen dus. Hij had erover gedacht om een kaart te kopen en was even naar de valentijnskaarten gaan kijken in de tabakswinkel aan Kenilworth Parade, maar die waren allemaal zo ordinair... hartjes met pijlen erdoor, roze strikken, glazen champagne, bossen met rozen. Zelfs die laatste waren voor Rose niet geschikt. Misschien moest hij 's ochtends maar bloemen laten bezorgen, en dan later op die onder een zo gunstig gesternte staande dag bij haar op bezoek gaan.

Hij zou het haar vertellen. Hij had zijn besluit genomen.

Maar zo gemakkelijk was het niet, merkte hij een paar uur later. Stel nou eens dat ze zich die nacht die ze samen hadden doorgebracht anders herinnerde dan hij. Als ze zich die al herinnerde, zou het best kunnen dat ze daar met tegenzin en spijt aan terugdacht. Waarschijnlijk was ze net als alle anderen in de commune voortdurend met alles en iedereen het bed in gedoken, vrij en ontspannen, zonder daar ook maar iemand kwaad mee te doen... ook zichzelf niet. Maar ze was niet meer dan één nachtje gebleven en hoewel ze net zo genoten leek te hebben als hij, was haar haastige vertrek de volgende ochtend natuurlijk wel iets om rekening mee te houden. Het leek bijna alsof ze voor hem was weggevlucht uit een huis waar ze was bezweken voor een verleiding die alleen maar teweeg was gebracht door het gebruik van een voor haar onbekende drug.

En nu biechtte hij zichzelf op dat zijn eigen levenshouding in de loop der jaren ook veranderd was. Dat kon bijna niet anders. Hoewel hij een heel leven van lesgeven achter zich had, was hij nog steeds de intellectueel die hij in die jaren was geweest. Hij hield van de klassieken, genoot zielsveel van poëzie en was nog steeds socialist, actievoerder tegen kernwapens, gezondheidsfreak en voorstander van alternatieve geneeswijzen. Maar zijn denkbeelden over seksualiteit hadden in de loop der jaren een ingrijpende verandering doorgemaakt. Het idee om seks te hebben met een vrouw die hij nog maar net had ontmoet, boezemde hem tegenwoordig alleen maar afkeer in en hij kon zich nauwelijks meer herinneren wanneer hij voor het laatst met iemand het bed had gedeeld. Jaren geleden in elk geval, met een vrouw uit zijn verleden die te kennen had gegeven dat ze opnieuw een relatie met hem wilde beginnen. Het had niet gewerkt en was maar van heel korte duur geweest.

Maar met de juiste vrouw hij kon zich wel een liefdesrelatie voorstellen, en hij schaamde zich er zelfs een beetje voor om zichzelf te moeten opbiechten dat hij daar wel heel romantische gedachten over had, iets wat ongetwijfeld het gevolg was van een overmaat aan poëzie. In gedachten ontmoette hij iemand die van hem zou hóúden, en met een minachtende glimlach dacht hij dat het dan ook wel om ware liefde zou moeten gaan, want zoals hij er nu uitzag zou er nooit

iemand lichamelijk naar hem verlangen. Maar het was onmogelijk. Het zou nooit werkelijkheid worden. Rose en hij zouden met elkaar moeten blijven omgaan zoals ze nu met elkaar omgingen, als goede kennissen – misschien wel iets meer dan dat – en hij zou haar nooit herinneren aan wat er dertig jaar geleden tussen hen had plaatsgevonden.
Hij zou het haar niet vertellen. Nu niet, morgen niet, nóóit.
En dus zou hij haar morgen ook die twaalf rode rozen niet sturen. Hij zou naar beneden gaan, vragen of ze mee ging koffiedrinken, of groene thee, en hij zou niets zeggen over Valentijnsdag.

10

Nu er geen ijs meer op het trottoir lag, durfde Stuart wel de deur uit. Hij had gemerkt dat een gebroken arm weliswaar minder hinderlijk was dan een gebroken been, maar het lopen er toch niet eenvoudiger op maakte. Hij bleef daarom meestal thuis en zat daar te zwelgen in zelfmedelijden. Van Claudia had hij niets meer vernomen en 'Nessun dorma' werd op nummer 1 tegenwoordig zelden meer gehoord. Alleen zijn moeder, die geen weet had van de vechtpartij waarop het feest was uitgelopen, belde hem nog, en zij gaf de voorkeur aan de vaste lijn. En nadat Freddy Livorno had staan roepen dat hij het met zijn vrouw had aangelegd, zouden Martin en Jack, misschien wel opgestookt door Jacks vriendin Hilary, vermoedelijk geneigd zijn om nog eens goed na te denken over de vraag of ze hem eigenlijk wel als vriend wilden. Geen van beiden had in elk geval nog iets van zich laten horen, en ook meneer en mevrouw Pember en Duncan Yeardon hadden niet gebeld om hem te bedanken voor het feestje. Misschien geneerden ze zich. Molly Flint kwam regelmatig langs om chocolademelk voor hem te maken, zijn borden te wassen en boodschappen voor hem te doen, en toen hij naar buiten liep om de post te halen, was hij Marius Potter tegen het lijf gelopen, die zijn gebruikelijke beleefde groet had gemompeld. Maar hij kon zich niet aan de indruk onttrekken dat Marius' glimlach eerder geamuseerd dan vol medeleven was.

Het had grote nadelen om een taxi naar een slijterij in Cricklewood te nemen, de chauffeur daar te laten wachten en vervolgens weer met de taxi naar huis te rijden. Omdat ze geen telefoon had, moest Olwen wel gebruikmaken van de munttelefoon in het postkantoor of op straat een taxi aanroepen, en op Kenilworth Avenue was dat laatste niet eenvoudig. En als ze dan eenmaal een taxi had gevonden, moest ze de chauffeur of de slijter nog zover zien te krijgen dat die een krat met sterkedrank voor haar in de kofferbak zette. Ze had het één keer gedaan, maar het had grote moeite gekost en toen de krat eenmaal in de hal van Lichfield House stond, had ze meneer Scurlock moeten vragen om die voor haar in de lift te zetten. Al dat praten en vragen en smeken had zoveel energie gekost en zoveel spanning opgeleverd dat het haar bijna te veel was geworden.

Toen ze weer thuis was, de eerste fles had opengemaakt en het eerste glas had ingeschonken, was ze kreunend van uitputting op de bank gaan liggen en had ze tegenover zichzelf toegegeven dat ze hier te zwak voor was, en dat ze dit niet nog een keer zou kunnen opbrengen.
Wally Scurlock had tien pond gevraagd om de krat voor haar naar boven te brengen. Als je daar de taxi bij rekende – heen, terug en wachten – was dat net zo duur als hem zo nu en dan twee flessen gin laten halen bij de Tesco. Natuurlijk zat er wel een hoop meer gin in zo'n krat, maar misschien kon ze de huismeester wel zover krijgen om drie flessen per keer te halen.
'Niet voor twintig pond, mevrouw. Ik heb geen auto. Ik moet het allemaal zelf dragen, en mijn armen zijn toch al bijna uit de kom geschoten, zo zwaar waren die dingen.' Olwen vond het vreselijk om met die man te moeten praten; ze vond het vreselijk om met wie dan ook te moeten praten. 'Dertig pond voor drie flessen drank.'
'Als ik het mis heb, zegt u het maar, hoor, maar volgens mij heb ik net uitgelegd dat ik geen drie flessen tegelijk kan dragen. Twee flessen is het maximum, en dat kost u dan dertig pond, want net zoals iedereen ben ook ik helaas genoodzaakt mijn prijzen te verhogen.'
Olwen bedacht dat de flat van haar was en dat ze geen huur hoefde te betalen. Met haar AOW en haar pensioen had ze altijd goed rond kunnen komen. Per slot van rekening at ze maar heel weinig en kocht ze bijna alleen maar drank. Maar meneer Scurlock vroeg zoveel geld dat haar banksaldo nu heel snel slonk. De laatste keer dat ze naar de geldautomaat was geweest, waarbij ze tegenwoordig niet alleen een stok nodig had, maar zich ook voortdurend moest vasthouden aan struiken, hekken en straatlantaarns, was ze erachter gekomen dat als ze haar gebruikelijke tweehonderd pond opnam, ze rood zou komen te staan. In plaats daarvan had ze honderdvijftig pond opgenomen, maar Wally Scurlock toch dertig pond betaald om twee flessen wodka voor haar te halen.
Naast de Tesco, aan de andere kant van het parkeerterrein, stond een winkel die IT Heaven heette, en daar was het uitverkoop. Wally had wodka voor Olwen gekocht en met de flessen in twee plastic tassen was hij er even naartoe gelopen om te kijken wat er werd aangeboden. Hij was niet van plan geweest om iets te kopen, maar dankzij Olwen zat hij op het moment goed in de slappe was, en de kortingen waren, eerlijk gezegd, echt waanzinnig. Het zou ronduit geld weggooien zijn geweest om niet zo'n printertje te kopen. Wally hield zichzelf voor dat als je een computer had, je toch ook echt een printer moest hebben. Stel nou eens dat de computer crashte, dat gebeurde per slot van rekening zo nu en dan, dan was je alle mail kwijt die je niet had uitgeprint. Hij stapte de winkel binnen en kocht een fraai grijs printertje met een blauw lijntje langs de randen. Toen hij thuis was, duurde het een tijdje voordat hij het ding aan de praat kreeg

– dat wilde zeggen, voordat hij het aan de computer bevestigd had en de computer zo had weten in te stellen dat die het apparaat herkende, en toen het hem eindelijk gelukt was, drong het tot hem door dat hij geen printerpapier in huis had. Nou, hij ging niet terug naar die winkel, en hij was ook niet van plan om helemaal naar West Hendon te sjouwen. Hij zou wel even wachten tot dat dronken ouwe wijfje weer een paar flessen vergif wilde hebben. Per slot van rekening hoefde hij niet speciaal iets uit te printen. Als hij iets wilde bekijken, kon hij dat net zo goed op het beeldscherm zien.

Het behang kwam heel gemakkelijk los. Op sommige plekken hoefde Duncan alleen maar de rand vast te pakken en het los te trekken. Als hij zijn hand op het blote pleisterwerk legde, voelde dat prettig warm aan. Hij dacht terug aan de verschillende huizen waarin hij had gewoond, het huis van zijn ouders, de eerste flat die hij met Eva had gedeeld, en daarna het landarbeiderswoninkje in Essex, maar hij kon zich geen enkel huis herinneren waar de centrale verwarming zo efficiënt was geweest als hier. Het was inmiddels maart en de zon scheen elke dag. Hij had op drie na alle radiatoren dichtgedraaid en toch moest hij nog steeds de ramen en de openslaande tuindeuren wijd openzetten.
Bij de doe-het-zelfwinkel voorbij de Tesco en de IT Heaven kocht hij wat zijdeglans gebroken wit met iets lichtgeels erdoor, een zeemleren verfroller en twee kleine kwasten voor het fijnere werk. De huismeester van de flats tegenover hem kwam de supermarkt uit met twee plastic tassen met een fles erin. Aan de vorm van die flessen kon Duncan zien dat het sterkedrank was, een fles gin en een fles whisky. De man zou wel alcoholist zijn, iets wat eigenlijk ontoelaatbaar was voor iemand met zo'n verantwoordelijke baan. Duncan dacht erover om er iets aan te doen, maar besloot daar nog even mee te wachten tot hij klaar was met de hal en het trapgat. Hij dacht er vaak over om ergens iets aan te doen, maar als het eenmaal zover was, kwam het er zelden van.

'Leila heeft een boetiek geopend in het Bel Esprit Centre,' zei Molly, terwijl ze warme melk opgoot op het mengsel van cacaopoeder, suiker en een beetje koude melk in de nieuwe mok die ze voor Stuart had gekocht. 'Noor, Sophie en ik gaan er eens kijken.'
'Wie is Leila?' vroeg Stuart, alleen maar om iets te zeggen.
'Dat weet ik niet. Zomaar iemand. Ze heeft een folder in ons postvakje geduwd. Daarom weet ik dat haar winkel vanochtend opengaat. We kunnen ons niet veroorloven om iets te kopen, maar we vonden dat we toch maar eens moesten gaan kijken.' Stuart was zo mooi dat Molly hem eigenlijk niets durfde te vragen, maar nu vatte ze moed. 'Heb je zin om mee te gaan?'
'Ik waag me liever niet in een menigte, niet met mijn arm.'

'Ik denk niet dat het erg druk zal zijn. Het is toch Oxford Street niet?'
Zo'n boetiek, dacht Stuart, was een soort mekka voor jonge vrouwen. Zou het mooie meisje daar ook gaan kijken? 'Misschien zie ik je daar wel,' zei hij nogal lomp.
Hij stond vaak lang voor het raam in de woonkamer te kijken of hij het mooie meisje zag. Eén keer had hij haar vader in zijn eentje over straat zien lopen. En hij had dezelfde man ook een keer in de zwarte auto zien rijden, met een vrouw naast zich, maar hij had niet kunnen zien of zij het was, want de vrouw had een dikke zwarte sjaal om haar hoofd en nek gewikkeld. Toen Molly weg was, ging hij weer voor het raam staan, met de mok warme chocolademelk in zijn handen. Er stond een paars hart met een pijl erdoor op de mok, maar hij had totaal niet in de gaten dat ze hem daarmee een valentijnscadeau had gegeven. Er was niemand op straat. Geen drommen gretige vrouwen die allemaal het Bel Esprit Centre probeerden binnen te komen. Maar toen hij naar de overkant van Kenilworth Avenue keek, zag hij daar Duncan Yeardon voor een van zijn ramen staan. Er lag, vond hij, een weemoedige en eenzame uitdrukking op Duncans gezicht en omdat hij geen zin had om door anderen in hetzelfde licht gezien te worden, liep hij voor het raam weg en liet de zware, lichtblauwe sweater over zijn hoofd glijden. Dat was het enige kledingstuk voor het bovenlijf dat hij op dit moment zonder groot ongemak kon dragen.
Het was heel warm voor medio maart, zo warm dat Stuart besloot straks een wat langere wandeling te maken. Maar eerst ging hij naar Leila's boetiek. Hij liep de trap op en de glazen deuren schoven voor hem open. Afgezien van een in grote ruiten opgedeeld plafond en een paar donkerbruine bogen was er niet veel overgelaten van Robert Smirkes kerkinterieur. Een deur links gaf toegang tot het Holistisch Forum waar Rose Preston-Jones twee keer per week spreekuur hield, een andere deur behoorde toe aan een acupuncturist, en als je onder een boog rechts doorliep kwam je in de Recreatie Arena en de Yogaruimte. Vóór hem, boven een open deur, stond het woord LEILALAND. Daarbinnen was het bijna net zo druk als hij had gevreesd: drommen vrouwen verdrongen elkaar tussen de rekken met kleren. Er was geen man te bekennen. Zonder zich daardoor te laten afschrikken, maar wel een beetje beducht voor een duw tegen zijn arm, liep Stuart naar de open deur toe. Plotseling had hij er alle vertrouwen in dat het mooie meisje hier zou zijn. Het was precies haar soort winkel en de van heel dun, bijna doorzichtig chiffon en kant gemaakte dingetjes die hier voor jurkjes doorgingen, waren helemaal voor haar gemaakt.
Met zijn rechterhand opgestoken om zijn linkerarm te beschermen, liep hij behoedzaam heen en weer tussen de rekken, en keek daarbij voortdurend van links naar rechts en weer terug om te zien of zijn prooi ergens te bekennen viel. Hij was een kop groter dan de meeste vrouwen in het vertrek. Molly, Noor en

Sophie had hij al snel opgemerkt. Ze waren alle drie topjes, broeken en hemdjes aan het bekijken en bestudeerden die met een geconcentreerde aandacht die hun ouders en leraren hen liever aan hun huiswerk hadden zien besteden. Van het mooie meisje viel echter geen spoor te bekennen.
Toen hij hier binnen kwam lopen, hadden sommige mensen hem wat vreemd aangekeken, omdat hij de enige man hier was, of, wat hem waarschijnlijker leek, omdat hij zo knap was, maar de kleren en de prijskaartjes waren uiteindelijk toch interessanter en het duurde dan ook niet lang voordat iedereen hem met rust liet. Hij stond nu tussen een tafel vol met opgevouwen truitjes en een soort hoge boekenkast met deurtjes, die vol lag met nepsieraden en kunstbloemen. Hij liep voorzichtig door de winkel, bang om zijn arm te stoten. Het leek hem tamelijk zinloos om hier te blijven, en hij wilde zich net omdraaien om de winkel uit te lopen toen een deur achter in de winkel openging en Claudia naar buiten kwam, samen met een Aziatische vrouw van middelbare leeftijd. Even wist hij niet hoe hij het had, maar toen herinnerde hij zich iets wat hij over het algemeen snel had weten te vergeten, namelijk dat ze modejournaliste was. Ze zou hier wel langsgekomen zijn om deze vrouw te interviewen voor de vrouwenpagina van haar krant. Op datzelfde moment kwam er een herinnering in hem op aan Freddy Livorno, die gewelddadige crimineel. Maar voordat hij wist te ontsnappen had Claudia hem al opgemerkt.
'Schat! Wat lief van je om mij te volgen.'
Ontkennen had geen zin. Hulpeloos stond hij haar aan te gapen, en toen sloeg hij zijn ogen neer. Ze was een aantrekkelijke vrouw, dat leed geen twijfel, maar ze kon bij lange na niet tippen aan het mooie meisje.
'Heb je me langs zien rijden toen je voor het raam stond? Hoe gaat het met je arm?' Zonder op antwoord te wachten, greep ze hem bij zijn goede arm en zei: 'Er is een heel leuk cafeetje achter in de Arena. Kom mee, dan kun je me op een cappuccino trakteren.'
Hij kon háár trakteren, dacht Stuart zuur. Typisch Claudia. Maar hij liep met haar mee. Via wat ooit het schip van deze kerk uit de jaren negentig van de negentiende eeuw was geweest, bereikten ze het lang geleden al van zijn altaar en communiebank beroofde koorgedeelte, waar nu zes donkerrode tafeltjes stonden, plus een stuk of vijftig stoeltjes in dezelfde kleur en een lange glazen toonbank die was afgeladen met eten en drinken.
'Je hebt geen idee wat ik heb gevonden toen ik de vaas met droogbloemen achter mijn computer per ongeluk omstootte,' zei Claudia nadat de cappuccino en de warme chocolademelk waren gebracht. 'Je raadt het nooit. Al die stoffige ouwe bloemen vielen eruit en er lag een klein apparaatje tussen. Een afluisterapparaatje. Ik weet niet hoe het werkt, maar ik kan het wel raden. Het neemt alles op wat binnen gehoorsafstand gezegd wordt.'

'Wat is daarmee?'
'Wat daarmee is? Dat heeft Freddy daar neergelegd. Het betekent dat hij alles heeft gehoord wat ik de afgelopen maanden tegen je heb gezegd. En ik heb ook een akelig dingetje gevonden dat hij aan mijn computer had vastgemaakt, zodat hij al mijn mail kon lezen.'
'Daarom heeft hij mijn arm gebroken,' zei Stuart verontwaardigd. Zijn ergernis was net zozeer op haar gericht als op Freddy.
'Precies. Maar ik weet hoe ik hem te slim af kan zijn. Ik heb het ding weer tussen de droogbloemen gelegd, en ik zal jou nooit meer een mailtje sturen dat niet volkomen onschuldig is. En als ik met je praat, doe ik het vanuit mijn slaapkamer, of op kantoor, of in de tuin.'
Waar Freddy misschien nog veel meer van die apparaatjes verborgen had...
'Je kunt maar beter helemaal niet met me praten,' zei Stuart, en plotseling voelde hij een felle steek in zijn bovenarm, waar hij al een maand lang helemaal geen last van had gehad. 'We kunnen maar beter niet meer praten.'
'Maar hoe kunnen we onze relatie dan voortzetten?'
'Die zetten we niet voort.'
'Ach, lieverd, dat méén je toch niet! Je bent nog niet helemaal in orde. Met mij is het een tijdje ook niet goed gegaan, hoor. Hij heeft mij ook geslagen, weet je? Nou nee, dat weet je niet natuurlijk. Maar hij heeft me geslagen. Ik dacht dat hij mijn kaak had gebroken, en dat was ook zijn bedoeling, maar dat is hem niet gelukt. Hij heeft me daarmee wel de stuipen op het lijf gejaagd en daarom heb ik je niet gebeld. En toen vond ik dat afschuwelijke apparaatje tussen de droogbloemen, en toen was ik toch zo bang, schat, maar daar ben ik nu overheen. Waarom gaan we niet even naar jouw huis? Gewoon rustig een uurtje samen op bed liggen. Ik hoef pas om één uur terug te zijn.'
Dus gingen ze rustig bij Stuart thuis op bed liggen en er gebeurde niet veel, want Stuart merkte dat wandelen niet het enige was wat moeilijk ging met een loodzwaar gipsverband om je arm. Hij was er tamelijk zeker van dat als het mooie meisje naast hem had gelegen, hij zich zelfs door een gebroken been en een schedelbasisfractuur nog niet had laten weerhouden, maar dit was het mooie meisje niet. Het was Claudia. Hij ging met haar mee toen ze wegging, en liep met haar naar Watford Way om een taxi voor haar te zoeken. Sinds het begin van de recessie reden er meer taxi's rond, en deden de chauffeurs heel wat beter hun best, maar toch duurde het een paar minuten voordat er een langskwam. In elk geval was híj deze keer niet degene die voor de rekening opdraaide, dacht Stuart terwijl hij Kenilworth Avenue weer in liep.
Hij liep al over het tuinpad van Lichfield House toen hij om de een of andere reden omkeek. Waarom? Een of ander instinct, een slag van het noodlot, een spirituele oproep die afkomstig was van het object van zijn hartstochtelijke ver-

langen? Wat het ook geweest mocht zijn, hij keek om en daar, aan de overkant van de straat, liep het mooie meisje, gevolgd door haar vader, het smalle bordes naar de voordeur van Springmead op. Ze hadden plastic tassen bij zich, die ze duidelijk hadden meegenomen uit de zwarte Audi die nu langs het trottoir geparkeerd stond. Door een sleutel in het slot te steken en de deur open te maken, maakte het mooie meisje Stuart duidelijk dat haar vader en zij daar woonden. Stuart stond als aan de grond genageld – iets wat hij weleens had gelezen maar nooit eerder zelf had meegemaakt – en keek toe hoe ze het huis binnenliep, gevolgd door de man. Maar in plaats van de deur achter zich dicht te duwen, zette de man zijn tassen op de grond en liep terug de auto. Het mooie meisje draaide zich om, zodat ze met haar gezicht naar haar vader en hem toe stond en Stuart goed kon zien hoe mooi ze was: haar ranke gestalte, haar elegante nek, haar onvergelijkelijk mooie gezichtje en haar gitzwarte haar, dat net als bij een geisha in soepele vlechten boven op haar hoofd gedrapeerd lag. Ze stond naar haar vader te kijken, en naar hém, maar niet langer dan een ogenblik, en toen deed ze de deur dicht.

Stuart had zijn adem ingehouden en blies die nu in een langgerekte zucht uit. Ze woonde tegenover hem, dat moest wel. Waarom zou ze zichzelf anders met haar eigen sleutel hebben binnengelaten? Haar vader reed weg. Hij zou de auto ongetwijfeld ergens in een garage achter het huis gaan zetten. Zwijgend zei Stuart in zichzelf: 'Dankjewel, Claudia.' Als hij niet even met Claudia meegelopen was om een taxi voor haar te vinden, zou hij er misschien nooit achter gekomen zijn waar het mooie meisje woonde. Nou, nóóit was misschien overdreven, maar het had een hele tijd kunnen duren. 'Dankjewel, Claudia.' Hij bleef daar in het zonlicht staan, zonder nog maar iets te merken van de pijn in zijn arm, totdat de drie meisjes terugkwamen uit de kerk, alle drie met een plastic tas met LEILALAND erop.

'We hebben ik weet niet hoeveel uitgegeven,' zei Noor. 'Met onze creditcard dan. En nou maar duimen dat pappie het wel betaalt. Hoe gaat het met jou?'

'Prima,' zei Stuart.

Pas in april zou het gips van zijn arm worden gehaald. In de weken die daaraan voorafgingen, merkte hij dat hij plannen aan het maken was die allemaal om die ene dag draaiden. Alles stond in de wacht tot het zover was, maar als die grote klomp steen, die inmiddels groezelig was geworden en aan de randen begon af te brokkelen, eindelijk van zijn arm verwijderd was, zou hij een aantal knopen tegelijk doorhakken. Hij zou Claudia duidelijk maken dat het uit was, en weigeren om haar vleiende praatjes nog langer aan te horen; hij zou serieus op zoek gaan naar een baan; hij zou de straat oversteken, aanbellen bij Springmead en het mooie meisje aanspreken.

Claudia had griep gehad. Dat had haar een dag of tien bij hem uit de buurt gehouden, en toen ze beter was, ging ze samen met Freddy op vakantie naar Griekenland. Zodra ze terug was – nou, dat idee had hij in elk geval – belde ze weer. Opnieuw klonk 'Nessun dorma' door appartement nummer 1 in Lichfield House, maar ze verzekerde hem dat ze over straat liep, en op dat moment voor de ingang van metrostation Angel stond. Even later was ze bij hem en eigenlijk was het net als vroeger, maar zelfs toen hield hij zich voor dat het zo niet door kon gaan. Zelfs terwijl hij de liefde met haar bedreef, vlak voordat hij zijn hoogtepunt bereikte, hoorde hij in gedachten Freddy weer: 'Als je je ooit nog bij mijn vrouw in de buurt waagt... doe ik iets ergers.' En hij dacht aan die zware knuppel die zijn gezicht raakte, zijn neus brak, zijn mond tot pulp sloeg. O nee, nee, nee. Freddy was een duivel. Stuart durfde niet uit te sluiten dat hij spionnen met afluisterapparaatjes had rondlopen in dat metrostation.

11

In zijn tienerjaren had Stuart geen last gehad van acne, en hij had dan ook zelden puistjes gehad. Helemaal bespaard waren die hem echter niet gebleven. Eén daarvan, op zijn neus, herinnerde hij zich nog steeds vol afgrijzen. Hij was toen zeventien, en op die leeftijd was hij zich er al van bewust geweest hoe knap hij was, een ijdelheid die nog was bevorderd door zijn moeder, die het vaak over haar 'knappe zoon' had of over 'die knappe jongen van mij'. De puist op zijn neus zat hem zo verschrikkelijk dwars dat hij serieus van plan was geweest om een tijdje niet naar school te gaan, maar toen had zijn vader ingegrepen.
'Ik zou dat nog kunnen begrijpen als je een meisje was geweest, Stuart.'
Sindsdien waren er nog verschillende kleine ontsieringen geweest. Een bindvliesontsteking die één oog helemaal rood had gekleurd, een tand waar een hoekje van was afgebroken en het lange wachten totdat er een kroon op gezet kon worden. En toen het gips van zijn arm was gehaald, schrok hij zich dan ook wezenloos. De huid van zijn linkerarm was krijtwit, schilferig en vol rimpels. Het zag eruit zoals hij zich voorstelde dat de arm van een bejaarde, zo iemand als Marius Potter bijvoorbeeld, eruitzag (hij had zoiets nog nooit in het echt gezien). Het was warm weer, maar zijn arm zag er zo vreselijk uit dat het onmogelijk was om in een strak koningsblauw T-shirt rond te lopen. Hij had zijn mobieltje op bed gesmeten en in zijn slaapkamer werd 'Nessun Dorma' nu op hysterische wijze telkens weer herhaald. Wat Claudia ook te zeggen mocht hebben, hij had het afschuwelijke gevoel dat Freddy in zijn advocatenkantoor zat te wachten tot hij opnam, dat die man zat te wachten op het belastende bewijsmateriaal dat voor hem voldoende zou zijn om hiernaartoe te komen met een moordwapen.
Hij bewoog zijn arm op en neer vanuit de elleboog, als iemand die bezig is met ochtendgymnastiek. Zijn arm voelde een beetje stijf aan, maar de beweging deed geen pijn. Hij was jong en de huid zou zich wel weer herstellen, hoopte hij. Zodra zijn huid er weer normaal uitzag, zou hij naar een van die bruiningscentra gaan – er was er eentje bij de rotonde – en zichzelf over zijn hele lijf heerlijk goudbruin laten bakken. Of misschien zelf een solarium kopen. Maar nee, van die dingen kon je kanker krijgen.

Warme chocolademelk was hem inmiddels gaan tegenstaan. Misschien had het iets te maken met de manier waarop Molly die maakte – anders dan zijn moeder – of misschien kwam het ook wel door de vlek op het karpet die er volgens Richenda onmogelijk uit te krijgen viel. Tegenwoordig gaf hij de voorkeur aan cappuccino. Hij kon zijn linkerhand nu gebruiken alsof hij zijn arm nooit gebroken had, en maakte een grote beker cappuccino voor zichzelf, verkruimelde wat witte chocolade, sprenkelde die eroverheen en liep naar het raam in de woonkamer. Stuart stond tegenwoordig al net zo veel voor het raam als Rapunzel, en keek vaker in de spiegel dan de boze petemoei van Sneeuwwitje. Maar terwijl hij zijn koffie dronk, hield hij zichzelf voor dat het nu tijd was om op te houden met kijken en iets te gaan doen.
Vandaag was het warm genoeg om de lichtblauwe trui thuis te laten, maar hij was niet dol op T-shirts met lange mouwen. Hij had er een, marineblauw met witte horizontale strepen, maar dat droeg hij niet vaak. Terwijl hij de slaapkamer binnenliep om het op te zoeken en eens te kijken hoe het stond, klonk 'Nessun Dorma' hem al tegemoet. Hij zette de telefoon uit. Een hele stap voor hem, en iets wat hij voor zover hij zich kon herinneren nooit eerder had gedaan. Hoewel het daarvoor al stil was geweest in huis, deed de stilte nadat hij het toestel had uitgeschakeld plotseling werkelijk doods aan. Het gaf hem een wat ongemakkelijk gevoel. Hij trok het gestreepte T-shirt over zijn hoofd, tuurde peinzend in de spiegel met de matzwarte lijst, en besloot dat hij er zo wel mee door kon.
Nu het moment gekomen was, voelde hij zich geneigd om het uit te stellen. Niet lang hoor, een halfuurtje maar. Dus eerst maar een ommetje maken. Ook nu weer liep hij de deur uit zonder zijn mobieltje mee te nemen. Het voelde wat onwennig aan, ongeveer zoals, wat zijn moeder beweerde, een vrouw zich voelt als ze de deur uit gaat zonder handtasje. Er was geen wolkje aan de hemel, de zon voelde warm aan en de eerste frisse, lichtgroene blaadjes verschenen aan de bomen. Andere bomen waarvan hij de naam niet kende, vormden een grote massa roze en witte bloesems. Hij liep naar St. Ebba's Church, van daaruit om Kenilworth Green heen, en nadat hij in het bij de rotonde gevestigde bruiningscentrum Embrown een afspraak had gemaakt voor de volgende middag, wandelde hij terug, waarbij hij de route een beetje varieerde door via Chester Grove te lopen. Toen hij door Kenilworth Parade liep, zag hij dat Design for Living zijn deuren had gesloten. Weer een slachtoffer van de recessie. Geen uitstel meer, Stuart, hield hij zichzelf voor. Het was zover. Maar wat zou hij moeten zeggen tegen degene die in de deuropening verscheen? Dat was iets waarover hij nog niet had nagedacht. Misschien moest hij eenvoudigweg zeggen dat ze buren waren, dat hij hen in de buurt had zien rondlopen, en dan vragen of ze soms zin hadden om een keer iets te komen drinken? Zulke dingen deden mensen soms.

Zijn moeder had dat vaak gedaan als er nieuwe mensen bij hen in de straat kwamen wonen. Natuurlijk zou dat nog meer kosten met zich meebrengen, en nog meer voorbereidingen, maar als hij daardoor het mooie meisje kon ontmoeten, was het dat allemaal wel waard. En ze zouden natuurlijk ook kunnen reageren met: 'Nee, dank u wel. Komt u maar bij ons iets drinken.'

Duncan Yeardon had alle ramen openstaan. Alsof het hoogzomer was in plaats van april. Hij kon de verf gewoon ruiken toen hij erlangs liep. Stuart beschouwde de doe-het-zelven in essentie als iets wat je deed als je te oud was om iets anders te doen, het maakte niet uit wat, en Duncans bezigheden interesseerden hem niet. Eigenlijk interesseerde het hem maar weinig wat andere mensen uitspookten, tenzij ze jong en aantrekkelijk waren.
Hoewel de zon scheen, waren de houten jaloezieën voor alle ramen van Springmead neergelaten en dichtgedraaid, en er stond geen enkel raam open. De voordeur was zwart gelakt, met het woord SPRINGMEAD erop in zilveren hoofdletters. Over het algemeen beschikte Stuart niet over een goed opmerkingsvermogen, maar het viel hem wel op dat er geen brievenbus was. Dat was merkwaardig. Het zou hem niet verbazen als het zelfs tegen de wet was om geen brievenbus te hebben. Er was echter wel een bel. Hij drukte erop, maar hoewel hij binnen iets hoorde klingelen, werd er niet opengedaan. Misschien waren ze niet thuis. Dat hun auto niet voor de deur stond, had niets te betekenen want als ze thuis waren, stond die in de garage.
Hij drukte opnieuw op de bel. Deze keer verscheen er iemand aan de zijkant van het huis. Het deurtje in de schutting tussen Springmead en nummer 7 ging open en de vader van het mooie meisje kwam naar buiten. Er liep een meisje achter hem aan, maar het was niet het mooie meisje.
De man had een afgebeten, wat schokkerige manier van spreken, en een nogal hoge stem. 'Ja? Wat is er?'
Stuart voelde zich slecht op zijn gemak. Hij had niet verwacht behandeld worden als iemand die foldertjes in de bus kwam duwen. 'Ik... Ik bedoel, ik ben een buurman van u. Ik woon daar, in die flats. Ik vroeg me af... Ik vroeg me af of u misschien... Nou, of u misschien eens een keer langs wilt komen om iets te drinken of zo. U en...' En toen gebruikte hij een uitdrukking waarvan hij niet geloofd zou hebben dat hij die ooit over zijn lippen zou kunnen krijgen. '... de twee jongedames.'
Deze vrouw was heel anders dan het mooie meisje. Ze was kort van stuk, nogal dik en met grove gelaatstrekken. Haar haar was gitzwart en lang, maar het glansde niet, en er lag een boosaardige uitdrukking in haar ogen, misschien omdat die diep in hun kassen lagen en omgeven werden door vlezige huidplooien. Fluisterend en met veel sisklanken zei de man iets tegen haar in wat

vermoedelijk hun eigen taal was. Ze draaide zich om en liep terug in de richting waaruit ze gekomen was.
De man keek naar de grond voordat hij sprak. 'Heel vriendelijk van u,' zei hij. 'Maar nee, dank u wel. We gaan de deur niet uit. We blijven gewoon thuis. Dank u wel.'
Hij wachtte niet tot Stuart weg zou gaan, maar liep achter het meisje aan en trok het deurtje in de schutting achter zich dicht. Stuart keek om zich heen en zag dat Duncan Yeardon aan de andere kant van de schutting tussen de twee percelen stond, met een mok in de ene hand en een verfkwast in de andere.
'Ik ging even een luchtje scheppen,' zei Duncan. 'Zin in een kopje thee?'
'Ik drink geen thee.'
'Ik heb ook wel oploskoffie, als je daar geen bezwaar tegen hebt.'
Stuart gaf geen antwoord, maar liep met hem mee het huis binnen. Hij zei niets over de hitte. De vloer was overdekt met vellen krantenpapier en plastic. Duncan kwam hem een mok waterige koffie brengen waarin korstjes ingedroogde melk ronddreven.
'Kent u de mensen hiernaast?'
'Ik heb ze wel gezien,' zei Duncan. 'Ze zijn erg op zichzelf. De man met wie je stond te praten, een jonge kerel en twee meisjes. Ik neem tenminste aan dat dat meisje van daarnet er ook woont, al heb ik haar nooit eerder gezien. Dat andere meisje noem ik Tijgerlelie.'
'Het mooie meisje?'
'Tja, het is een leuk ding. Echt mooi zou ik haar niet noemen, maar dat is een kwestie van smaak.'
'Tijgerlelie,' zei Stuart dromerig.
'Zo heet ze niet echt hoor. Dat heb ik zelf verzonnen. Ik heb het uit een boek of zoiets. Haar noem ik Tijgerlelie en de jongen noem ik Oberon. En meneer Wu, zoals ik hem noem, is haar man.'
Stuart schrok zich wild. 'Weet u dat zeker?'
Duncan herinnerde zich weer dat hij dat allemaal zelf verzonnen had en zei dat hij het niet zeker wist. 'Ik bedoel: hij is haar man niet en hij heet geen Wu. Het is gewoon een binnenpretje van mij.'
Omdat hij zijn halflege mok nergens anders kwijt kon, zette Stuart die op de vloer en zei dat hij maar weer eens moest gaan. 'Ik moet nog wat rust nemen vanwege mijn arm.' Duncan had hem daar niet naar gevraagd en dat nam hij de man kwalijk. Toen hij voor het tuinhek van Lichfield House stond, kwam hij daar Wally Scurlock tegen, die een fles gin en een fles wodka bij zich had. 'Dat is niet voor mezelf, meneer,' zei Wally. 'Dus u hoeft me niet zo aan te kijken.'
'Ik kijk helemaal nergens naar. Die zijn zeker voor Olwen?'
'Ik doe zo nu en dan wat boodschappen voor haar, ja. U hebt zeker geen zin om

dat van me over te nemen, neem ik aan?' Wally stond op het punt om eraan toe te voegen dat Stuart daar ruim voldoende tijd voor had omdat hij 'toch geen flikker uitvoerde', maar besloot dat dat misschien toch wat te ver ging. 'Ze betaalt ervoor,' zei hij.
'Ik heb een lamme arm,' zei Stuart. 'Ik ben herstellende.'

Zijn ontmoeting met Rose (die hij destijds had gekend als Rosie) kon Marius zich sinds hij eenmaal de juiste plek in zijn geheugen had gevonden, weer zo helder voor de geest halen dat het leek alsof het gisteren gebeurd was. Hij was net cum laude afgestudeerd in de klassieke talen, en, zo hield hij zichzelf voor, in die tijd had dat nog echt iets te betekenen gehad. Eerst zes maanden vrij, had hij besloten, en daarna een jaar aan de lerarenopleiding. Die zes maanden had hij doorgebracht in dat kraakpand in Hackney, als lid van een commune met mensen die zich Storm, Anther en Zither noemden (al waren dat niet hun echte namen). Simon Alpheton, de schilder, die destijds nog niet beroemd was geweest, had er ook gewoond, en een zekere Harriet... haar achternaam was hij vergeten. Rosie was op een ochtend binnengekomen, meegenomen door Storm, die een relatie had met een vriendin van haar. Nou, eigenlijk was het al halverwege de middag geweest, omdat niemand daar voor een uur of één uit bed kwam. Ze was nogal stil en verlegen geweest, en had heel wat jonger geleken dan ze werkelijk was. Hij herinnerde zich nog dat ze buitengewoon slank was en lang licht haar had.
Niemand in de commune voerde ooit iets uit. 's Avonds zaten ze in een kring bij elkaar op de vloer te blowen en daar bleven ze dan vaak tot diep in de nacht zo zitten, terwijl de ene klamme, bruine joint na de andere werd doorgegeven. Ze raapten van alles op – een groene glazen bol, een struisvogelei, een kralenketting – en streelden die, maakten er koerende geluidjes tegen en zuchtten en steunden van ontzag en bewondering, alsof het voorwerpen van onschatbare waarde waren. Waarom hadden ze dat gedaan? Hij kon het zich niet herinneren en nu schaamde hij zich ervoor dat hij zijn tijd daaraan verspild had. Maar hij had het gedaan, net zoals de anderen, en dat gold ook voor Rosie, die naast hem had gezeten.
Ze had een matras toegewezen gekregen bij Harriet op de kamer. Niemand had daar een bed gehad. Het was zomer en heel warm. In sommige kamers waren de vensters dichtgespijkerd omdat het glas kapot was, maar in zijn kamer niet. Zijn kamer was ruim en fris. Hij hield zijn leefomgeving goed schoon, ook al moesten de anderen daar hartelijk om lachen. Omdat het die nacht zo heet was, wilde niemand naar bed – behalve Rosie, die moeizaam overeind kwam en wankelend op haar benen had gevraagd waar ze moest slapen. Hij zei dat hij haar wel even naar de kamer van Harriet zou brengen, maar toen ze op de gang ston-

den – dat huis was een doolhof van gangen geweest – had ze vol vertrouwen naar hem opgekeken en gezegd dat ze niet alleen wilde zijn. Hij was wel gewend aan dat huis, maar hij kon zich voorstellen dat het op iemand die hier nieuw was, een intimiderende uitwerking kon hebben, of sterker nog, ronduit angstaanjagend kon zijn. Het was bijna overal zo donker dat de duisternis op je af leek te komen, en er hingen spinnenwebben, grote grijze sluiers die langzaam heen en weer wiegden in de tocht die door de gebroken ruiten naar binnen kwam. Sommige mensen hadden oude Indiase spreien over hun matras gelegd of voor de kapotte ramen gehangen. Slechts hier en daar bungelde een gloeilamp aan het plafond, en overal zwierven gebarsten schoteltjes rond met opgebrande stompjes kaars erop. Hij sloeg zijn armen om haar heen. Ze trilde over haar hele lijf, maar was ook warm en zacht.
'Kom maar mee naar mijn kamer,' zei hij. 'Daar is het een stuk prettiger. En er zijn geen spinnen.'
'Voor spinnen ben ik niet bang,' zei ze.
Na al die jaren herinnerde hij zich dat nog. Hij was van plan geweest om naast haar te gaan liggen en haar niet meer aan te raken, maar hij was er niet in geslaagd om zich aan dat goede voornemen te houden, en dat kwam op zijn minst voor een deel omdat ze dat zo overduidelijk helemaal niet wilde. Ze waren heel lang doorgegaan, telkens weer opnieuw begonnen en uiteindelijk in elkaars armen in slaap gevallen, iets wat, naar hij ooit had gelezen, vrij normaal scheen te zijn maar wat hij zelf nooit eerder echt had beleefd. Later die nacht hadden ze zich alsnog van elkaar losgemaakt, iets wat ongetwijfeld ook heel normaal zou zijn. Maar 's ochtends, of liever gezegd 's middags, toen hij wakker werd, was ze verdwenen.
Storm had haar meegenomen hiernaartoe en dus was hij naar hem toe gestapt. 'Wie was dat? Waar was ze naartoe gegaan?' Maar Storm had veel te veel geblowd. Hij was zo verschrikkelijk stoned geweest dat hij zelfs niet begreep wat Marius bedoelde. En Storms vriendinnetje had het uitgemaakt en was spoorloos verdwenen, dus daar schoot hij ook al niets mee op. Marius had het de andere mensen in de commune gevraagd, maar niemand wist hoe Rosie van haar achternaam heette. Ze kenden haar alleen maar als Rosie, en waren begonnen over 'schepen die elkaar passeren in de nacht'. Waarom was ze eigenlijk gekomen? Niemand wist het. Dat was niet iets waar je naar vroeg. Ze zaten hier allemaal nou juist om te ontsnappen aan zulke vragen. *Wat doe je nou eigenlijk? Waarom ben je hier? Hoe laat denk je dat het is? Wanneer ga je een eindelijk eens een baan zoeken? Wie is dat meisje?*
Een paar weken later was hij naar de lerarenopleiding gaan, en na verloop van tijd was hij haar vergeten, of dat had hij in elk geval gedacht. Er waren andere vriendinnetjes geweest, en zelfs een verloofde. Hij was nooit getrouwd, maar hij

was niet sentimenteel genoeg om het feit dat hij alleen was gebleven toe te schrijven aan die nacht met Rosie. Maar nu alles hem weer zo helder voor de geest stond, begon hij haar te mijden. In haar gezelschap geneerde hij zich.

Toen Claudia Lichfield House binnenkwam, liepen verschillende bewoners toevallig net de flat in en uit. Dat kwam omdat het halfzes in de middag was. Stuart zelf kwam terug van de zonnebank en Michael Constantine had zojuist een bespreking gehad met zijn redacteur bij de krant. Richenda en Wally Scurlock, voor deze ene keer samen, waren op weg naar het Royal Free Hospital om op bezoek te gaan bij Richenda's moeder, en Marius Potter ging op weg naar een adres in Mill Hill waar hij op dinsdagavond bijles Latijn gaf aan een meisje van zeventien dat zich voorbereidde op haar middelbareschoolexamen. Duncan Yeardon was niet in de flat aanwezig, maar omdat hij klaar was met zijn schilderwerk van vandaag, verdreef hij de tijd voor het eten met kijken naar Lichfield House.
Hij zag de lange blonde vrouw aankomen. Haar man was degene die tijdens dat feestje het appartement van Stuart Font was komen binnenstormen en Stuarts arm had gebroken. Ze stapte uit een taxi, maakte ruzie met de chauffeur en liep toen met driftige pasjes over het tuinpad naar de voordeur. De schuifdeuren gingen open, net zoals ze twee minuten eerder waren opengegaan voor die arts. Daarna zag hij Stuart aankomen, die eruitzag alsof hij zojuist was teruggekeerd van een lange vakantie op een eiland in de Caribbean. Font liep echter niet meteen naar de flat toe, maar bleef bij het Bel Esprit Centre staan kijken naar Tijgerlelie en meneer Wu, die zojuist uit de auto waren gestapt. Stuart zwaaide en riep 'Hallo, is het niet een prachtige avond?' maar meneer Wu duwde Tijgerlelie haastig het huis binnen en sloeg daarna de voordeur dicht. Duncan begon zich te vermaken.
De man die eruitzag als een ouwe hippie – Duncan noemde hem Ringo – kwam naar buiten en liep toen weer naar binnen alsof hij iets vergeten was. Stuart liep langzaam over het tuinpad. Het zat hem duidelijk dwars dat Tijgerlelie niet met hem wilde praten. Wat was er aan de hand? Voordat hij daar een antwoord op kon verzinnen, kwam de vrouw van de gek die Stuart een pak slaag had gegeven weer tevoorschijn: de glazen deuren schoven open en ze kwam zo haastig naar buiten gelopen dat ze Stuart bijna in de armen viel. Het woord dat Stuart toen gebruikte werd zo luid uitgesproken dat Duncan het door zijn open raam duidelijk kon horen – en dat betreurde hij, want hij beschouwde het gebruik van dergelijke woorden als onnodig, en een onheilspellend teken des tijds. De schuifdeuren bleven openstaan doordat er nu zoveel mensen op de drempel stonden. De huismeester en zijn vrouw drongen zich erdoorheen en de huismeester of de conciërge of wat dat mannetje dan ook precies mocht zijn, riep dat de schuifdeuren kapot gingen als ze daar allemaal bleven staan.

In de hal van Lichfield House klampte Claudia zich vast aan Stuart. Ze hield met haar ene hand zijn arm vast en had de andere op zijn schouder gelegd. Ze was al haar zelfbeheersing kwijt en begon tegen hem te schreeuwen dat hij niet moest denken dat hij haar zo kon behandelen. Hoe dúrfde hij niet op te nemen als ze belde, hoe dúrfde hij haar zo te negeren na alles wat ze voor elkaar betekend hadden! Duncan kon haar niet meer horen en toen de schuifdeuren weer dichtgingen, ook nauwelijks meer zien, zodat hij een beetje sip van het raam wegliep en begon na te denken over wat hij die avond zou koken.

Stuart maakte zijn voordeur open en duwde Claudia de flat binnen. Hij wilde haar eigenlijk niet bij zich in huis hebben, maar dat was beter dan de scène die ze aan het trappen was ten overstaan van Marius Potter en Michael Constantine.

Toen ze binnen was eiste Claudia op hoge toon iets te drinken. Dat had ze nodig. Hij had toch zeker wel een fles wijn in de ijskast liggen? Hij zei tegen haar dat ze die warm zou moeten drinken, en terwijl ze een lange teug nam, besloot hij krachtig en besluitvaardig te zijn. Ze moesten kappen. Ze zette het glas neer en zei: 'Je bent het land uit geweest. Hier in dit land kun je nooit zo bruin worden.'

'Op Barbados,' loog hij. 'En ik ga weer terug.' Hij begon een verhaal te verzinnen. 'Morgen. Ik blijf een hele tijd weg.'

'O lieveling, heb je me daarom niet teruggebeld?'

Hij voelde zijn vastberadenheid wegsmelten. In plaats van haar te vertellen dat het uit was en dat ze elkaar nooit moesten zien, zoals hij van plan was geweest, zei hij dat dat inderdaad het geval was. 'Weet Freddy dat je hier bent?'

'O, wat kan mij dat nou schelen? Neem me mee naar Barbados. Dat is een mooie eerste stap in het kappen met Freddy. Je hebt geen idee hoe die vent me de keel uithangt.'

Dit was erger dan hij ooit had durven vrezen. 'Hoor eens, Claudia, zeg maar tegen Freddy dat ik op Barbados zit. Of vertel maar dat ik verhuisd ben... Het maakt niet uit. Besef je niet dat hij min of meer heeft gedreigd me te vermoorden?'

'Ja, maar dat zijn alleen maar praatjes, lieveling. Kom, we gaan naar bed.'

Claudia bewonderde zijn prachtige bruine kleur, iets wat hij ooit heel fijn zou hebben gevonden maar waar hij nu niet van kon genieten. Dit was de laatste keer. Terwijl ze zich weer stond aan te kleden besloot hij dat dit absoluut de laatste keer geweest moest zijn. Als hij straks uitging met Tijgerlelie – iets wat hij gewoon moest zien te regelen – zou het wel tot Claudia doordringen. Dan zou ze het wel opgeven. Ze zou wel moeten.

Het was inmiddels donker geworden en de straatlantaarns gingen aan. Hij liep met Claudia naar buiten, vond een taxi die hoopvol stond te wachten in Kenilworth Parade en zette haar erin. Op de terugweg zag hij de zwarte auto met brandende koplampen wegrijden van het trottoir voor Springmead. De vader van Tijgerlelie zat achter het stuur. Stuart was plotseling zo opgewonden dat hij de adrenaline gewoon door zijn aderen voelde stromen. Hij holde het bordes op en belde aan. Achter de houten jaloezieën was het huis helverlicht. Hij hoorde de bel klingelen, drukte nog eens op de bel, hoorde opnieuw geklingel en toen ging de deur open.

Tijgerlelie stond voor hem. In haar witte jurkje en met twee dikke zwarte vlechten zag ze er beeldschoon uit. Maar zelfs Stuart, die niet bekendstond om zijn aandacht voor de gevoelens van anderen, zag de blik van afgrijzen op haar gezicht. Ze bracht een slanke hand omhoog en sloeg die voor haar mond. Achter haar was geen hal of kamer, maar een volgende deur, die ze achter zich dichtgetrokken moest hebben. Deze tweede deur was gemaakt van dik glas met gegoten motieven erin, dat zo te zien groen van kleur was, maar er kon natuurlijk ook een groen gordijn achter hangen.

'Ik wilde vragen of je soms zin hebt om iets te komen drinken,' zei hij, en toen de blik van afgrijzen op haar gezicht niet veranderde, voegde hij daaraan toe: 'Je vader en jij, en je zus natuurlijk. Wanneer je maar wilt. Ik ben altijd thuis.'

Ze schudde haar hoofd. Ze haalde haar hand weg voor haar mond en zei: 'Nee, nee, nee...' Toen deed ze een stap naar voren. Ze legde een hand op zijn arm, keek naar rechts en naar links. 'Jij goed mens?'

Niemand had hem dat ooit eerder gevraagd. Hij knikte. 'Ja hoor... Nou ja, dat hoop ik.'

Dat was wat ze horen wilde. 'Ik kom,' zei ze. 'Alsjeblieft. Morgen.'

De deur werd dichtgeslagen. Stomverbaasd over zijn succes, zelfs helemaal duizelig daarvan, liep hij het over tuinpad naar het poorthekje toe. Juist op dat moment kwam de auto van Tijgerlelies vader de hoek van Kenilworth Parade om gereden. De man had hem gezien en bracht de auto snel tot stilstand langs het trottoir. Stuart zette het op een lopen en holde de weg over, zodat de bestuurder van een bestelbusje op zijn remmen moest gaan staan en luidkeels begon te vloeken. Hij holde Lichfield House binnen, en zocht haastig beschutting in de veiligheid van zijn appartement.

12

Het werd Olwen nu heel duidelijk dat het in dit ondermaanse niet mogelijk is om je vrijwel volkomen af te zonderen van de buitenwereld, in elk geval niet als je verslaafd bent. Daar had ze geen rekening mee gehouden. Toen ze deze nieuwe, ideale levenswijze had gekozen, was ze ervan uitgegaan dat ze altijd in staat zou zijn om de deur uit te gaan en haar eigen drank in te slaan, dat er altijd wel ergens een slijterij zou zijn die gemakkelijk te bereiken viel en dat ze als ze haar eigen telefoonrekening niet betaalde, ze toch altijd wel even de vaste aansluiting of het mobieltje van iemand anders zou kunnen gebruiken om British Telecom om een nieuwe aansluiting te vragen. Maar nu drong het tot haar door dat iedereen in Lichfield House haar ontweek, behalve Wally Scurlock dan, en dat die alleen maar contact hield omdat ze hem betaalde.

Zelfs als ze had kunnen bellen, zou ze toch niet genoeg geld hebben om een of andere slijterij in Edgware of Hendon te laten bezorgen. Maar nu zag ze zich in de vrijwel onhoudbare situatie gedwongen dat ze Scurlock geen nieuwe voorraad kon laten halen. Door met haar ene hand te steunen op haar wandelstok en zich met de andere vast te klampen aan allerlei heggen en schuttingen was ze erin geslaagd om naar de geldautomaat in het postkantoor aan Kenilworth Parade te lopen – of liever gezegd, te strompelen, en soms zelfs te kruipen – en daar was ze erachter gekomen dat ze vierendertig pond op haar rekening had staan. De pensioenen zouden pas worden uitbetaald op de 24e, en dat was halverwege de komende week. Ze strompelde weer naar huis, terwijl ze zich afvroeg of het zin zou hebben om toch een beroep te doen op Scurlock. Het leek haar niet waarschijnlijk. De vorige keer dat ze dat had geprobeerd, had hij botweg geweigerd. Ze kon haar rekening leeghalen en hem twintig pond bieden om een fles gin voor haar te kopen, maar hij zou waarschijnlijk nee zeggen. Voor één fles ging hij niet dat hele eind sjouwen. Ze hoorde het hem gewoon al zeggen.

Er zat nog hooguit een centimeter of tien wodka in de fles, en ze had ook nog een halve fles gin. Minderen, er wat langer mee doen, was een denkbeeld dat Olwen tegenwoordig volkomen vreemd was. Natuurlijk had ze dat in het verleden wel gedaan – haar hele leven had erom gedraaid een glas wijn te nemen, het tweede glas uit te stellen, een uurtje te wachten, dan weer een glaasje te nemen, en dan weer een, en vervolgens met inzet van alle wilskracht die ze maar kon opbrengen tot de volgende dag niets meer te drinken. Maar ze was juist hiernaartoe gekomen, had alle contacten afgekapt en het verleden achter zich gelaten, om zoveel te kunnen drinken als ze maar wilde, elke druppel die ze maar wilde, tot ze eraan doodging. En daar was ze heel tevreden mee geweest, dacht ze terwijl ze peinzend naar de twee flessen staarde. Voor het eerst in haar leven was ze werkelijk gelukkig geweest, wat al die geheelonthouders ook mochten beweren.

De verschrikkelijke nachtmerrie van morgen doemde nu dreigend voor haar op. Het leek een droge woestijn, een bruine, zonloze vlakte waar niets groeide en niets bewoog. Ze schonk zichzelf vijf vingers gin in, en mompelde: 'Zuinig ermee, zuinig aan.'

Duncan schakelde de cv-ketel uit en zette alle ramen in huis open. Geniet van het weer, hield hij zichzelf voor. Ga daar niet over zaniken. De wolkeloze hemel en de warme zon pasten volgens hem beter bij juli dan bij april, en toen herinnerde hij zich dat het twee jaar geleden in april net zulk weer was geweest als nu. In april was het zomer geweest, en daarna was het koud en nat gebleven tot in september. Hij was klaar met zijn schilderwerk en zette nu zijn tuinmeubels buiten: een witgelakte metalen tafel met drie stoelen, en een ligstoel met kussens.

Zo nu en dan hoorde hij de kwetterende stemmen van Tijgerlelie en het meisje dat hij 'de andere' noemde, met daartussendoor soms de hoge keelklanken van Oberon en meneer Wu. Die drie tuinstoelen zagen er heel leeg en verlaten uit, en hij dacht erover om over de schutting te kijken en de mensen aan de andere kant daarvan, wie het ook mochten zijn, uit te nodigen voor een kopje thee of een glaasje wijn. Maar hij bedacht zich en in plaats daarvan vroeg hij meneer en mevrouw Pember van nummer 1. Die wisten alles over Tijgerlelie, meneer Wu, Oberon en de andere, maar volgens hen was die laatste niet de zus van Tijgerlelie, maar haar stiefmoeder. De familie kwam uit Hongkong en dreef vanuit huis een postorderbedrijf. Ze verkochten tuinplanten, stekjes, zaden, eenjarige en winterharde planten, en ook groenten, die in deze schrale tijden grif van de hand gingen. Moira Jones, de vrouw die Duncan in gedachten Esmeralda had genoemd, en Ken Lee op nummer 7 hadden hun er alles over verteld. Ken had zelf ook een Chinese moeder, was dat Duncan niet opgevallen?

De drie cliënten die Rose die ochtend had ontvangen, waren al weg en de vierde en laatste was te laat. Ze zat in een van de twee kamertjes van het Holistisch Forum en voelde zich somber worden. Ooit was dat voor haar een vertrouwde gewaarwording geweest, maar sinds ze haar intrek had genomen in Lichfield House, was dat iets waarvan ze niet vaak meer last had gehad. McPhee zou haar getroost hebben, met dat mooie, donzige koppie van hem, en dat gespierde, harige lijfje dat ze zo graag in haar armen hield, maar een hond hoorde duidelijk niet thuis in deze tempel van hygiëne, met zijn witte en perzikkleurige tegels, perzikkleurige tapijt, glanzende wasbak en kristallen flacons met iets erin dat Marius – heel vriendelijk en oprecht – 'toverdrankjes' noemde. Dat zou de inspectie beslist niet toestaan.

Natuurlijk wist ze best waarom ze zich zo somber voelde – de afgelopen veertien dagen had ze Marius nauwelijks meer gezien. Het kwam niet doordat McPhee er niet was, want die zou haar enthousiast welkom heten als ze over een uurtje thuiskwam, en al evenmin vanwege de kredietcrisis, die ervoor zorgde dat ze heel wat minder cliënten had. Nee, het kwam omdat Marius niet meer bij haar aanbelde, niet meer telefoneerde, haar niet meer uitnodigde bij hem thuis. Het was dom van haar geweest om zoveel van hem te verwachten, en meer betekenis te hechten aan die bezoekjes dan er werkelijk in had gelegen. Hij was heel intelligent, hoogopgeleid, een onuitputtelijke bron van geschiedenis en wetenswaardigheden over de antieke wereld. Hij wist overal wel iets van, terwijl zij eigenlijk bijna nergens verstand van had, behalve dan van alternatieve geneeswijzen. Ze had de indruk gehad dat hij daar ook belangstelling voor koesterde, maar ongetwijfeld was het hem gaan vervelen, en was zij hem ook de keel uit gaan hangen. Ze voelde zich te somber om daar zelf iets aan te doen, en die somberheid werd steeds groter. Stel eens dat hij haar afwees? Stel nou eens dat ze de lift naar boven nam, bij hem aanklopte en vroeg of hij de sortes voor haar wilde lezen, en dat hij dan zou zeggen dat hij het te druk had?

De cliënt kwam binnen. Het was een grote vrouw in een strakke witte broek en een strak T-shirt. Rose dacht dat ze zelden iemand zo mismoedig had zien kijken.

'Zal ik uw BMI voor u uitrekenen, mevrouw Hayley?'

De cliënt vroeg wat dat was, een BMI, en toen Rose zei dat dat stond voor Body Mass Index, de verhouding tussen lengte en lichaamsgewicht, verscheen er een donkerrode blos op het treurige gezicht van mevrouw Hayley. 'Als u dat nodig vindt.'

Rose zette haar op de weegschaal, mat haar lengte op en voerde de resultaten in de computer in.

'Nou, wat is mijn BMI?'

'Tweeëndertig,' zei Rose. In de ooghoeken van mevrouw Hayley kwamen twee tranen opwellen, en even later dropen die over haar wangen.

'Raakt u alstublieft niet van streek. We kunnen daar wel iets aan doen, weet u. Ik geef u een flesje kruidentinctuur mee. Die moet u drie keer per dag innemen. Voor

de maaltijden moet u veel water drinken, en u krijgt dieetvoorschriften mee.'
'Vroeger zeiden ze "dik",' zei mevrouw Hayley. 'Dat vond ik niet erg. Maar "obees", dat is afschuwelijk. Het klink zo vies. Dat is het probleem, het klinkt zelfs een beetje als "obsceen".'
'Ja, maar het betekent iets anders.'
Rose wist dat dat geen erg overtuigende tegenwerping was. Ze wist dat de klank van een woord belangrijker is dan de geschreven vorm daarvan, die sommige mensen slechts zelden onder ogen krijgen. Ze vermoedde dat mevrouw Hayley zo iemand was. En dat deed haar denken aan Marius, voor wie het gedrukte woord juist zo veel betekende...
Ze gaf de vrouw een flesje kruidentinctuur mee, plus een velletje met dieetvoorschriften en een foldertje met eenvoudige lichaamsoefeningen. Nadat mevrouw Hayley had afgerekend en ze weer alleen was, sloot Rose de praktijk af en ging naar huis. McPhee stond haar thuis op te wachten en kwispelde verrukt met zijn donzige staart toen hij haar zag. Ze tilde hem op en drukte hem hard tegen zich aan. Een van de fijne dingen aan McPhee was dat hij het nooit erg vond als je hem dicht tegen je aan drukte.
'Wat zou ik zonder jou moeten beginnen?'
McPhee begon nog energieker te kwispelen. Rose deed hem aan de lijn en ging een ommetje met hem maken om Kenilworth Green.

Bij toeval kwam Olwen erachter dat meneer Ali terug was van zijn pelgrimstocht, en dat zijn winkel weer open was. Haar voordeur stond op een kier, en zij stond er vlak achter en bereidde zich voor om zich de buitenwereld in te wagen en op zoek te gaan naar Wally Scurlock, toen ze hoorde hoe twee van haar buurmeisjes voor hun eigen flat stonden te praten.
'Die Aziaat is weer terug, dus als we nog meer cola moeten hebben...'
'Meneer Ali zul je bedoelen.'
'Ja, hoe hij ook heten mag.'
'Vergeet niet dat ik ook een Aziaat ben,' hoorde Olwen Noor zeggen. 'Een beetje meer respect graag.'
Ze kregen ruzie. Sophie riep dat ze geen racist genoemd wilde worden. En Noor wierp tegen dat niemand haar een racist zou noemen als ze wat beter op haar woorden zou letten. Olwen duwde de deur open. Ze stond nu op de drempel en leunde op haar wandelstok, maar toch stond ze niet stevig. Ze trilde over haar hele lijf. De aanblik van de oude vrouw in haar door de motten aangevreten bontje, met daaronder dezelfde zwarte jurk die ze tijdens Stuarts feestje had gedragen, bracht de twee meiden abrupt tot zwijgen.
'Gaat het wel goed met u?' vroeg Sophie.
'Eigenlijk niet.'

Molly zou haar gevraagd hebben of ze iets voor haar kon doen, maar Molly was beneden in nummer 1, om Stuarts bed op te maken, hem haar versie van een cappuccino te brengen en aan te bieden om in plaats van Richenda zijn huis schoon te houden. De twee meisjes keken opnieuw naar Olwen. 'Ik loop wel even met je mee naar de voordeur,' zei Noor tegen Olwen en ze liep naar de lift toe.
'Als jullie naar meneer Ali gaan,' zei Olwen, 'en een fles gin en een fles wodka voor me wel halen, krijgen jullie tien pond.'
Sophie herinnerde zich de vijf pond die ze nooit had teruggekregen en zei: 'Bedoelt u dat u de prijs van de drank gaat betalen plus tien pond? En hoe zit het met de vijf pond die u me nog schuldig bent?'
Sophie was een welopgevoed meisje en ze zou er zelfs niet van gedroomd hebben om zo'n toon aan te slaan tegen vrienden van haar ouders (of van haar grootouders), maar door haar manier van leven kon Olwen geen aanspraak meer maken op haar respect. Of zoals Noor het had geformuleerd: Sophie wilde op zich best respectvol zijn, maar het kwam soms gewoon niet bij haar op. Olwen aarzelde maar ze moest wel. Dit was voor haar een kwestie van leven en dood.
Het was de 23e en morgen zou haar pensioen worden uitbetaald. Er viel niets aan te doen: ze zou Sophie moeten vertrouwen, want ze kon nu al zien dat het meisje heel wat goedkoper zou zijn dan de huismeester. Scurlock rekende nu al dertig pond om twee flessen drank te halen. 'Doe je het voor tien?' zei ze.
Sophie wist dat ze zou moeten weigeren. Ze kon wel zien dat Olwen zich dood aan het drinken was. Ze kende de gevaren van overmatig drankgebruik, dat gold voor iedereen die weleens televisie keek, op internet zat of een krant opensloeg. Olwen was een schoolvoorbeeld van wat je kon overkomen als je te veel dronk. Maar tien pond om even wat boodschappen voor haar te doen, terwijl ze toch naar meneer Ali moest...
'Goed, als u dat wilt.'
De volgende stap vond Olwen doodeng, maar het was nog veel enger om zonder drank te zitten. 'Dan moet je eerst voor me naar de geldautomaat in het postkantoor gaan en wat geld opnemen.'
'Geef me uw pincode maar.'
'Kom maar even binnen.'
En dus liep Sophie nummer 6 binnen. Ze had verwacht dat het er smerig zou zijn, en nog rommeliger dan in haar eigen flat, en het verbaasde haar dat dat niet het geval was. Wat haar vooral opviel, was hoe leeg het allemaal was: nauwelijks meubilair, kale muren, en niets waaruit bleek dat hier weleens gegeten werd, nergens rondslingerende kleren en geen gordijnen of jaloezieën voor de ramen. Ze moest denken aan die keer dat haar ouders en zij – en haar broertjes en zusjes natuurlijk – waren verhuisd en vierentwintig uur in een leeg huis had-

den gebivakkeerd, met niet meer dan de bedden, de bank en de tv, voordat de rest van de spullen was gebracht. Maar daar had het naar boenwas en luchtverfrisser geroken, terwijl het hier naar gin stonk.
Olwen was gaan zitten, of liever gezegd neergeploft op de bank waar haar oeroude, verfomfaaide zwarte handtasje lag. Daar viste ze een pinpas uit. Die kaart was min of meer het laatste wat haar nog bij de hedendaagse wereld betrok, tenzij je de afstandsbediening van de tv er ook bij rekende, maar die werkte niet meer want de batterijen waren leeg.
'U moet me uw pincode geven,' zei Sophie nog een keer.
Aan Wally Scurlock zou Olwen die nooit hebben durven geven. Ze wist niet in hoeverre ze Sophie kon vertrouwen, maar eigenlijk had ze geen keus. Er zat nog iets meer dan twee centimeter gin in de fles aan haar voeten, en dat was het enige wat ze nog had. Ze draaide haar ogen er langzaam naartoe, zoals iemand die met motorpech in de woestijn is gestrand naar zijn laatste beetje water zou kunnen kijken.
'Zeven-vijf-twee-negen,' zei ze.
Sophie schreef het niet op. Dat zou ze wel onthouden.

'Hij slechts voor God en zij voor God in hem,' las hij nadat hij *Paradise Lost* lukraak opensloeg. Voor deze ene keer, misschien wel voor de eerste keer in zijn leven, sloeg hij Milton met een klap dicht, en bijna had hij het boek op de vloer gesmeten. Belachelijk, dacht hij. Seksistisch! En Milton had drie vrouwen gehad! Als Rose en hij samen zouden zijn, zouden ze in alles volkomen gelijk zijn, liefhebbend en gevend... Hij riep zichzelf tot de orde. Dat zou nou eenmaal niet gaan. Hij kon haar niet herinneren aan die nacht die ze samen hadden doorgebracht en die zij zo duidelijk vergeten was. Waarschijnlijk was ze dat trouwens helemaal niet vergeten, maar was de herinnering weggezakt in die lijst met korte seksuele ontmoetingen die iedereen wel bijhoudt, of het er nou veel of weinig zijn geweest, iets wat je misschien niet helemaal bent vergeten, maar die je je herinnert als een nacht die je hebt doorgebracht met een aantrekkelijke jongen met lang, donkerbruin haar, een gespierd lijf en een glad gezicht.
Zijn telefoon ging. 'Rose,' zei hij, en zijn hart begon sneller te kloppen.
'Ik vroeg me af of je soms zin hebt om vanavond te komen eten.'
'Dat zal helaas niet gaan. Om zeven uur heb ik een nieuwe leerling.'
'Een andere keer dan.' Ze klonk verdrietig.
'Natuurlijk.'
En toen ging hij de deur uit om bijles Romeinse geschiedenis te geven aan Penelope Moore-Knighton in Edgware.

Ze moest leren er langer mee te doen. Dat had Olwen inmiddels wel door. Ze begreep nu maar al te goed dat haar plannen en dromen om voortdurend net zoveel te drinken als ze maar wilde tot mislukking gedoemd waren. Alleen een rijk iemand kon dat doen. Een rijke vrouw zou bedienden hebben die geen vragen stelden, die een auto tot hun beschikking hadden en alles zouden inslaan wat hun werkgeefster maar wilde, met kratten tegelijk, of dat allemaal eenvoudigweg via de telefoon bestellen. Waarschijnlijk kon je via internet ook wel drank bestellen, dacht ze, maar het weinige wat ze van internet wist, was inmiddels in hoog tempo aan het verdampen uit haar benevelde hersenen. Toen ze aan deze vreemde onderneming van haar begon – en ze wist zelf heel goed hoe vreemd die was – had ze er geen rekening mee gehouden dat ze niet meer in staat zou zijn om zelf drank te kopen, om gewoon de deur uit te gaan en te kopen wat ze maar wilde. Ze had geen rekening gehouden met de recessie, waardoor de slijterijen in de buurt hun deuren zouden sluiten. Neem nou meneer Ali, hoe lang zou die het nog volhouden?
Intussen had Sophie Longwich Olwen de gin en de wodka gebracht en de pinpas teruggegeven. Olwen had er niet aan gedacht om het bonnetje van de geldautomaat te vragen, maar Sophie had ook niets over een bonnetje gezegd, wat waarschijnlijk inhield dat ze dat niet had. Olwen vond het geen prettig idee dat Sophie nu haar pincode kende, maar toen ze twee keer een limonadeglas had volgeschonken met gin en dat leeg had gedronken, maakte ze zich daar wat minder druk om. En over haar plechtige besluit van gisteravond om de helft minder te gaan drinken maakte ze zich tegen die tijd al evenmin erg druk. Dat zou toch wel draaglijk zijn? Dat zou ze wel redden. Vanavond zou ze drinken zoveel ze maar wilde, en morgen zou ze wel denken over bezuinigingen. Morgen is er weer een dag. Uit die inmiddels lang vervlogen tijd toen ze nog boeken las en films keek, herinnerde ze zich vaag dat Scarlett O'Hara zoiets had gezegd: *Daar maak ik me morgen wel druk om, want morgen is er weer een dag.*

13

De nieuwe dag was aangebroken, maar Tijgerlelie was niet gekomen. Stuart vroeg zich af of hij soms alleen had gedroomd dat ze had beloofd bij hem langs te komen, maar hij wist dat het echt gebeurd was. Als hij droomde, droomde hij niet van meisjes die hem vroegen of hij een goed mens was. Kon hij iets doen? Hij herinnerde zich de blik die haar vader hem had toegeworpen, en hij herinnerde zich ook hoe smadelijk hij de aftocht had geblazen. Sinds die avond had hij niets meer van haar of een van de andere huisbewoners gezien. Hij herinnerde zich wat hij zijn moeder had verteld over april, al was april inmiddels bijna voorbij, en ging zitten met een stapel kranten en las de personeelsadvertenties door. Hij schreef een aantal sollicitatiebrieven, en terwijl hij daarmee bezig was en het tot hem doordrong hoe kort zijn cv was, begon hij zich steeds slechter op zijn gemak te voelen.

Regelmatig hoorde hij vanuit de slaapkamer 'Nessun Dorma' klinken. Hij nam nooit op, maar Molly deed het voor hem. Ze vertelde Claudia met nederige stem dat zij de schoonmaakster was, en toen ze Stuarts panische gebaren zag, voegde ze daaraan toe dat hij de deur uit was. Zijn moeder belde ook. Hij sprak met haar en hoorde dat er een journaliste voor hem had gebeld, een zekere Claudia Livorno, om te vragen of haar zoon soms zijn telefoonnummer had veranderd. Ze wilde graag contact met hem opnemen om hem te interviewen in verband met een artikel waar ze mee bezig was.

'Je hebt het haar toch niet doorgegeven, hoop ik.'

'Nou, natuurlijk heb ik dat wel gedaan, Stuart. Dat wil zeggen, ze beschikte over je vaste en mobiele nummer, en ik heb bevestigd dat die allebei juist waren. Je zou het toch zeker wel leuk vinden als er een artikel over jou in de krant komt te staan?'

Terwijl ze nog aan het praten waren, liet zijn mobieltje die vervelende deun weer horen. Stuart liet het ding gewoon spelen, maar hield wel op met sollicitatiebrieven schrijven. Toen hij naar buiten liep, zei hij tegen Molly dat hij hoopte dat ze begreep dat hij zich niet kon veroorloven haar te betalen. Molly, die nooit had gedacht dat betaling mogelijk was, hoorde haar eigen mobieltje gaan, nam op en kreeg Carl aan de lijn, die wilde weten waarom hij haar tegenwoordig nooit meer te zien kreeg. Ze poeierde hem af met wat vage beloften, maar zonder dat het haar veel kon schelen.

Het was een heerlijk zonnige ochtend, bijna de laatste dag van april, en Duncan had dan ook al zijn ramen openstaan. Stuart belde aan. Hij wist dat Duncan geen vragen zou stellen, maar hem eenvoudigweg binnen zou vragen voor een kopje waterige koffie, waarmee ze dan, hoopte hij, in de tuin zouden gaan zitten. Een ogenblik dacht hij dat zijn nieuwe vriend de deur uit moest zijn, maar de tweede keer dat hij aanbelde, deed Duncan open, en daarna verliep alles volgens het gebruikelijke patroon. Er werd water aan de kook gebracht, dat vervolgens werd opgegoten op een minieme hoeveelheid oploskoffie, er werd wat halfvolle melk doorheen geroerd en er werden wat biscuitjes met vanillefondant op een bordje gelegd. Duncan vroeg Stuart altijd of hij zijn 'elfuurtje' binnen of buiten wilde hebben en Stuart zei altijd buiten. Hij ging tegenwoordig regelmatig bij Duncan langs. Die had nooit gevraagd wat de aanleiding was voor die plotselinge belangstelling voor hemzelf en zijn tuin, maar nu, terwijl hij met het dienblad door de openslaande tuindeur naar buiten liep, vroeg hij het wel, of, liever gezegd, hij raadde het.

'Je hoopt zeker Tijgerlelie te zien, hè?'

'Ja, eigenlijk wel,' zei Stuart.

'Op een koude grijze dag is de kans groter. Die lui zitten niet graag in de hitte. Zij, en die zus en die broer van haar, of wat ze ook precies van elkaar zijn, komen naar buiten om af te koelen.'

'Hoezo dan?'

'Ze moeten het binnen warm houden. Het is een echte broeikas. Ze kweken daar orchideeën, zie je. Het zijn gespecialiseerde orchideeënkwekers en ze hebben een bedrijf dat planten levert aan alle tuincentra hier in West-Londen. Lijkt me een hoop werk.'

Stuart, die altijd van warm weer had gehouden, verlangde nu naar het soort grauwe dag waarvan hij vroeger gezegd zou hebben dat het typisch Engels rotweer was. Maar er lag een hogedrukgebied boven het zuidoosten van Engeland, en dat zorgde voor iets wat bijna een hittegolf was. Zelfs hij besefte wel dat hij niet telkens weer bij Duncan op de koffie kon komen zonder tegenprestatie, en dus had hij hem uitgenodigd voor een borreltje aan het eind van de middag, samen met Ken Lee en Moira Jones. Molly kwam ook, en ze had Sophie meegenomen. Het werd reuzegezellig. Sophie vertelde sterke verhalen over alle drank die ze kocht voor Olwen, maar zei niets over de tien pond per keer die ze daarmee verdiende.

Stuart zat voortdurend in de rats dat Claudia plotseling bij hem voor de deur zou staan. Dat gebeurde niet... maar Tijgerlelie kwam al evenmin opdagen. Hij wist zeker dat ze van plan was geweest om te komen en dat haar autoritaire vader dat verhinderd had. Ze zouden wel uit een van die typisch oosterse families komen waar de ouders alle macht hadden. Hij beschikte niet over een grote fantasie, maar toch zag hij gewoon voor zich hoe ze haar tere orchideeën verzorgde, de uitlopers wegknipte van de dunne soepele stelen, een rank om een steun wond en met een gietertje met extra lange tuit de bloemen water gaf. Haar lange, glanzende haar zou achter haar hoofd vastgemaakt zijn met een kam van echt schildpadschild en een wit lint.

Het prachtige weer hield nog drie dagen aan. Toen raakte het bewolkt en begon het te regenen. Het goot de hele nacht. 's Ochtends was de temperatuur gedaald tot tien graden Celsius, en stond er een felle wind. Stuart ging bij Duncan langs en merkte dat zijn gastheer met alle genoegen bereid was om hem koffie en koekjes te serveren, maar niet om die buiten op te drinken.

'Mei is een verraderlijke maand,' zei hij – iets wat voor zover Stuart betrof, een volstrekt betekenisloze mededeling was.

Stuart nam niet langer de moeite om het ware doel van zijn bezoekjes voor Duncan verborgen te houden. Hij duwde de deur open en ging op het terras staan met zijn kopje in de hand. Van hieruit had hij een goed uitzicht op de tuin van Springmead, het zomerhuisje en de deur naar het weggetje achter de huizen, waar de garage wel zou zijn. De tuin was leeg, maar net toen hij stond te denken dat dit zelfs voor broeikasbewoners wel te koud zou zijn, kwam Tijgerlelie naar buiten, samen met het andere meisje en gevolgd door de vader. Hij en zij liepen door de deur in de achtermuur de tuin uit, ongetwijfeld naar de garage, en Tijgerlelie liep in haar eentje naar het zomerhuisje.

Ze stond op het trapje naar de roze geschilderde deur toen ze om de een of andere reden omkeek. Misschien kwam het doordat hij dat zo graag wilde, dacht Stuart. Dat moest wel. Hun blikken ontmoeten elkaar en geluidloos vormde ze de woorden: 'Ik kom later. Avond.'

Hij kon nauwelijks geloven dat hij zoveel mazzel had. Hij keek toe terwijl ze door de roze deur naar binnen ging, en op het moment dat ze die achter zich dichttrok, kwam een jongen van een jaar of achttien of misschien wat ouder – die mensen leken altijd jonger dan ze werkelijk waren – het huis uit en liep over het pad naar het zomerhuisje. Haar broer, dacht Stuart. Hij is hier gebleven om haar te bewaken. Ik vraag me af hoe ze erin slaagt om vanavond het huis uit te komen, maar deze keer lukt het haar. Ik weet dat het haar deze keer gaat lukken.

Xue, een naam die 'sneeuw' betekent, een symbool van zuiverheid, en Tao, wat 'grote golf' betekent, zaten op de vloer in het zomerhuisje en genoten van de koele lucht. Ze spraken niet met elkaar. Ze hadden niets te zeggen, behalve dingen die nooit gezegd mochten worden. Tao, die overal kon slapen, en voor heel korte perioden, ging liggen en deed zijn ogen dicht, maar Xue bleef wakker en dacht aan het lichtpuntje hoop dat haar nu misschien geboden werd.

Er was geen scène deze ochtend, de andere bewoners waren er niet bij betrokken. In Lichfield House was alles stil en vredig, en nergens was iemand te bekennen, maar toch was Claudia het huis binnengekomen. Ze zat op zijn bed, met zijn mobieltje in de hand, en telde de berichten die ze had ingesproken.
'O, schatje toch, waar heb je gezeten?'
'Koffiegedronken bij een vriend. Hoe ben jij hier binnengekomen?'
'Je hoeft niet zo'n toon tegen me aan te slaan! Alsof ik een soort indringer ben. Als je het per se weten moet, er was hier een dik meisje, ze was aan het afstoffen, geloof ik. Ze had in elk geval een stoffer in haar hand. Ik heb gezegd dat ik je partner was. Ik moet zeggen dat ze een beetje een geschrokken indruk maakte, maar ze heeft me binnengelaten en toen ging ze weg. Je gaat me toch niet vertellen dat je iets met haar hebt?'
'Natuurlijk ga ik jou dat niet vertellen, Claudia. Natuurlijk niet. Ze maakt schoon voor me, zonder daar iets voor te rekenen en dus heb ik Richenda eruit gezet.'
'Jij bent echt een heel bijzondere jongen, Stuart Font. Krijg ik geen kus van je?'
Stuart nam haar eens goed op. Waarom was het hem nooit eerder opgevallen hoe grof haar huid was, en hoe droog haar lange bleke haar eruitzag? Waarom had hij de beginnende vetrol rond haar middel nooit opgemerkt, of de rimpels om haar polsen? Snel keek hij in een van de spiegels. Hij zag er jaren jonger uit dan zij, tien tot vijftien jaar jonger. Hoe oud was ze eigenlijk? Ze had het nooit gezegd.
'Ik heb nu geen tijd, Claudia. Je kunt beter gaan.'
'Wat? Jij voert nooit iets uit.'
Het drong tot hem door dat het er nu op aankwam. Nu moest hij haar duidelijk maken dat hun verhouding voorbij was. Hij kon niet hebben dat ze hem voor de voeten liep terwijl er spectaculaire dingen te gebeuren stonden. Nee, ze mocht hem niet voor de voeten lopen, en die belachelijke Molly Flint al evenmin. Vanavond zou Tijgerlelie komen, en dat zou het begin kunnen zijn van een avontuur. Misschien zou hij haar ergens mee naartoe moeten nemen, haar moeten verbergen voor haar vader, misschien zou hij zelfs met haar moeten trouwen. Dat was een opwindend vooruitzicht. Zijn leven was onverdraaglijk saai geworden.
'Het is uit, Claudia,' zei hij, met een vastberaden klank in zijn stem die daar niet eerder in te horen was geweest. 'Het is mooi geweest, maar nu is het voorbij.' Het ene na het andere cliché rolde over zijn lippen. 'We hebben het goed gehad samen. Je zult altijd speciaal voor me blijven.'

Ze stond op. 'Als je vanavond om een uur of zes niet van gedachten veranderd bent, vertel ik Freddy dat ik hiernaartoe ben gekomen om het uit te maken en dat jij... dat jij me hebt verkracht.'

De moed die hij zojuist in zichzelf had weten te vinden, schoot hem nu te hulp. 'Dat gelooft hij niet. Hij weet best dat een vrouw die nooit nee zegt niet te verkrachten valt.'

Toen kwam ze op hem af, met haar scherpe nagels uitgestoken. Ze had hem al een haal over zijn gezicht gegeven voordat hij erin slaagde haar vast te grijpen om haar middel en zo haar armen tegen haar rug te persen. Ze stribbelde verwoed tegen en schopte met een van haar hoge hakken tegen zijn scheenbeen. Hij schreeuwde het uit, maar bleef haar stevig vastklemmen, liep met haar naar de voordeur en duwde haar naar buiten. Katie Constantine, die net haar post uit het postvakje haalde, keek vol belangstelling toe. Stuart sloeg de deur met een klap dicht. De grendels die erop zaten, had hij nooit eerder gebruikt, maar nu schoof hij ze dicht, alleen maar om zich veilig te kunnen voelen. Schreeuwend en gillend beukte Claudia met haar vuisten op de deur – en zo te horen stond ze er ook hard tegenaan te schoppen. Stuart liep naar zijn slaapkamer en deed de deur dicht.

In de Design for Living-spiegel nam hij zijn gezicht aandachtig op, met alle angst en zorg van een fotomodel dat niet gerust is op de fotoshoot van morgen. De blauwe plek op zijn voorhoofd was allang verdwenen, maar de schrammen op beide wangen zagen er precies uit als wat ze waren – schrammen die daar waren achtergelaten door acht scherpe nagels. Zijn scheenbeen bloedde, en het bloed lekte door de stof van zijn spijkerbroek. Nadat hij wat Sterilon op zijn gezicht had gesmeerd, zijn spijkerbroek had uitgetrokken en een pleister op de wond in zijn scheenbeen had geplakt die Claudia's hoge hak daar had achtergelaten, stak hij een sigaret op en ging op bed liggen om over Tijgerlelie na te denken.

Hoe zat het in elkaar daar in Springmead? Als het Indiërs of Pakistanen waren geweest, zou hij zonder meer hebben aangenomen dat er voor de twee meisjes een huwelijk was gearrangeerd, en dat de enige mannen met wie ze mochten omgaan hun aanstaande echtgenoten waren. Maar Cambodjanen of Vietnamezen waren toch zeker boeddhisten? Stuart merkte dat zijn kennis van dergelijke zaken uiterst beperkt was. Maar iemand had gezegd dat ze uit Hongkong kwamen. En hij meende ergens gelezen te hebben dat Maleisië een islamitisch land was. Zouden ze daar soms vandaan komen? Maar als het moslims waren, en hun vader zo streng gelovig was, waarom droegen de meisjes dan geen hoofddoekjes als ze de deur uit gingen? Daarna vroeg hij zich af waarom Tijgerlelie had gezegd dat ze zou komen. Het eenvoudige antwoord was dat ze hem aantrekkelijk vond, iets wat Stuart nooit moeilijk te geloven vond. Wat lastiger te

begrijpen viel, was wat ze had bedoeld toen ze hem een goed mens noemde. Meisjes waren over het algemeen niet in een man geïnteresseerd omdat die zo'n goed mens was. Het was een raadsel en de kans dat hij dat zou oplossen door met haar te praten leek hem niet groot, want zo te horen sprak ze nauwelijks Engels.
Maar over die tekortkoming maakte hij zich niet al te druk. Zo'n prater was hij zelf ook niet, en over het algemeen gaf hij de voorkeur aan vrouwen die niet veel te zeggen hadden. Al dat gepraat leidde alleen maar tot problemen. Kijk maar eens naar zijn moeder. Kijk maar eens naar Claudia met haar voortdurende getelefoneer en die apparaatjes van Freddy. Nee, als je mensen wilde horen praten hoefde je alleen maar de tv aan te zetten.
Zijn mobieltje begon 'Nessun Dorma' te spelen. Hij legde er een kussen op.

Het speet Sophie dat ze de anderen had verteld dat ze inkopen deed voor Olwen. Dat was een vergissing geweest. Noor was toch vaak niet thuis, omdat ze bij haar vriendje logeerde, terwijl Molly alleen maar over Stuart kon praten. Wat een mooie stem hij had, hoe knap hij was en hoe bevallig.
'Een man kan niet bevallig zijn,' zei Sophie.
'Waarom niet? Stuart is het toch?'
'Als je nog meer hoorcolleges mist, mag je in oktober niet terugkomen.'
Molly negeerde haar. 'Ik maak mezelf onmisbaar voor hem. Hij begint een punt te bereiken waarop hij niet meer zonder me kan. Als je boodschappen gaat doen, wil je dan wat Kenya mountain blend meenemen? Stuart houdt niet van oploskoffie en dat kan ik hem niet kwalijk nemen.'
Sophie zei dat ze dat zou doen, maar ze zei het met tegenzin. De afgelopen tien dagen was ze al drie keer naar de winkel van meneer Ali geweest om voor Olwen gin en wodka in te slaan en ze begon zich te generen. Al was ze dan nog zo jong, toch wist ze best dat de uitvlucht 'Ik haal dit voor een vriendin' door niemand wordt geloofd. Deze keer zou ze haar boodschappen wat verder uit de buurt moeten doen. Het was geen zware opgave om even naar de supermarkt te lopen, maar met die twee zware flessen teruglopen wel, en een pak koffie voor Stuart Font zou de last er niet lichter op maken. Tien pond per keer was eigenlijk maar een fooi. Olwen moest begrijpen dat zij studeerde, en eigenlijk alle tijd die ze maar had moest besteden aan de boeken die ze voor haar studie moest lezen. Als ze telkens weer naar de winkel moest lopen – ze had zich niet gerealiseerd hoe vaak dat zou moeten – zou ze beter betaald moeten worden.
De supermarkt had zijn eigen geldautomaat in de muur naast het bijbehorende benzinestation. Sophie was van plan geweest om genoeg op te nemen voor twee keer boodschappen doen – de kosten van vier flessen sterkedrank plus twintig pond voor zichzelf. Maar twee keer dat bedrag kon ze ook wel gebruiken, dacht

ze. Veertig pond zou heel goed uitkomen om Noor terug te betalen wat ze haar nog schuldig was voor die paar keer lunchen, en de bioscoop, en dat topje dat ze had gekocht in Leilaland. Iedereen leende van Noor, die bulkte van het geld, maar zelfs zij begon daar nu moeilijk over te doen, en elke keer dat ze zich weer eens in de flat liet zien, herinnerde ze Sophie aan haar schulden.
Terwijl ze daar voor de geldautomaat stond en hoorde hoe de bestuurder van een tankwagen naar haar floot, bedacht Sophie dat ze nu wel veertig pond kon opnemen. Dat zou ze dan als voorschot kunnen beschouwen voor de volgende paar keer boodschappen doen. Als het eenmaal zover was, zou ze alleen maar de kosten van vier flessen gin en wodka opnemen, maar niets voor zichzelf. Met een snelle en hooghartige blik over haar schouder naar de bestuurder van de tankwagen toetste ze zeven-vijf-twee-negen in en vervolgens het bedrag dat ze wilde hebben. Het zou heerlijk zijn om Noor te kunnen terugbetalen zonder dat die daar eerst weer om moest vragen.

Vanaf Kenilworth Avenue kwam je Kenilworth Green binnen door middel van een draaihekje, iets wat in het Engels soms een *kissing gate* wordt genoemd, een 'kushekje'. Toen Rose die uitdrukking voor het eerst had gehoord, in de tijd dat Marius en zij zich nog bij elkaar op hun gemak voelden, had ze hem gevraagd wat dat woord betekende, en hij had haar laten zien hoe zo'n door een hekwerk omgeven klaphekje als iemand erdoorheen naar binnen liep, noodzakelijkerwijs gesloten was voor iemand die weg wilde. Als een meisje kwam vast te zitten, met het klaphekje tussen hen in, kon een man haar kussen door zich over het hek heen te buigen. Rose dacht dat Marius op dat moment mooi de daad bij het woord had kunnen voegen en haar een kus had kunnen geven, maar dat had hij niet gedaan.
Vanaf het draaihekje leidde een pad naar een parkje van hooguit twee hectares, met een niet al te vaak gemaaid grasveldje omzoomd door fraaie hoge bomen, paardenkastanjes die nu in volle bloei stonden, met hun witte kaarsen, kersenbomen waarvan de wortels inmiddels schuilgingen onder een dikke laag gevallen bloesems, eiken die nieuwe blaadjes kregen, een paar bruine beuken met roodgele bladknoppen. Midden op het grasveldje stonden twee slanke groene moerascipressen en een stuk of zes haagbeuken in de vorm van een hart, een vorm die ze van nature hadden maar die toch kunstmatig aandeed. Er stond een bankje onder de haagbeuken, een bankje onder de kastanjebomen en een derde bankje aan de overkant van het grasveld, in de noordoosthoek, vlak bij een wip en twee schommels. Als de wip en de schommels gebruikt werden door meisjes en de leerlingen van Kenilworth Primary School weer naar binnen waren gegaan, pakte Wally Scurlock zijn tuinschepje en zijn snoeischaartje en liep naar een ander graf, waar hij neerknielde om door een andere opening in de heg te gluren.

Op een middag begin mei wachtte hem daar een onplezierige verrassing. Twee meisjes, zes of zeven jaar misschien, zaten op de schommels, terwijl een ander meisje, al wat ouder, maar niet meer dan een jaar of twaalf, op het bankje in een plaatjesboek zat te kijken. Hij schuifelde wat dichter naar de heg toe, en liet zich op zijn hurken zakken om door een opening in het gebladerte te gluren.
Plotseling, zonder enige waarschuwing, klapte het meisje dat op de bank zat haar boek dicht en beende met lange passen naar de heg. Nu zag hij dat het geen kind was. Klein en mager weliswaar, met staartjes in het haar en een kort rokje aan, maar toch een volwassen vrouw van minstens dertig. Hij kwam snel overeind terwijl ze naar hem schreeuwde: 'Hé, wat spook jij daaruit? Smeerlap! Pedofiel! Kinderverkrachter!'
Wally stond te trillen op zijn benen, maar toch verdedigde hij zich. 'Waar hebt u het over? Ik werk de graven wat bij, meer niet.'
'Maak dat de kat maar wijs, jij! Pas op hoor! Elke keer dat mijn dochters hier komen, ben ik er ook en ik hou je in de gaten. Als ik je hier ooit nog een keer zie terwijl je in de bosjes naar kinderen zit te loeren, zorg ik dat je de cel indraait.'
'Ik heb niks gedaan,' zei Wally. 'Ik heb die kinderen van u niet eens opgemerkt.'
'Ik heb mijn mobieltje niet bij me. Als ik het wel bij me had, stond ik hier niet met jou te praten. Dan had ik nu 112 gebeld, en dan was de politie er al geweest voordat je je zelfs maar kon omdraaien.'
Wally wachtte niet tot er nog meer kwam. Hij stopte zijn spullen in zijn tas en ging ervandoor, zonder te hollen, in een poging om toch iets van zijn waardigheid te bewaren. Het probleem was dat hij trilde over zijn hele lijf. Zijn benen trilden zelfs zo erg dat hij niet eens had kúnnen hollen. Hij kon alleen maar wandelen. En toen hij over Kenilworth Avenue liep en zich toestond om achterom te kijken, waren de vrouw en haar dochtertjes daar nog steeds, en erger nog, héél véél erger, Rose Preston-Jones en dat hondje van haar waren er ook. Ze stond een heel eind weg, bij de kastanjes, maar helemaal niet zo ver van de kleine meisjes die nu op het gras knielden om de hond te aaien, terwijl hun moeder met Rose stond te praten. En raad eens, zei Wally in zichzelf, waar die twee het over hebben. Godzijdank wist die vrouw niet hoe hij heette. Maar zou Rose hem al gezien hebben voordat die vrouw haar aansprak?
Er viel niets aan te doen. En toch had hij niets gedaan. Hij had alleen maar gekeken. Hij had toch altijd alleen maar gekeken? Zelfs met die foto's op internet keek hij alleen maar, en het waren ook alleen maar foto's. Daar school toch geen kwaad in?

Amanda Copeland, die Rose oppervlakkig kende omdat haar dochtertjes zo dol waren op McPhee, had haar verteld over de pedofiel die naar de meisjes had

zitten gluren, en op de wellustige blik (haar woorden) in zijn ogen toen hun rokjes hoog opwaaiden in de wind. Dat was al akelig genoeg, maar het werd nog erger toen Rose over haar schouder in de richting van Kenilworth Avenue keek en Wally Scurlock haastig zag weglopen met zijn tas vol tuingereedschap. Natuurlijk kon ze er niet absoluut zeker van zijn dat de man die Amanda had gezien en uitgescholden werkelijk Wally Scurlock was, niet zeker genoeg bijvoorbeeld om het tegen de politie te zeggen, maar toch wel zo zeker dat redelijke twijfel uitgesloten was, zoals de rechtbank dat formuleerde. Maar ze zei daar niets over tegen Amanda en liet alleen haar medeleven blijken.
'Ik heb hem al eerder op dat kerkhof zien rondhangen,' zei Amanda. 'Toen was hij het gras rondom een ander graf aan het bijknippen. Dat dacht ik in elk geval, maar nu denk ik dat hij naar de schoolkinderen zat te gluren.'
Rose deed McPhee weer aan de lijn en ging op weg naar huis. Toen ze had gezien dat Wally de man was die door Amanda van pedofilie was beschuldigd, was ze daar erger van geschrokken dan ze ooit voor mogelijk had gehouden. Zoals de meeste mensen, en bijna alle vrouwen, boezemde pedofilie haar angst en afschuw in. Wat moest ze doen? Moest ze eigenlijk wel iets doen? Als ze Wally werkelijk achter de heg naar die kinderen had zien gluren, zou ze naar de politie zijn gestapt, sterker nog, dan zou ze meteen de politie gebeld hebben, want anders dan Amanda ging ze nooit ergens naartoe zonder haar mobieltje. Maar ze had hem pas gezien toen hij langs de heg liep, honderd meter verderop.
Was er maar iemand die ze om raad kon vragen.
Haar ouders leefden nog, en woonden in Manchester, maar ze waren hoogbejaard en werden verzorgd door haar zus, en hoewel ze daar zo vaak ze maar kon op bezoek ging, wist ze dat haar ouders door zoiets als dit zo diep geschokt zouden zijn dat het een redelijk gesprek volkomen onmogelijk zou maken. Datzelfde gold ook voor haar zus. Mary dan? Of Wendy? Andere vriendinnen en kennissen die ze soms weleens zag, zoals Anther en Zither, die allebei inmiddels respectabel waren geworden en weer een gewone naam hadden aangenomen? Tenzij die twee erg veranderd waren, zouden ze diep vanbinnen misschien zelfs een beetje met zo'n pedofiel te doen hebben. Ze huiverde. Er was maar één iemand die ze het kon vragen. Een paar weken geleden zou ze niet geaarzeld hebben en Marius al gebeld hebben voordat ze zelfs maar thuis was gekomen. Maar nu lag dat anders.
Thuis, met McPhee behaaglijk in elkaar gedoken op schoot, ging Rose bij het raam zitten. Ze zag Wally Scurlock binnenkomen. Hij had rustig de tijd genomen. Haar ogen volgden hem terwijl hij over het tuinpad liep, en op de een of andere manier hoopte ze aan zijn manier van lopen en de uitdrukking op zijn gezicht, toen hij zich een keer omdraaide en achterom keek, iets op te merken dat op afschuwelijke neigingen wees.

Molly Flint kwam aangelopen met twee zware tassen, en daarna kwam Noor, samen met een lange, donkere jongeman die eruitzag alsof hij een oosterse prins kon zijn, misschien wel de zoon van een radja of nabob. Rose zat niet bewust te wachten totdat ze Marius zou zien, maar toen hij over het tuinpad liep, misschien omdat hij terugkwam van bijles, zette ze McPhee zachtjes op de vloer en liep langzaam naar de voordeur. Daar hoorde ze zijn voetstappen de hal oversteken, op weg naar de trap. De lift gebruikte hij nooit.
Ze gaf hem vijf minuten de tijd om de trap op te lopen en nog eens vijf minuten om zijn jas uit te trekken. Toen stapte ze de hal in en nam de lift naar boven.

14

'O, Rose,' zei Marius op een toon die ze tamelijk kil vond aandoen.
'Kom binnen,' klonk het daarna met enige tegenzin.
'Komt het niet gelegen?'
Hij was van plan om te zeggen dat hij het nogal druk had, maar toen hij haar daar zag staan, zo knap en fragiel, en kennelijk ook nogal van streek, ging hem dat echt aan het hart. Als hij niet zo oud, mager en grijs was geweest, een vermoeiende, ouwe, pedante kwast, zo dacht hij, wat zou hij het dan heerlijk hebben gevonden om haar in zijn armen te nemen en te troosten. 'Wat is er? Is er iets mis?'
'Ik denk het. Eigenlijk wel, ja.'
'Wil je soms een kopje thee? Ik kan witte thee zetten. Of misschien earl grey?'
Ze knikte. 'Graag. Het maakt niet uit welke.'
Hoewel hij alleen maar even de keuken was binnengelopen, voelde ze plotseling de absurde angst dat hij zou verdwijnen als ze hem ook maar even uit het zicht liet. Ze liep achter hem aan. Hij zette de ketel op het fornuis, hing de theezakjes in twee grote mokken en draaide zich toen om. Er lag een ernstige, vastberaden uitdrukking op zijn gezicht en hij had zijn ogen half dichtgeknepen, alsof hij zojuist tot het een of andere gewichtige besluit was gekomen. En hij had ook werkelijk een besluit genomen – hij zou het haar opbiechten, en hij zou niet weer van mening veranderen, zoals hij de vorige keer zo lafhartig had gedaan. Om de een of andere reden was dit het moment. Als ze hem niet wilde geloven, het zou ontkennen of erg van streek zou raken, of als hij haar daarmee voor het hoofd zou stoten, dan moest dat maar zo zijn. Hij kon gewoon niet zo doorgaan. 'Rose,' zei hij. 'Rose, ik moet je iets vertellen.'
Het kwam er zo zwaarwichtig uit dat ze bang werd. 'Wat bedoel je? Wat is er?'
'Rose, we hebben elkaar al eens eerder ontmoet – lang geleden – in een commune in Hackney. Ik weet het al heel lang... Je zult het je niet herinneren. Ik ben erg veranderd. Het klinkt belachelijk. Maar ik was jong, en toen was het niet zo belachelijk. O, Rose...'
Er zijn verschillende soorten manieren om te lachen. Je kunt lachen van pure uitgelatenheid, je kunt lachen vol ongeloof, je kunt lachen uit cynisme – en je kunt lachen uit pure vreugde. Rose lachte op die laatste manier, en toen haar

lach was weggestorven en overgegaan in een glimlach zei ze: 'Natuurlijk weet ik dat, Marius. Ik herkende je al toen we elkaar voor het eerst weer ontmoetten, op de dag dat je hier je intrek nam.' Het water raakte aan de kook en de ketel schudde rammelend heen en weer en blies een dikke wolk stoom uit. 'Je bent helemaal niets veranderd – nou, niet veel in elk geval. Ik wel, dat weet ik. Daarom dacht ik dat je me niet had herkend.'
'Waarom heb je het niet gezegd?'
'Omdat ik nu een oud vrouwtje ben, en toen was ik jong.'
'Maar je bent helemaal niet veranderd,' zei hij, en terwijl hij het zei, dacht hij: Doch liefde wisselt niet met dag en uur/ Zij groeit en bloeit tot aan de jongste dag./ De liefde blijft bestaan tot aan de dood./ Zij taalt niet naar zijn uur en telt geen weken. Hij nam haar in zijn armen en toen ze niet tegenstribbelde, trok hij haar tegen zich aan en drukte zijn lippen op haar haar.
De thee was vergeten. Voor een tijdje dacht Rose zelfs niet meer aan Wally Scurlock. Ze ging naast Marius zitten, op de oude grijze zitbank die nog van zijn tante was geweest. 'Snap je,' zei ze, 'je was zo knap – dat ben je nog steeds – en toen ik 's ochtends wakker werd en je naast me zag liggen, terwijl je nog sliep, met je hoofd op het kussen, bedacht ik wat een lief en mooi gezicht je had, en hoe lief je voor me geweest was. En ik vroeg me af wat jij wel van mij moest vinden. Je kende me niet eens, we hadden elkaar eigenlijk nooit echt gesproken, en toch was ik meteen met je naar bed gegaan...' Ze wendde haar gezicht af. '... en toen je wakker werd, dacht ik, hij zal vast op me neerkijken, hij zal me vast een sloerie vinden en me nooit meer willen zien, en toen heb ik mijn kleren aangetrokken en ben ik weggegaan, zonder afscheid te nemen van wie dan ook. Ik ben gewoon weggegaan.'
'En ik heb geprobeerd je te vinden, maar het is me nooit gelukt, en uiteindelijk heb ik het maar opgegeven. Rose, niemand kende je achternaam, behalve dan mijn zus, en die was net naar Amerika gegaan. Je had op een bankje in Victoria Park gezeten en tegen Storm gezegd dat je pas de volgende dag je intrek kon nemen in de kamer die je had gehuurd. Maar hij wist niet waar die kamer was en verder wist hij ook niets van je.'
'Storm heb ik sindsdien niet meer gezien, maar Anther spreek ik nog weleens. Hij heet tegenwoordig Terence Tate. Dat is zijn echte naam.'
'Hebben jij en hij...?'
'Nee hoor, helemaal niet. Zoiets is er al heel lang niet meer in mijn leven geweest.'
'In het mijne ook niet,' zei Marius met zachte stem, en toen: 'Ik hou van je, Rose. Volgens mij heb ik altijd van je gehouden. In elk geval besef ik dat sinds ik hier woon.' Hij kuste haar op haar wang, en toen op haar mond. 'Wat zullen we doen? Nu ik je heb gevonden, laat ik je niet meer gaan.'

Jaren later zou Rose zo nu en dan zeggen dat Marius en zij waren samengebracht door het gedrag van een pedofiel, en Marius zei dan dat uit het walgelijke soms iets zoets kan opbloeien. Maar die avond, toen ze uiteindelijk witte thee hadden gedronken, bij Rose thuis – Marius was niet van plan om daar voor de volgende ochtend weg te gaan – was hij dieper geschokt dan hij had verwacht door wat Rose hem vertelde.

'Je hoort voortdurend over zulke dingen, je leest er ook over, maar toch lijkt het eigenlijk nooit helemaal echt.'

'Amanda Copeland zou zoiets heus niet verzinnen, lieverd,' zei Rose. 'Het is een verstandige vrouw – veel verstandiger dan ik.'

'Jij bent gevoelig,' zei Marius, 'en dat is beter.'

'En natuurlijk ben ik er niet helemaal zeker van dat hij het was. Ik zou er geen eed op durven doen. Denk je dat we de sortes maar eens moeten lezen?'

'Ik heb schoon genoeg van *Paradise Lost*. Toen ik me zo ellendig voelde over jou heb ik Milton tegen de muur gesmeten.'

'Dat weet ik. Ik heb hem opgeraapt en mee naar beneden genomen in mijn tas.'

Dus sloeg Marius het boek lukraak open, streek met zijn vinger over de pagina en las: 'Geen angst meer, want vereend in kracht en wijsheid/ valt niets ons zwaar, is niets onmogelijk.'

'Dat lijkt niet veel te betekenen,' zei Rose. 'Het spijt me, schat. Over het algemeen betekent het wel iets. Het is niet bedoeld als kritiek.'

Marius lachte. 'Over het algemeen slaat het nergens op. Het is maar een spelletje. Maar misschien betekent dit wel dat we gewoon niets moeten doen. Nog niet, in elk geval. Of bijna niets,' zei hij peinzend.

Rose keek hem vragend aan.

'Als hij nou iets gedaan had, zou ik zeggen dat we naar de politie moeten stappen, maar hij zat alleen maar te gluren. We kunnen hem een beetje in de gaten houden, maar meer ook niet. Nog niet. Als ik de kans krijg,' zei hij, 'zal ik hem weleens een hint geven, en zeggen dat hij dat verder moet laten. Ik zal proberen daar subtiel in te zijn.'

'Dat hoef je niet te proberen,' zei Rose. 'Dat ben je gewoon. En nu ga ik lekker wat asperges koken, en daarna garnalen.'

'Ik was niet van plan om je ooit nog te laten gaan, maar je vindt het toch niet erg als ik even tien minuten weg ben en naar de winkel van meneer Ali loop om een fles champagne te halen? We drinken geen van beiden, dat weet ik, maar dit is een avond om een regel te overtreden waaraan ik me een heel leven lang gehouden heb. O, en Rose, ben je nog steeds niet bang voor spinnen?'

'Ik vind het eigenlijk wel leuke diertjes? Hoezo?'

Zo bang als nu was Wally zijn hele leven nog nooit geweest. Zijn angst was zo extreem dat die een verlammende uitwerking had op zijn spieren en zenuwen, zodat het hem moeite kostte om gewoon te lopen. Terwijl hij strompelend de rotonde overstak, had hij eraan getwijfeld of hij er wel in zou slagen om Lichfield House te bereiken. Hij had zelfs kunnen vallen, zodat hij languit in de goot zou zijn komen te liggen, met zijn tuingereedschap om zich heen. Hij zou wel bevreemde blikken trekken zoals hij daar nu tegen de lege etalage van de inmiddels ontruimde badkamerwinkel geleund stond. Hij zou voor een dronkenlap worden aangezien die vanwege zijn wangedrag de Kenilworth Arms uit was geschopt. In werkelijkheid was er echter niemand die hem zag, totdat Duncan Yeardon de tabakswinkel uit kwam lopen. Duncan keek snel even zijn kant uit en wendde toen gegeneerd zijn ogen af.

Wally had het liefst door de grond willen zakken en zijn ogen willen dichtknijpen, maar dat was onmogelijk. Hij spande zich enorm in – lopen, blijf lopen, niet opgeven, over een minuutje of zo red je het wel weer. En deze keer was het minder erg. Hij haalde diep adem en liep door, zonder te proberen dat in zijn gebruikelijke tempo te doen. Als Duncan omkeek, zou hij denken dat Wally langzaam liep om hem niet in te halen, en dat was óók waar. Duncan stak de straat over en bleef even staan praten met de man uit Springmead die zojuist uit zijn auto was gestapt. Ze stonden met hun rug naar hem toe en Wally maakte daar gebruik van om zo snel als zijn zwakke benen hem maar dragen wilden Lichfield House binnen te lopen. Beneden, in het souterrain, schonk hij zich een klein glaasje cognac in uit het halve flesje dat Richenda in huis had voor noodgevallen. Een heerlijke warmte verbreidde zich snel door zijn borstkas, stroomde van daaruit naar boven en vulde zijn hele hoofd. Dat was beter. Het was zowel rustgevend als stimulerend. Wat moest hij nu beginnen? Eerst moest hij zich afvragen wat er werkelijk gebeurd was, en wat dat nou eigenlijk om het lijf had. Vanwege Rose Preston-Jones zou die vriendin van haar, die vrouw – dat razende, hysterische wijf – nu wel weten waar hij woonde, en ongetwijfeld ook hoe hij heette. Het was te laat om Rose ervan te weerhouden haar dat te vertellen, daar was het vanaf het eerste begin al te laat voor geweest. De vraag was: zou een van hen naar de politie stappen? En bij wie van die twee was het risico het grootst? Rose, dacht hij. Rose, die kende hem. Hij moest haar op de een of andere manier een verklaring geven. Het dronk zijn glas leeg en spoelde zijn mond schoon met listerine, liep de trap op en belde bij haar aan. Geen reactie. Hij belde nog een keer, maar had toen al in de gaten dat Rose niet thuis was. Zou ze naar de politie zijn gegaan? Bij dat woord ging er een lichte huivering door hem heen. Als Rose naar de politie was gestapt, zou die nu snel komen. Ze zouden het huis doorzoeken en zijn computer meenemen. Wally wist dat het nu het verstandigst zou zijn om zich van zijn computer te ontdoen, óf door hem met

de zware hamer uit zijn gereedschapskist aan stukken te slaan, óf door hem hier weg te halen. Hij zou op bus 113 kunnen stappen, die door St. John's Wood reed, en het ding vanaf de brug in Lissom Grove in het kanaal kunnen gooien. Hij kende de omgeving daar, want hij had ooit in Penfold Street gewoond. Maar zijn computer vernielen, en zichzelf daarmee beroven van alle plezier en opwinding die het ding bevatte... daar kon hij zichzelf niet toe zetten. Nóg niet. Dat kon toch nog wel even wachten? Misschien kon hij het apparaat verbergen. Zijn flat had een ligbad in de badkamer, maar geen douche. Alle andere appartementen hadden niet alleen een ligbad, maar ook een douche. Dat was iets wat Wally buitengewoon dwarszat. Het maakte hem duidelijk dat de ontwerper van Lichfield House, of de architect of hoe zo iemand dan ook heten mocht, geloofde dat de huismeester en zijn vrouw van een andere mensensoort waren dan de bewoners uit de betere standen, en van nature zo vies en smerig waren dat ze alleen maar schoon konden worden door zich volledig onder te dompelen.
De pootjes van het bad werden aan het oog onttrokken door stukken hardboard, die op hun plaats werden gehouden met schroeven. Slecht uitgevoerd, goedkoop werk, had Wally destijds gedacht, en hij had de panelen bedekt met vinyl in een smaakvol zwart-wit marmerdessin, en de schroeven vervangen door verchroomde bouten. Daar zouden ze nooit zoeken. Hij maakte de bouten los, en zag dat er onder het bad net voldoende ruimte was voor de computer. Hij schoof de computer er voorzichtig in en schroefde net de laatste verchroomde bout er weer in toen hij hoorde hoe Richenda's sleutel in het slot van de voordeur werd geschoven.
'Je raadt nooit wie ik zojuist bij Rose hoe-heet-ze-ook-weer naar binnen heb zien gaan. Samen, bedoel ik. Die oude Potter en zij.' Van roddelen kreeg Richenda altijd een goed humeur.
'Wist je dat dan nog niet?'
'Ik zal jou iets vertellen wat jij nog niét wist. Ze stonden te kussen. Net twee jonkies.'
Wilde dat zeggen dat Rose te zeer in beslag werd genomen door haar eigen bezigheden om zich met hem bezig te houden? De hoop worstelde zich door zijn keel naar boven en hij haalde diep adem.

Haar vader was de auto uit gestapt en had een tijd met Duncan Yeardon staan praten. Daarna was hij Springmead binnengelopen en lange tijd binnen gebleven, zo lang dat Stuart begon te denken dat hij niet meer naar buiten zou komen. Maar de auto stond er nog tegen de tijd dat de parkeercontroleur, die zelfs om vijf voor halfzeven nog kentekens aan het noteren was in zijn notitieblokje, ermee ophield en naar huis ging. Stuart stond voor het raam van de woonkamer. Hij rookte een sigaret en dronk zijn vierde cappuccino van de dag. Er gingen twintig minuten voorbij en hij was halverwege de volgende sigaret toen Marius Potter door de automatische schuifdeuren naar buiten liep. Zelfs Stuart, niet iemand die zijn ogen bijzonder goed de kost gaf, merkte op dat er een nieuwe veerkracht in zijn manier van lopen leek te liggen. Wat heeft die man? vroeg hij zich af. Marius zou wel op weg zijn naar een van zijn bijlessen, waar hij die arme kinderen afschuwelijke Latijnse verzen liet stampen, of in elk geval zoiets, en hij dacht terug aan de leraar die vroeger op woensdagavond bij hem thuis kwam om hem alle details van Caesars inval in Brittannië uit zijn hoofd te laten leren. Maar nee, Marius was een paar minuten later al weer terug, met een fles. Het was duidelijk een fles champagne, verpakt in donkerblauw vloeipapier. Hypocriet, dacht Stuart. Rose en hij hebben het er altijd maar over hoe slecht alcohol is.

Op dat moment, toen de automatische schuifdeuren voor Marius opengingen, kwam Tijgerlelies vader Springmead uit gelopen, samen met haar zus of stiefmoeder. Ze stapten in de auto en reden met hoge snelheid naar de hoofdweg toe. Het was een bewolkte dag geweest en het werd dan ook al vroeg donker. In sommige huizen brandde al licht toen Tijgerlelie door de voordeur van Springmead naar buiten kwam. Op het bordes bleef ze even staan en keek naar links en naar rechts. Toen liep ze snel naar het tuinhek en stak de straat over. Hoewel ze gezien moest hebben dat Stuart voor het raam stond, liet ze dat op geen enkele manier blijken. Hij hoorde het zuchtende geluid van de schuifdeuren, lichte voetstappen in de hal en toen werd er aangebeld.

Zodra hij de deur had geopend, glipte ze naar binnen. Hij zou het leuk gevonden hebben als ze iets wit en doorzichtigs aan had gehad, of een zwarte jurk tot aan haar enkels, maar ze droeg wat hij het minst aantrekkelijk vond: jeans en een loshangend wit hemdje. Toch was ze nog steeds wonderschoon, en er lag een rustige en ernstige blik in haar amandelvormige ogen. Haar sluike haar hing vanuit een scheiding in het midden los naar beneden.

'Dag,' zei ze. 'Dag.'

Hij gaf haar een hand en liep met haar naar de woonkamer. 'Hoe heet je? Ik noem je Tijgerlelie.'

'Tai-ka-li-li,' zei ze, en ze glimlachte. Het is een Chinese, dacht hij. Ze tuurde in zijn gezicht, voelde met een wijsvinger aan de littekens op zijn wangen die Claudia's nagels daar hadden achtergelaten. 'Jij snijden?'

'Het is niet erg.'

Ze reageerde met een heel dun glimlachje. Toen zei ze iets wat hem enorm verbaasde. 'Tai-ka-li-li moet in paspoort.'

Wat bedoelde ze daarmee? 'Nee,' zei hij. 'Echte naam in paspoort.' Onwillekeurig begon hij ook een soort steenkolenengels te spreken. 'Ga zitten. Wil je iets drinken?'

Ze schudde haar hoofd. Ze hoefde niets te drinken en wilde ook niet gaan zitten. 'Jij goed mens,' zei ze. Een verklaring, geen vraag.
Hij glimlachte en knikte, omdat hij niet wist wat hij anders zou moeten doen. Hij had geen idee wat ze daarmee bedoelde. Als ze nou maar ging zitten, dan kon hij ook gaan zitten. Maar ze bleef maar staan, volkomen roerloos, met haar ogen op het venster verricht. 'Wat wil je, Tijgerlelie?'
'Tai-ka-li-li,' zei ze opnieuw. 'Ik wil paspoort. Jij mij geef?'
Toen wist hij het. Zulke dingen gebeurden al sinds zijn kinderjaren, en waarschijnlijk al voor zijn geboorte. Een vriendin van een vriendin van zijn moeder was destijds met een man uit Azië getrouwd om hem het Britse staatsburgerschap te verschaffen. Ooit was dat heel eenvoudig geweest. Zou het nu nog net zo gemakkelijk gaan? Om de een of andere reden dacht hij van niet.
'Je wilt dat wij gaan trouwen?'
Ze begreep hem niet. Ze stak haar handen naar hem toe, met de handpalmen omhooggekeerd. 'Paspoort,' zei ze. 'Ik maak foto.'
Als hij met haar trouwde, zou ze niet onmiddellijk een paspoort krijgen. Hij wist er niet veel van, maar dat wist hij wel. Zijn gedachten gingen nu zo snel dat hij het bijna niet kon bijhouden. Ze zou dan toch een verblijfsvergunning krijgen? Daar kon hij wel achter komen. Dat zou wel op internet te vinden zijn. Maar tróúwen? Aan de andere kant, waar zou hij, als het eenmaal zover was, ooit zo'n lieftallige vrouw kunnen vinden? Getrouwde vrouwen waren in zijn ervaring net zoals zijn moeder en Claudia. Mooi, maar bazig, voortdurend aan het woord, veel te emotioneel en inhalig. Tijgerlelie was niets van dat alles, behalve dan het eerste – en dat in overvloed.
'Ga zitten,' zei hij nogmaals, en deze keer deed ze wat hij zei.
Ze zat nu helemaal op het randje van zijn bank en keek nog steeds aandachtig uit het raam, terwijl ze haar slanke witte handen om haar knieën geklemd hield. Ze had slippers aan, maar haar wreven waren zo hoog dat ze net zo goed hoge hakken had kunnen dragen. Vrouwen uit haar deel van de wereld, zo dacht hij, waren goede echtgenotes omdat ze het prettig vonden om mannen te bedienen, en zichzelf mooi te maken. Ze waren niet voortdurend aan het ruziën en om cadeautjes aan het vragen. Hij herinnerde zich vaag dat hij weleens foto's had gezien van een geisha die neerknielde aan de voeten van een man en een dienblad met eten en drinken omhooghield. Of was dat Japans? Maar trouwen… Dat was wel een hele stap.
Voorzichtig zei hij: 'Ik op jou passen, Tijgerlelie. Jij gesnopen?' Waar haalde hij dat nou vandaan? Zou een van de vrienden van zijn vader dat woord misschien weleens gebruikt hebben, of de huismeester soms? Hij probeerde het nog eens. 'Ik voor jou zorgen. Jij begrijpen?'
Ze glimlachte en knikte.

'We moeten elkaar weer ontmoeten.'
Maar hoe kon hij haar nou vertellen waar? Hij had hier ergens een plattegrond van Londen liggen. Er waren niet veel plaatsen waar dat ding kon zijn en hij had het dan ook al snel gevonden. In zijn nachtkastje. Ze keek naar de kaart die hij haar liet zien – dit deel van Noord-Londen – en het was duidelijk dat ze haar ogen niet kon geloven. Het kostte hem een paar minuten om haar te laten zien waar Springmead stond, waar hij woonde, en waar het verlengde van Kenilworth Avenue lag, met Kenilworth Green en St. Ebba's Church. De kerk werd op de kaart aangegeven met een kruisje, en toen hij daarop wees, knikte ze, en zei moeizaam: 'Begrijp.'
'Vandaag is het vrijdag.'
Dat ging haar boven de pet. De procedure die hij nu moest afwerken, was net zoiets als zoeken naar de plattegrond, maar dan erger. Na een hele tijd zoeken vond hij de kalender met mooie plekjes op het Engelse platteland die zijn moeder hem samen met een kerstcadeautje had toegestuurd. Hij herinnerde zich de brief die ze met dat cadeautje had meegestuurd nog maar al te goed, en dan vooral dat stukje waarin ze schreef dat ze hem nooit meer zag en dat hij haar nog nooit had uitgenodigd in zijn nieuwe huis, en dat ze daarom zijn kerstcadeautje maar met de post stuurde. De kalender had hij nooit opgehangen en uiteindelijk vond hij die in een lade, onder een paar overhemden die hij nooit droeg.
Het drong onmiddellijk tot hem door dat ze de namen van de dagen niet kon lezen. Natuurlijk niet. Ze kende geen – hoe heette dat nou ook weer? – Latijns schrift. 'Vandaag,' zei hij. 'Vrijdag. Ja?'
'Vlijdag.' De r werd bij haar een l. Dat klopte met wat hij ooit over Chinezen had gehoord. ' Goed,' zei hij. Hij telde op zijn vingers. 'Zaterdag, nee. Zondag, nee. Maandag?'
Ze had haar hoofd langzaam van links naar rechts bewogen en zei: 'Maandag nee.' Ze huiverde. 'Nee dinsdag.'
'Woensdag?'
Voor het eerst een ja.
Woensdag,' zei ze. 'Goed.'
'Woensdag in Kenilworth Green.' Hij herhaalde het telkens weer. En toen liet hij haar de tijd zien op zijn mobieltje. Er stond 19:31. 'Zelfde tijd?'
Nog een knikje. 'Zelfde tijd, woensdag.'
'Kenilworth Green.'
Ze stond op, keek hem in de ogen en maakte een buiginkje. Hij vond het betoverend. 'Wil je me een kus geven, Tijgerlelie?' Hij tuitte zijn lippen alsof hij wilde kussen.
Ze schudde heftig van nee, wendde snel haar gezicht af en glipte haastig de deur uit.

Nou, hij zou toch zeker niet willen trouwen met een vrouw die de eerste keer dat ze een man ontmoette met hem begon te kussen. Trouwen? Dat woord deed hem terugdeinzen. Hij vroeg zich af hoe zijn ouders zouden reageren als hij plotseling met een Chinese echtgenote voor de deur stond. Maar hij stond daar toch zeker nooit voor de deur? Waarschijnlijk zouden zijn ouders zijn vrouw nooit te zien krijgen. Ze hoefden niet eens te weten dat hij was getrouwd. Hij ging voor het raam staan. Het begon donker te worden. Tijgerlelies vader had zijn koplampen aan toen hij Kenilworth Avenue op draaide. Het andere meisje stapte als eerste uit. Zo te zien was ze jaren ouder dan Tijgerlelie. Zou Tijgerlelie aan een gearrangeerd huwelijk willen ontsnappen? Hij had niet geweten dat Chinezen moslims waren. Maar in andere landen en religies zouden natuurlijk ook wel gearrangeerde huwelijken voorkomen. Waarom wilde ze een vals paspoort? Had haar vader haar paspoort soms in zijn bezit en wilde hij het haar niet geven?
Natuurlijk was er geen enkele manier waarop hij haar een paspoort kon bezorgen. Hij zou niet weten waar te beginnen. Maar hij kon wel met haar trouwen. Dan zou ze toch wel een nieuw paspoort kunnen krijgen? Het drong tot hem door dat ze hem niet had verteld hoe ze heette. Dat zou het eerste zijn wat hij haar woensdag zou vragen. En had hij nou tegen haar gezegd dat ze na hun ontmoeting op Kenilworth Green nooit meer terug zou hoeven naar Springmead? Misschien had hij dat wel gezegd. Dat moest wel. Die gedachte bezorgde hem een ongemakkelijk gevoel, en hij huiverde. Plotseling dacht hij aan de verantwoordelijkheid die hij op zijn schouders nam. Aan de beslissingen die hij zou moeten nemen en wat dat allemaal zou gaan kosten, want hij zou niet met haar terug kunnen gaan naar zijn flat. Ze zouden ergens anders heen moeten. Naar een hotel? En wat dan? Naar een ambtenaar van de burgerlijke stand gaan, hun namen opgeven en een datum prikken voor het huwelijk? Maar wat zou het heerlijk zijn om alleen met haar in een hotel te zitten, waar ze niets te vrezen hadden van haar vader, en dan veilig en rustig samen met haar iets te eten, en samen champagne te drinken, zoals die twee oude mensen boven nu wel zouden doen, en dan samen de trap op te lopen, naar hun kamer toe...

15

'Ik heb nooit een eigen huis willen hebben,' zei Marius. 'Volgens mij kwam dat omdat ik alleen woon, maar als je met zijn tweeën bent, kan het veel betekenen om een eigen huis te hebben. Al gaat het maar om het idee. En dan moet het ook een écht huis zijn, en geen appartement. Zelfs al is het maar een heel klein huisje.'
'Dat zou het ook wel moeten zijn, lieverd, want een herenhuis kunnen we niet betalen.'
'Zou je erover willen denken om samen met mij een echt huis te kopen?'
'Daar denk ik al over,' zei Rose. 'Wil je soms wat granaatappelthee? Het heeft een heel mooie kleur, felroze, en het is heel zoet, maar ik ben bang dat er suiker in zit. Weet je nog dat er in de tijd dat jij en ik elkaar voor het eerst hebben ontmoet, een heleboel mensen waren die zeiden dat suiker vergif was? Iemand noemde het zelfs "de witte dood".'
Marius moest lachen en zei: 'Ja, maar toch is er volgens mij van een beetje suiker nog nooit iemand doodgegaan. Ik vind suiker gewoon veel beter smaken dan aspartaam of hoe het ook heten mag. En jij en ik worden toch nooit dik. Wil je met me trouwen Rose, mijn lieve Rose?'
'Vroeger was dat tegen mijn principes en volgens mij zijn die niet veranderd. Ik weet zeker dat het vroeger ook tegen jouw principes was.'
'Inderdaad, maar toch kunnen we volgens mij maar beter trouwen. Als we eenmaal ons eigen huis hebben, zullen we de langstlevende moeten beschermen tegen de successierechtenheffing.'
'O, Marius. Ik wil jou niet overleven. Maar ik wil ook niet als eerste doodgaan zodat jij eenzaam en alleen achterblijft.'
'Het is een dilemma, hè?'
'Laat de sortes maar beslissen, lieverd.'
'... zo'n prachtig paar/ door blijde huwelijksband verbonden,' las Marius.
'Nou, dat pleit duidelijk voor een huwelijk, vind je niet?'
'Ik heb vals gespeeld,' zei hij. 'Ik wist precies waar ik dat moest zoeken.'
Aan Wally Scurlock hadden ze niets gedaan, behalve dan hem in de gaten houden. Ze waren twee keer naar het kerkhof van St. Ebba's Church gelopen. Maar

beide keren was Wally daar niet geweest en het enige wat hen was opgevallen, was dat een enkel graf goed onderhouden was terwijl de rest vervallen was, en overwoekerd met onkruid.

Sophies hart leek een tel over te slaan en plotseling voelde haar keel droog aan. De geldautomaat had zojuist gemeld dat er onvoldoende saldo op Olwens rekening stond om vijftig pond te kunnen opnemen. Ze was er als vanzelf van uitgegaan dat Olwen ruim voldoende geld had, en dat haar rekening een min of meer onuitputtelijke bron vormde. Daar ging ze bij alle 'grote mensen' van uit, want hoewel Sophie negentien was, een leeftijd waarop haar grootmoeder al twee keer een kind had gebaard, beschouwde ze zichzelf weliswaar niet meer als kind, maar wel als een tiener zonder verantwoordelijkheden of bezittingen. Ze was jong en daarom zonder zorgen, onsterfelijk en vrij. Dat was in elk geval hoe ze tot op dit moment over zichzelf en haar omstandigheden had gedacht.
Het was half mei en hoewel Sophie weinig benul had van financiële zaken, was ze zich er op de een of andere manier wel van bewust dat de meeste salarissen, pensioenen en andere bronnen van inkomsten worden uitbetaald aan het einde van de maand. Olwen mocht dan, zoals Noor zei, niet al haar rijstplantjes goed op één rij hebben staan, maar ze zou wel weten hoeveel geld er zo ongeveer op haar rekening moest staan. Over het algemeen wisten mensen dat wel, dacht Sophie, die nu werkelijk in paniek begon te raken.
Met lege handen liep ze weg en ging op het lage muurtje om het parkeerterrein van de supermarkt zitten. Haar eigen bankrekening zou er beter aan toe zijn dan lange tijd het geval was geweest. Het restant van haar beurs stond er nog op, plus het geld dat papa en mama als verjaarscadeautje hadden gestort. Maar wat de bedragen betrof die ze gestaag van Olwens rekening had afgeroomd, had ze de regel dat ze elke keer maar tien pond voor zichzelf opnam allang laten varen. Eerst was het die veertig pond geweest die ze Noor nog schuldig was. En daarna, omdat het echt heel stom was van Olwen om te denken dat tien pond per keer voldoende was – die ouwe mensen hadden er geen benul van hoe duur het leven tegenwoordig was – had ze twee keer twintig pond opgenomen, en één keer dertig. Pas op dit moment drong het tot haar door dat de steeds grotere bedragen die ze had opgenomen, verantwoordelijk waren voor de penibele situatie waarin ze zich nu bevond.
Het geld dat ze had opgenomen, was allang verdwenen. Ze had het terloops uitgegeven; aan kleren, aan nieuwe cd's, en aan een heel mooie, saffierblauwe iPod. Maar zonder gin en wodka kon ze niet bij Olwen aankomen. Met grote tegenzin stond ze op, liep naar de geldautomaat en nam dertig pond op van haar eigen bankrekening.
De kinderen van Kenilworth Primairy School Avenue holden schreeuwend en

gillend over het speelterrein. De jongens schreeuwden en de meisjes gilden. De man die als huismeester in de flat werkte, was op het kerkhof en was druk in de weer bij een graf. Sophie dacht dat ze Noor en Molly maar eens moest vertellen dat hij een vampier was, die lijken opgroef en het bloed eruit zoog. Noor, die heel bijgelovig was, zou ze daarmee misschien echt wel de stuipen op het lijf jagen. De huismeester keek nu niet meer naar wat hij aan het doen was, maar zat naar de kinderen te kijken. Waarschijnlijk was hij van plan om er een te grijpen en die leeg te zuigen, dacht Sophie, die geboeid begon te raken door haar eigen verzinsels.
Vijf minuten nadat Sophie had aangebeld, liet Olwen haar binnen. Ze liep tegenwoordig steeds langzamer, en moest zich vasthouden aan alles wat ze maar kon vastgrijpen, en veel was dat niet. Olwen had gevraagd of Sophie een heel gesneden wit en wat voorgesneden salami wilde meenemen. Olwen had geen honger, dat had ze nooit, maar ze dacht dat dat nieuwe gevoel van misselijkheid en die hevige pijnscheuten in haar maag misschien wel veroorzaakt werden door voedselgebrek.
'Hoe gaat het met u?' vroeg Sophie, een vraag die voortkwam uit haar slechte geweten. 'Voelt u zich al wat beter?'
'Eigenlijk niet,' zei Olwen.
'Wilt u dat ik een boterham voor u smeer?'
Olwen herhaalde haar vaste refrein en nadat Sophie achteruit naar buiten was geschuifeld, werd de deur in haar gezicht dichtgeslagen.

Stuart had wat reacties ontvangen op zijn sollicitatiebrieven. Het waren zonder uitzondering afwijzingen, sommige beleefd, sommige kortaf. Een heleboel bedrijven reageerden eenvoudigweg niet. April was inmiddels voorbij en hij was nog steeds geen stap dichter bij een nieuwe baan en een mogelijkheid om aan geld te komen. Hij ging achter de computer zitten en tuurde naar het lege scherm.
Het gedruis van de stofzuiger ergerde hem, maar afgezien daarvan merkte hij Molly's aanwezigheid nauwelijks op. Hij werd volkomen in beslag genomen door het plannen maken. Hoe hij Tijgerlelie ook zou 'redden', hij moest haar die woensdagavond toch ergens mee naartoe zien te nemen. Haar terugbrengen naar de flat zou onmogelijk zijn. Ze moesten ergens heen waar haar vader, en misschien ook de rest van de familie, hen nooit zou zoeken. Het soort hotel dat hij oorspronkelijk in gedachten had gehad, zou wat dat betreft niet aan de eisen voldoen. Het moest een of ander niet te duur hotel in een van de voorsteden zijn. En een reden daarvoor was dat hij een beetje op de kosten zou moeten letten. Onwillekeurig dacht hij bij zichzelf hoeveel eenvoudiger dit allemaal zou zijn als Tijgerlelie wat beter Engels sprak, zodat hij zou weten waarvoor ze ei-

genlijk zo bang was en wat ze wilde… behalve dan bij hem zijn. Want hij was er behoorlijk zeker van dat ze dat wilde.
Zouden er zulke hotels in de buurt zijn? Waarschijnlijk wel, maar hij wist niet waar. Vanuit de taxi's waarin hij Claudia het hof had gemaakt, had hij een groot oud hotel gezien in Cricklewood, dat ooit een pub was geweest maar inmiddels helemaal opnieuw was ingericht, en een ander, nieuw hotel in Kilburn, aan de rand van Maida Vale. Hij zou een kamer moeten nemen in een van die twee, en daarna zou hij moeten beslissen of hij wel of niet met haar wilde trouwen. Het was een grote stap, maar waar zou hij een liever en mooier meisje vinden? Het zou een goede daad zijn om met haar te trouwen, want dat was ongetwijfeld wat ze wilde. Stuart gaf tegenover zichzelf toe dat hij niet wist hoe je eigenlijk aan een paspoort kwam. Natuurlijk had hij er zelf een, hij was een Engelsman, dus dat leverde geen problemen op. En als een buitenlands meisje met zo'n rasechte jongen met Britse ouders trouwde, zou zij dan automatisch ook Engelse worden? Een Brits staatsburger en onderdaan van de koningin, met een mooi donkerrood Brits paspoort? Om de een of andere reden dacht hij dat het toch wat minder eenvoudig zou zijn. Er zat meer aan vast. Maar ze zou toch zeker wel een verblijfsvergunning krijgen? Dat moest hij opzoeken op internet. En als hij dat gedaan had, moest hij ergens een ambtenaar van de burgerlijke stand zien te vinden en… tja, hun namen opgeven. Maar eigenlijk wist hij haar naam niet. Als ze elkaar woensdagavond om halfacht zouden ontmoeten op Kenilworth Green zou hij haar meteen vragen hoe ze heette. Zodra ze eenmaal met hem getrouwd was, kon ze niet gedwongen worden om met iemand anders te trouwen. Dat wist hij in elk geval wel zeker.
Hij tuurde naar de computer en googelde 'paspoorten'. Molly was inmiddels klaar met stofzuigen en stond nu achter hem om te vragen of hij soms een cappuccino wilde.
'Weet je, eigenlijk heb ik een beetje genoeg van al die cappuccino. Ik ga weer over op warme chocolademelk.'
'We hebben niet veel melk in huis, maar ik kan even naar de winkel lopen om wat te halen.'
'Doe dat maar,' zei Stuart, en verstrooid voegde hij daaraan toe: 'Brave meid.'

Molly, die eigenlijk op de universiteit hoorde te zijn, stond in de rij in de winkel van meneer Ali toen Carl belde. Dat was al de derde keer die ochtend.
'Er is iemand anders, hè?'
'En wat dan nog, Carl? We zijn per slot van rekening niet verloofd of zo.'
'Jij misschien niet, meid, maar ik wel.'
'O, schiet op. Verloofd zijn kun je alleen maar met z'n tweeën.'
'Het is die Stuart, hè? Die jongen van dat feestje.'

'En wat dan nog, Carl?' Ze was nu de eerste in de rij. Ze verbrak de verbinding en rekende af. Op de terugweg kwam ze Katie Constantine tegen.
'Weet je dat er twee flats in Lichfield House te koop worden aangeboden?'
'Welke twee?' Stel nou eens dat Stuart ging verhuizen en het niet de moeite waard had gevonden om haar dat te vertellen? 'Toch niet Stuart Font?'
'Voor zover ik weet niet, nee,' zei Katie. 'Ik heb het van meneer Yeardon van de overkant.' Ze maakte een vaag wuivend handgebaar. 'Vreemd toch, dat je zoiets moet horen van iemand die hier niet eens woont, vind je niet?'
'Ja, maar om wie gaat het nou?'
'Nummer 2 en nummer 3. Dat zijn Marius en Rose. Michael zegt dat ze van geluk mogen spreken als ze die flats nu kwijtraken, met de kredietcrisis.'
Molly was blij dat ze een nieuwtje had voor Stuart, maar het leek hem maar matig te kunnen boeien. Hij was druk bezig op de computer en printte het ene lange artikel na het andere uit. Een paar minuten lang bleef ze verdrietig achter hem staan, en toen ging ze zijn lege mok maar afwassen.
Stuart had inmiddels een heleboel websites ontdekt met informatie over een huwelijk met een Brits staatsburger en het recht op een paspoort of verblijfsvergunning. Zo te zien was alles prima in orde als je vóór 1949 met die Britse staatsburger was getrouwd, maar in dat geval zou je nu zelf minstens tachtig moeten zijn. 1 januari 1983 was zo te zien ook een belangrijke datum, al wist hij niet waarom. Het enige wat hem duidelijk was, was dat Tijgerlelie door alleen maar met hem te trouwen nog geen Brits staatsburger zou worden, en dus ook geen Brits paspoort zou krijgen. Maar van de andere kant bekeken, stel nou eens dat ze inderdaad uit Hongkong kwam? Had Hongkong niet ooit deel uitgemaakt van het Gemenebest? Zijn vader zou dat wel weten, maar die wilde hij het niet vragen.
Het was een mooie dag, al waaide het nogal. Terwijl Molly hem vanachter het raam nakeek ging hij even een ommetje maken om over dit alles na te denken. Frisse lucht – of liever gezegd de naar dieselolie ruikende walm die hier voor frisse lucht doorging – kon je een helder hoofd bezorgen, en terwijl Stuart door het draaihekje Kenilworth Green op liep, merkte hij dat hij inderdaad wat helderder van geest werd. Uit al dat geneuzel was inmiddels één duidelijk feit omhooggekomen: trouwen met Tijgerlelie zou haar niet aan een paspoort helpen. Ze zou zelf het ministerie van Binnenlandse Zaken moeten bellen om te vragen wat ze daarvoor moest doen, een procedure die ongetwijfeld zou inhouden dat ze minstens drie kwartier in de wacht gezet zou worden en het 'Largo' van Händel zou moeten aanhoren. Door met hem te trouwen zou ze dat niet kunnen omzeilen. Al hield hij zichzelf nog zozeer voor dat hij Tijgerlelie erg leuk en aantrekkelijk vond, toch voelde hij zich onwillekeurig opgelucht dat hij niet met haar zou hoeven trouwen. Hij hoefde haar vanavond alleen maar mee te

nemen naar een hotel en haar verborgen houden voor haar familie, en vervolgens zou hij dan ergens een plek moeten zien te vinden waar ze samen hun intrek konden nemen. Misschien zou hij een flat moeten huren aan de andere kant van Londen, terwijl hij zijn appartement in Lichfield House aan iemand anders verhuurde. Op die manier zou het allemaal niet al te veel in de papieren gaan lopen.

Hij ging op een bankje onder de bloeiende kastanjebomen zitten en gaf zich over aan verrukkelijke fantasieën: Tijgerlelie en hij die naast elkaar tv zaten te kijken, zij met haar hand in de zijne; hij die aan de computer zat terwijl Tijgerlelie een heerlijke Chinese maaltijd kookte; Tijgerlelie die hem op een op Chinese wijze gelakt dienblaadje een glas gekoelde witte wijn kwam brengen, of misschien wel champagne, en daarmee voor hem neerknielde, net zoals de geisha op die foto; Tijgerlelie en hij die in elkaars armen lagen in een groot, wit bed.

De wind blies appel- en kastanjebloesems op het gras, zodat het leek of het sneeuwde. Hij herinnerde zich dat er sneeuw op de grond had gelegen toen hij haar voor het eerst had gezien. Ze was het mooiste meisje dat hij ooit had gezien en het zou nu niet lang meer duren voordat ze de zijne was. Maar gelukkig niet zijn echtgenote.

16

De politie was nooit gekomen. Ze hadden hem niet gebeld. Dat moest wel betekenen dat de vrouw die op afstand net een klein meisje had geleken – maar met haar gerimpelde gezicht niet het soort kleine meisje dat hij aantrekkelijk vond – niet naar de politie was gestapt. En belangrijker nog, Rose Preston-Jones, die hem kende, was al evenmin naar de politie gestapt. En Rose ging binnenkort verhuizen. Niet dat ze de moeite had genomen om hém dat te vertellen natuurlijk. Hij was per slot van rekening alleen maar de huismeester, alleen maar degene die verantwoordelijk was voor het welzijn van iedereen in deze vier flats. Maar hij had een advertentie zien hangen in de etalage van de makelaar die zojuist zijn deuren had geopend in het pand waar vroeger de slijterij had gezeten. In die advertentie werd niet alleen haar appartement te koop aangeboden, maar ook het appartement van Marius Potter.
Zo te zien was hij veilig. In de toekomst zou hij voorzichtiger zijn. Hij kon maar beter thuisblijven, in elk geval voorlopig, en zodra Richenda de deur uit ging om schoonmaakwerk te doen, kon hij dan zijn favoriete websites bezoeken. Zodra ze weg was, schroefde hij de bouten los en tilde zijn Toshiba uit de ruimte onder het bad. Hij was blij dat hij het ding destijds niet in het Regent's Canal had gedumpt. Zeer met zichzelf ingenomen en vergenoegd over het feit dat hij zo mooi aan die nare wijven had weten te ontkomen, deed hij iets waar hij al lange tijd naar verlangd had: hij printte de mooiste foto's uit, zat er een minuut of tien peinzend naar te kijken en borg ze toen weg op de plek waar hij eerst de computer had verstopt.

Die woensdagochtend wandelde hij om vijf voor halfelf naar de overkant van de straat, waar het huis van zijn nieuwe vriend stond. Duncan Yeardon en hij hadden elkaar ontmoet in de supermarkt en waren aan de praat geraakt. Ze hadden herinneringen opgehaald aan dat feestje van Stuart, en Duncan had hem uitgenodigd om een kopje koffie te komen drinken en naar zijn nieuwe schilderwerk te kijken.
De koffie was slap en had qua smaak en substantie nog het meeste weg van de jus die Richenda altijd maakte met een heel goedkoop merk juspoeder. Wally

at een mariakaakje en merkte op dat Duncan zijn huis erg warm stookte.
'Dat doe ik niet,' zei Duncan. 'De verwarming staat al wekenlang uit. Het ligt aan de isolatie. Dit huis is geweldig goed geïsoleerd.'
Wally zat naar Duncans krant te kijken, die opengeslagen op de armleuning van een stoel lag, want er stond een artikel in over een man die in Thailand kinderen had misbruikt en die honderden websites met kinderporno had bezocht. Er stond een foto bij van de politie die zijn computer weghaalde terwijl de van misbruik beschuldigde man erbij stond en met zijn handen door zijn tot op zijn schouders hangende haar woelde. Wally wilde er niet over praten en leverde commentaar op de fraaie achtertuin van zijn gastheer, die zichtbaar was door de wijd openstaande tuindeuren toen Duncan zei: 'Van die kerels word ik echt misselijk. Weet je wat ik met die lui zou doen? Ik zou hun ballen… Nou ja, ik zou ze castreren, net als dieren.'
Wally wist dat hij nu instemmende geluiden moest laten horen, maar om de een of andere reden kon hij dat niet opbrengen.
'Kindermisbruik is natuurlijk slecht, het is verschrikkelijk, maar filmpjes kijken kan toch zeker geen kwaad? Het is niet echt. Het zijn toch alleen maar filmpjes?'
Hij was stomverbaasd toen hij hoorde wat Duncan daarop te zeggen had.
'Alleen maar filmpjes, zeg je? Maar hoe denk je dat die filmpjes gemaakt worden? Daar zijn toch zeker echte kinderen voor nodig geweest?' Duncans stem sloeg over van verontwaardiging. 'Waarschijnlijk zijn die kinderen het slachtoffer van mensenhandel. Kinderen die in slavernij leven en die gedwongen worden om dat allemaal te doen.'
'Kalm aan,' zei Wally, en hij voegde daaraan toe: 'Je hoeft niet boos op mij te worden. Ik heb die smerige filmpjes niet gemaakt.'
Duncan kwam inderdaad weer tot rust. 'Smerig, dat is het juiste woord,' zei hij verdrietig. 'Ik vraag me af hoeveel van die kinderen doodgaan als er zulke dingen met hen uitgespookt worden. Dat vraag ik me af.'
Daarna was Wally niet lang meer gebleven. Hij wilde in het vervolg niets meer met Duncan Yeardon te maken hebben. De man had hem opnieuw een kwetsbaar en angstig gevoel bezorgd. Zou het waar zijn dat die kinderen werden gedwongen dat allemaal te doen? Er waren genoeg mensen die geloofden dat kinderen van seks genoten, en daar net zo verzot op waren als volwassenen. En die films konden toch ook met computers gemaakt zijn? Het echt sadistische werk, de wrede martelingen, die konden gewoon niet echt zijn, die moesten wel gemaakt zijn van stukjes film die op de een of andere manier met elkaar gemixt waren op een computer. Wally wist niet hoe, maar het zou wel net zo gaan als in die reclamespotjes met dansende hondjes en zingende konijnen. Dat waren geen echte dieren, en ernaar kijken was gewoon een onschuldig genoegen.

Michael Constantine was iets gaan drinken met zijn redacteur. Die man, iets tussen een kennis en een vriend in, was degene die hem dit werk had bezorgd. Als hij op dit moment in de gratie zou zijn geweest, had de redacteur hem uitgenodigd voor de lunch, dat realiseerde Michael zich terdege. Maar nu praatte de man over verschillende problemen die zich hadden voorgedaan; zoals het grote aantal mailtjes dat de krant had ontvangen waarin werd gewezen op tegenstrijdigheden tussen verschillende artikelen die Michael had geschreven. De afgelopen tijd waren er ook beledigende en minachtende tweets ontvangen.
'Een beetje ophef is toch alleen maar goed?' zei Michael terwijl hij met zijn tweede gin-tonic bezig was. 'Meningsverschillen, discussie en zo. Een heleboel van dit gedoe is per slot van rekening alleen maar een mening. Wat ik schrijf is míjn mening. Het gaat hier niet om fouten.'
'Nou, eigenlijk gaat het wél om fouten,' zei de redacteur, die tussen de middag altijd alleen maar water dronk. 'In dat artikel van jou over zonnepanelen, met de kop "Sterk spul", wek je de indruk dat je niet weet wat het verschil is tussen een kilowatt en een kilowattuur. Kennelijk heeft dat te maken met het verschil tussen arbeidsvermogen en energie.'
Michael zei niets.
'Zo'n foutje valt nog wel te begrijpen. Dat snap ik ook wel. Maar in hetzelfde artikel verklaar je dat zonnepanelen het dak van een huis zo warm kunnen maken dat er geen sneeuw op blijft liggen. Nou, dat heb je toch zeker gewoon uit je duim gezogen?'
Michael herinnerde zich dat hij dat brokje informatie van Marius Potter had gekregen, die had gegrinnikt toen hij dat zei, alsof hij dat... tja, gewoon uit zijn duim had gezogen. 'Het spijt me. Ik zal mijn dag wel niet hebben gehad.'
De redacteur lachte hartelijk om zijn woorden wat minder pijnlijk te maken. 'Zorg dat het niet nog een keer gebeurt, wil je?'

Stuart kreeg de indruk dat Molly tegenwoordig altijd bij hem thuis zat, minstens een paar uur per dag. Hoewel dat helemaal niets voor hem was, had hij een paar keer geprobeerd van haar af te komen door haar eraan te herinneren dat ze te veel colleges oversloeg, en gezegd dat hij zich daar zorgen om maakte. Ze zei dan altijd dat ze op weg was naar college, maar dat ze even 'langswipte' om de een of andere absoluut noodzakelijke taak te verrichten.
'Ik vind het prettig als alles bij jou er goed uitziet,' zei ze, en ze glimlachte en hield haar gezicht te dicht bij het zijne.
De afgelopen paar weken had hij helemaal niets zelf hoeven doen. Hij had zelfs geen mok van de vloer hoeven oprapen, en geen asbak hoeven legen. Eén keer had ze er iets van gezegd dat hij zo veel rookte, maar daar was ze meteen mee opgehouden toen ze zag dat zijn gezicht betrok, en toen hij haar het pakje voor-

hield, had ze er zelf een opgestoken. Ze maakte zijn bed op en verschoonde de lakens, maakte het bad schoon en gaf de tegels van de douchecel een sopje, zette de vloeren in de was en zeemde de ramen. Eén keer, nadat ze zijn kleren van de stomerij had gehaald, had hij in een opwelling gezegd: 'Ik weet niet wat ik zonder jou zou moeten beginnen', maar haar plotseling felrode wangen en de verzadigde blik in haar ogen hadden hem erop gewezen dat hij zoiets nooit meer moest doen. Als onbezoldigd huishoudster was ze van onschatbare waarde, maar haar aanwezigheid in zijn flat had ook nadelen. Hij vond het niet prettig dat ze bij hem thuis rondhing terwijl hij zich omkleedde, zelfs al deed hij daarvoor altijd de deur van zijn slaapkamer dicht. Het hield in dat hij een kamerjas moest aantrekken als hij naar het toilet wilde, en als hij dat dan deed, stond zij net bleekwater in de toiletpot te gieten.

'Je kunt maar beter weer eens gaan, Molly,' zei hij, maar dat haalde niet veel uit.

'Eerst nog even de theedoeken strijken.'

Zelfs zijn moeder streek de theedoeken niet. Hij zocht zijn kleren zorgvuldig uit en trok een sneeuwwit overhemd aan, versgewassen door Molly, een zwarte pantalon van ruw gesponnen zijde, en een blauw spijkerjasje dat hij nog maar kortgeleden in Hampstead had gekocht. Toen hij zijn slaapkamer uit kwam, vroeg Molly hem of hij soms iets leuks ging doen.

'Een date,' zei Stuart.

'Veel plezier,' zei Molly met een grafstem.

Als een dienstmeisje hield ze de deur voor hem open. Hij gaf haar een snelle kus op haar wang, de eerste keer dat hij haar ooit had aangeraakt. Maar ze moest toch op de een of andere manier beloond worden voor alles wat ze voor hem deed, het arme ding. Hij glimlachte peinzend en schudde zijn hoofd terwijl iemand door de automatische schuifdeuren naar buiten liep. Wie het ook mocht zijn, het was geen bekende. Stuart had een blauw koffertje bij zich van het zachtste en soepelste leer, in een kleur blauw die deed denken aan die van een zomeravond vlak voor zonsondergang. Er zat ondergoed in, een schoon overhemd, een tandenborstel, een scheermes en verschillende andere spullen die je dagelijks nodig hebt. Een paar uur geleden had hij het Crown Hotel in Cricklewood gebeld en daar een tweepersoonskamer geboekt voor Tijgerlelie en zichzelf.

Hij zag echter niet zo verlangend uit naar de komende ontmoeting als hij had verwacht, want hij had zich gerealiseerd dat ze waarschijnlijk een vals paspoort van hem zou willen hebben. Als je er even over nadacht, lag dat voor de hand en Stuart had helemaal geen zin om de wet te breken. En nog afgezien daarvan zou hij niet weten hoe je aan een vals paspoort moest komen. Was dat niet net zoiets als een pistool kopen? Dan ging je naar een café ergens in een wijk als Brixton of Harlesden, en dan zorgde je dat je in gesprek raakte met dubieuze

types totdat een van hen je aanbood wat je zocht. Ooit was hem in zo'n kroeg een keer heroïne aangeboden en dat had hem de stuipen op het lijf gejaagd. Nou, hij dacht tenminste dat het heroïne was. De dealer had hem 'the Big H' aangeboden. Moest hij dat allemaal nog eens doormaken? Misschien kon hij daar nu maar beter niet over nadenken. Of moest hij in plaats daarvan misschien even over Claudia nadenken?
De vorige avond had ze hem gebeld. 'Waar zit je?' had hij gezegd, want hij was bang voor Freddy.
'O, hij is er niet. Maak je om Freddy maar niet druk.'
Maar hij maakte zich wel druk om Freddy. Het gesprek was al snel op ruzie uitgelopen. Zij zei dat ze hem beslist moest zien en hij probeerde haar voor de zoveelste keer duidelijk te maken dat het uit was, maar uiteindelijk had hij toch toegestemd, al wist hij dat hij die belofte niet zou kunnen nakomen, en had met haar afgesproken voor vrijdagavond. Vlak voordat hij de rotonde had bereikt, sloeg de klok van St. Ebba's Church zeven uur. Daar, in de tabakszaak, had hij Tijgerlelie voor het eerst gezien. Het was liefde op het eerste gezicht geweest, dacht hij. Maar toch zou het wel prettig zijn geweest als hij eerst wat met haar had kunnen praten en haar mee uit had kunnen vragen, zodat de gebeurtenissen hun normale beloop hadden kunnen nemen. Dan was ze nu misschien wel gewoon bij hem ingetrokken, zodat dat afschuwelijke gedoe met paspoorten en hotels en zich schuilhouden voor haar vader of oom of wie die man dan ook mocht zijn, hem bespaard zou zijn gebleven. En wat Claudia betrof, als die kwam opdagen in het dure restaurant waar hij had gezegd dat ze elkaar zouden treffen, zou hij voor het eerst niet komen opdagen. Misschien zou dát haar wel een lesje leren. Hij wist niet hoe hij het had toen 'Nessun Dorma' weer begon te klinken terwijl hij naar het draaihekje toe liep.
'Waar zit je nu?' zei de stem van Claudia.
Ze moest zijn zucht gehoord hebben. 'Wat doet dat ertoe?'
'Ik wilde alleen maar even zeggen dat ik het restaurant heb gebeld, en dat ze zeiden dat je nog niet gereserveerd had. Ze zeiden dat als je niet reserveert, we daar geen tafeltje kunnen krijgen, dus heb ík het maar gedaan. Op jouw naam natuurlijk. En je hebt me niet gezegd waar je nu zit.'
Hij verbrak de verbinding en zette het mobieltje uit.
Het was nog steeds zo licht dat het wel twaalf uur 's middags leek. De kastanjes en appelbomen hadden zich inmiddels van al hun bloesems ontdaan, zodat die in grote hopen wit en roze op het gras lagen. Na een tijdje ging hij op de schommel zitten terwijl de klok van St. Ebba's Church het halfuur sloeg. Halfacht. De schommel was gemaakt voor mensen die heel wat lichter waren dan hij, en kraakte een beetje. Hij schommelde zachtjes heen en weer en herinnerde zich uit zijn kindertijd dat je je met je tenen op de grond moest afzetten om de

schommel wat hoger te laten gaan. Dat kon hij beter niet doen, want dan kon de ketting knappen. Daarna nog even in de draaimolen. Hij keek op zijn mobieltje om te zien hoe laat het was. Tien over halfacht. Uit welke richting zou ze komen? Door het draaihekje of langs het pad vanuit Chester Grove? Hij liep een eindje over het pad. Er was niemand, helemaal niemand. Toen hij zich omdraaide en terugliep en opnieuw op het grasveld uitkwam, had hij verwacht haar door het draaihekje te zien komen, misschien wat gehaast omdat ze te laat was. Maar het grasveld was nog steeds volkomen verlaten, op een enkel konijn na, dat onder de heg door kwam huppelen, op het gras bleef zitten en aan een stuk onkruid met gele bloemen begon te knabbelen.
Stuart liep terug naar de schommel. Hij kreeg het gevoel dat hij in de gaten werd gehouden, maar toen hij zich omdraaide om naar het kerkhof te kijken, zag hij daar niemand. Het was nog steeds licht, maar tussen de graven en onder de donkere naaldbomen was het nu al bijna donker. Nergens bewoog iets. Hij ging van de schommel af en liep naar de heg. Er was geen reden om ervan uit te gaan dat ze over het kerkhof zou komen, en dan over de heg zou moeten klimmen, maar toch bleef hij daar staan en tuurde in het donker tussen de boomstammen. Het gevoel dat iemand hem in de gaten hield, was nu overweldigend sterk.
Hij was bang, maar wist niet waarvoor. De stilte? De heldere hemel waaruit de zon inmiddels verdwenen was, maar waaraan nu verre sterren zichtbaar waren? De klok van St. Ebba's Church sloeg acht uur en er lag een dreigende klank in de donkere tonen. Een lichte avondwind ruiste door de nieuwe bladeren en de laatste bloesems, zodat er een golf blaadjes op het gras neerregende. Hoe lang zou hij op haar blijven wachten? Nog een halfuur? Het was nu vijf over acht. De onzichtbare ogen waren nog steeds strak op hem gericht. Hij keerde hen de rug toe, liep naar de wip en ging schrijlings op het laagste eind daarvan zitten. Toen hij achter zich een krakend geluid hoorde, alsof iemand op een dode tak was gaan staan, keek hij om. Hij was er zeker van dat zij het was. Tijgerlelie was eindelijk gekomen.

Sophie was de enige die te voet naar de supermarkt was gekomen. Om een beetje in evenwicht te kunnen blijven, had ze het meisje aan de kassa de wodka en de gin in twee aparte tassen laten stoppen. Bij de uitgang van het parkeerterrein stond een lange file, en een bestuurder schreeuwde boos naar haar toen ze haastig vlak voor zijn Honda langs liep. Ze vond het nooit prettig om in het donker langs St. Ebba's Church te lopen. Het kerkhof was dan vol merkwaardig gevormde schaduwen en kleine bewegende dingen. Die kleine bewegende dingen hadden oogjes, dus het waren alleen maar dieren – muizen en eekhoorns en zo, veronderstelde ze – maar toch liep ze er altijd haastig langs, en ook langs het grasveld. Deze keer zag ze echter iets groots tussen de graven lopen en als het al oogjes had, dan lichtten die toch niet groen of geel op. Sophie zette het op een lopen, zodat de plastic tassen wild heen en weer zwaaiden en tegen haar benen stootten, terwijl ze zo hard ze maar kon naar de veiligheid van de rotonde holde.

Olwen dronk net het laatste restje gin op toen Sophie aanbelde. Ze ging op weg naar de voordeur, en omdat alle bewegingen haar tegenwoordig zo enorm veel tijd kostten, zag ze zich genoodzaakt om te roepen dat ze eraan kwam. En bewegen kostte niet alleen veel tijd, maar bezorgde haar ook erge pijn in haar rug, maar vooral ook in haar knieën. Haar benen waren zo rood en opgezwollen dat het zonder haar gebruikelijke ondoorzichtige kousen aan net glimmende rode rolkussens waren. Een rolstoel, die had ze nodig, dacht ze, maar hoe je aan zo'n ding kwam, wie je daarom moest vragen en waar je naartoe moest – ervan uitgaande dat ze in staat was om ergens naartoe te gaan – dat ging haar allemaal boven de pet. Ze wist de deur te bereiken en deed open.
Sophie, jong en gezond, keek haar vol afgrijzen aan. Bij het kerkhof was ze bang geweest, maar dit was een ander soort angst – de angst voor waanzin. Olwen deed haar denken aan een vrouw in een film over vrouwelijke gevangenen in wat destijds nog een gekkenhuis werd genoemd. Ze had hetzelfde misvormde lijf, dezelfde slierten grijs haar, en haar kleren waren inmiddels bijna lompen. Wat haar benen en voeten betrof, Sophie wierp er één blik op en dat was voldoende. Toen ze binnen was en Olwen de twee plastic tassen overhandigde, zei ze wat ze nog minstens twee weken had willen uitstellen, totdat Olwen weer geld op haar rekening gestort kreeg. 'Ik kan dit niet meer doen. Er staat geen geld meer op uw rekening.'
Olwen zei niets.
'Je hebt me toch wel gehoord, Olwen? Ik ga geen boodschappen meer voor je doen. Ik geef er nu mijn eigen geld aan uit,' zei ze. 'Omdat je geen geld hebt, snap je?'
'Eigenlijk niet' zou in dit geval afdoende zijn geweest, maar Olwen zei het niet. Zes maanden geleden, toen ze nog in staat was geweest om bij Wicked Wine haar eigen drank te kopen, had ze redelijk goed geweten hoeveel geld ze had en hoeveel er elke maand werd bijgestort. Inmiddels was dat besef allang vervlogen, en dat gold ook voor haar vermogen om door middel van een simpel aftreksommetje uit te rekenen hoeveel ze nog ongeveer over moest hebben. Ze stond Sophie aan te gapen en terwijl ze zich vastklampte aan de enige stoel in huis, bracht ze langzaam haar hoofd omhoog en liet het weer zakken. Eén enkele knik.
'Oké, als je het maar weet.'
Opnieuw een knik.

Sophie had ooit de verdrietige taak gehad om een vriendin te vertellen dat haar geliefde hond was overreden. Aanvankelijk had die vriendin net zo gereageerd als Olwen, een enkel knikje, alsof ze verdoofd was. De hondenbezitster was kort daarna in tranen uitgebarsten, en Sophie verwachtte iets dergelijks ook van Olwen, maar er gebeurde niets. Wat met zichzelf verlegen bleef ze nog even staan. Ze wist niet wat ze nu moest beginnen. Toen maakte ze de deur open en met de woorden: 'Pas goed op jezelf, hè?' liep ze naar buiten.
Toen ze weer alleen was, dronk Olwen een deel van de gin rechtstreeks uit de fles. Met moeite draaide ze de dop er weer op voordat ze zich achterover in de zachte kussens van de sofa liet vallen.

Er brandde geen licht op Kenilworth Green, maar de bijna vollemaan was tevoorschijn gekomen vanachter het logge schip van de kerk en de kleine, hoekige toren wierp een bleek schijnsel op het gras en de gevallen bloemblaadjes. Michael Constantine, die samen met Katie een avondwandeling maakte, zag in de verte iets wits op het gras. Hij vroeg Katie of zij iets zag liggen.
'Alleen maar bloemen. Zullen we een rondje om het grasveld maken?'
'Ik ga liever naar huis,' zei Michael. 'En dan naar bed. Ik voel me wat somber. Het zal wel een depressie zijn, neem ik aan. Misschien moet ik maar eens een stukje over depressie schrijven.'

17

Wally was erger geschrokken van Duncan Yeardons boze verwijten dan hij zich op het moment zelf had gerealiseerd. De rest van de dag en de halve nacht had hij liggen denken over wat Duncan had gezegd. Dat hij Duncan niet zomaar geloofde, nam het ongemakkelijke gevoel niet weg, en net als een dikke man die zich zorgen maakt over zijn gewicht en chips en chocolade gaat eten om zich weer een beetje op zijn gemak te voelen, liep Wally naar Kenilworth Primary School om zich te troosten met de aanblik van onschuldige, ongedeerde kinderen. Of liever gezegd, hij ging met zijn gebruikelijke tas met tuingereedschap naar het kerkhof en kwam daar net aan toen Kenilworth Avenue vol kwam te staan met auto's van moeders die hun kinderen naar school kwamen brengen. De school ging open om halfnegen en de kinderen holden heen en weer over het speelterrein totdat om negen uur de bel ging en ze naar binnen mochten.

Wally genoot met volle teugen, zonder dat hij door een van de ouders werd opgemerkt. Toen de bel ging en de kinderen naar binnen mochten, liep hij naar het andere graf dat hij zogenaamd onderhield, het graf dat het dichtst bij de heg rondom Kenilworth Green lag. Er was niemand op het grasveld. De kinderen zouden hier blijven tot halfvier als de school uitging, maar Wally had gemerkt dat hij het prettig vond om naar de schommels, de wip en de draaimolen te kijken. Die deden hem aan kleine meisjes denken en dat stimuleerde zijn verbeelding, zodat hij ze bijna voor zich kon zien, met hun rokjes die opwaaiden in de wind. Hij zag ook nog iets anders en hij ging wat dichter bij de heg staan. Het was een lage heg, die bestond uit doornloze struiken, voornamelijk liguster en buxus, en het was niet moeilijk om eroverheen te komen. Wally klom eroverheen en liep angstig naar het lijk op het gras tussen de wip en de carrousel. Het was een man en hij lag op zijn buik. Hij had een blauw spijkerjasje aan en een broek van zwarte zijde, en midden op zijn rug zat een grote, grillig gevormde bloedvlek, meer dan een vlek eigenlijk, het was een grote plas geronnen bloed. Wally deinsde terug, maar misschien was hij toch wat minder geschrokken dan het geval zou zijn geweest bij iemand met een andere levensgeschiedenis. De ervaring die hij had opgedaan in de tijd dat hij als ongediplomeerd hulpverple-

ger had gewerkt, niet meer dan een paar dagen per week, kwam hem nu goed van pas. Hij had wel eerder lijken gezien. Hij had ze zelfs na hun overlijden van de zaal weggereden. En omdat hij nieuwsgierig was geworden en het gezicht van de dode wilde zien, knielde hij neer op het gras, dat nog nat was van de dauw en draaide het lijk om.
Het was nog steeds een knap gezicht, al leek het nu geboetseerd uit perkamentkleurige was. Stuart Fonts lichtblauwe ogen, die nu niet langer straalden, keken hem glazig aan, zonder ook maar iets te zien. Hoewel hij dat niet had verwacht, was Wally enorm geschrokken. Hij voelde zich zelfs een beetje misselijk worden, iets wat hem nooit was overkomen in het ziekenhuis. Hij kon maar beter naar huis gaan; hij moest snel weg hier, en misschien kon hij maar beter nooit meer terugkomen. Het grasveld was nog steeds leeg en verlaten, maar toen hij opstond, zag hij iemand door het draaihekje komen. Het was iemand die een hond aan de lijn had. Rose Preston-Jones? Wally begon dat mens als zijn wraakengel te beschouwen, het tegenovergestelde van een beschermengel. Maar het was Rose niet. Deze vrouw was veel groter van stuk, en de hond was veel groter dan McPhee. Wally draaide zich om, klom over de heg en holde naar de uitgang van het kerkhof.

Toen Molly Richenda's taken overnam, had ze Stuart gesmeekt om een sleutel van zijn flat, en na verloop van tijd had hij haar die gegeven. Op donderdagochtend om acht uur gebruikte ze die sleutel om zichzelf binnen te laten. Ze was zo vroeg omdat ze, nadat ze warme chocolademelk had gemaakt en brood had geroosterd voor het ontbijt, de keuken had opgeruimd en de woonkamer had afgestoft, naar college wilde gaan. Molly had eerst aangebeld, twee keer zelfs. Ze nam aan dat Stuart nog steeds in bed lag en liep op haar tenen de slaapkamer binnen. Een of twee keer eerder had hij ook nog in bed gelegen toen ze kwam, en toen was ze naast zijn bed blijven staan en had ze gedaan wat ze altijd zo heerlijk vond: ze had gekeken hoe hij lag te slapen. Maar deze ochtend lag hij niet in bed. Hij was helemaal niet thuis.
Ze herinnerde zich dat hij de vorige avond had gezegd dat hij een date had. Hij zou de nacht wel hebben doorgebracht met die vrouw, die Claudia, de vrouw van de man die het feest was binnengedrongen en daar al die bedreigingen had geuit.
'Ik hoop maar dat het goed met hem gaat,' zei Molly hardop tegen de stille flat. 'O, ik hoop maar dat hem niets overkomen is.'

'Ik zou mijn praktijk in het Bel Esprit Centre niet willen opgeven,' zei Rose. 'Ik krijg daar meer cliënten dan thuis, en het brengt ook veel meer op.'
Marius nam haar bij de hand waarmee ze McPhee aan de lijn hield. 'En ik zou

niet graag stoppen met mijn bijlessen aan die kinderen in Mill Hill. Nou, dat zou ik eigenlijk best graag willen, maar dat kan ik me niet veroorloven.'

Terwijl ze over Kenilworth Avenue naar de rotonde liepen, overlegden ze over waar ze een huis zouden kopen, of het hier dichtbij zou moeten zijn of juist wat verder weg, in Barnet of Totteridge misschien, als het daar tenminste niet te duur was. Het was een stille, wat grauwe dag, maar warmer dan het tot nu toe geweest was. De bomen waren inmiddels het grootste deel van hun bloesems kwijt, maar de tuinen en bloembakken stonden vol bloemen.

'Ik zou graag een tuin willen hebben,' zei Rose. 'Dat heb ik altijd al gewild, maar ik heb er nooit een gehad omdat ik altijd in een flat heb gewoond.'

'Mijn lieve Rose, een tuin zul je hebben, wat we verder ook zullen moeten missen. Nu Latijn weer bij de eindexamenvakken hoort, word ik rijk.'

Ze hadden inmiddels het grasveld en het draaihekje bereikt. McPhee was er al doorheen, en holde nu los van de lijn over het gras. Rose en Marius liepen langzaam achter hem aan en tuurden naar de overkant van het grasveld, waar de schommels stonden. Het hele gebied was afgezet met rood-wit politielint.

'O, wat zou er gebeurd zijn? Denk je dat een kind een ongeluk heeft gekregen? Soms gaan die kinderen veel te hoog op de schommel.'

'Dan zou de politie echt niet alles afgezet hebben,' zei Marius. 'Nu ik eraan denk, ik heb verschillende politiewagens en politiebusjes op Kenilworth Avenue zien staan.'

'Ik doe McPhee maar weer aan de lijn. Ze zullen het niet op prijs stellen als ik hem hier los laat lopen.'

'Ik denk dat we hier maar beter helemaal weg kunnen gaan.'

En dus liepen ze, tot groot verdriet van het kleine hondje, weer terug langs de weg die ze gekomen waren. In hun afwezigheid waren er twee politieauto's gearriveerd, die voor de flat geparkeerd stonden. De schuifdeuren gingen open om hen te ontvangen. 'Bij jou of bij mij?' vroeg Marius.

Dat was een grapje tussen hen. De afgelopen week hadden ze afwisselend een dag en nacht bij haar en bij hem doorgebracht. Sinds dat bezoek van Rose aan Marius' flat, zijn bekentenis en die van haar, waren ze vrijwel onafscheidelijk geweest.

'Het is jouw beurt.' Rose liet naar de trap. Tot haar verrassing drukte Marius op de liftknop. 'Maar je hebt een fobie,' zei ze.

'Ik hád een fobie. Of ik heb mezelf wijsgemaakt dat ik die had. Maar sinds jij en ik... Nou, ik heb geen liftangst meer. Dankzij jou is die verdwenen, mijn lieve Rose.'

De forsgebouwde hoofdagent-rechercheur met het vollemaansgezicht en de bierbuik, en zijn collega-agent-rechercheur Bashir hadden niemand thuis getroffen, behalve Noor, die na vier of vijf keer bellen uit een diepe slaap was gewekt. Ze stelden haar wat vragen, maar ze wist nergens van. Ze had Stuart sinds het feestje niet meer gezien, ze was nooit op Kenilworth Green geweest, ze was samen met haar vriendje in een club geweest totdat die om vier uur 's ochtends zijn deuren sloot. En mocht ze nu alstublieft weer gaan slapen? Blakelock dacht dat er bij Olwen eveneens niemand thuis was. Ze gingen terug naar nummer 4, en deze keer werd er opengedaan door Marius Potter. Hij vroeg hen binnen en stelde hen voor aan zijn verloofde, een woord dat hij niet graag gebruikte omdat hij dat belachelijk vond voor iemand van zijn leeftijd – maar 'vriendin' zou nog erger zijn geweest.

Geen van beiden wist veel over Stuart Font en ze waren zich er allebei van bewust dat hij weliswaar een vriendelijke en aardige indruk op hen had gemaakt, maar niet het soort persoon was met wie ze bevriend zouden willen zijn, net zomin als hij ooit had laten blijken met hen bevriend te willen zijn. Maar hij had hen wel uitgenodigd op zijn feestje, net als alle andere bewoners van Lichfield House. Marius herinnerde zich dat feestje nog heel goed. Hij herinnerde zich dat er plotseling een man binnen was komen stormen en dreigementen had geuit. Nadat de politie weg was, zonder iets wijzer te zijn geworden, zei hij tegen Rose: 'Toen heb ik de politie gebeld. Weet je dat nog?'

'Ja, ik geloof van wel.'

'Hoe heette die vent ook weer?'

'Freddy en dan nog wat.'

'Denk je dat ik ze dat had moeten vertellen? Had ik die twee politiemensen moeten vertellen dat hij gedreigd heeft Stuart Font te vermoorden?'

'O lieve hemel,' zei Rose. 'Ik weet het niet. Ze krijgen het vast wel te horen van iemand anders die op het feest is geweest.'

'Ik zou het gezegd hebben als ik wist hoe die man heette. Hij heeft ons toch nooit gezegd hoe hij heette?'

'Ik weet heel zeker dat hij dat niet heeft gezegd,' zei Rose.

Michael Constantine had het idee van een artikel over depressie maar laten varen, en toen de politie kwam, was hij net bezig met de allerlaatste, bijtende zin van zijn felle aanklacht tegen het gebruik van cranberrysap als middel tegen blaasontsteking. De enige keer dat hij tot nu toe met de politie te maken had gehad, was toen hij was aangehouden toen hij als tiener met lang haar en piercings door neus en lip in de auto van zijn vader veel te hard had gereden en was aangehouden en gefouilleerd. Wat was het prettig om nu verhoord te worden terwijl hij heel goed wist dat hij volkomen onschuldig was! Katie en hij hadden verteld dat ze gisteravond om halftien een witte gedaante op het gras hadden zien liggen. Dat zou die arme Stuart Font geweest kunnen zijn,

maar misschien was het ook niet meer geweest dan een hoop bloesem.
Er was iemand in de hal toen ze de lift uit stapten. Hij keek naar Blakelock alsof hij zich liefst zo snel mogelijk uit de voeten wilde maken en liep naar de trap, maar Bashir hield hem tegen met een 'Neemt u mij niet kwalijk!' Bashir had een heel luide, dreunende stem.
Politiemensen in burger denken dat ze eruitzien als andere mensen, maar dat is niet zo. Iets aan hun kleding, en hun nadrukkelijk 'gewone' manier van doen, zorgt ervoor dat ze door mensen met een schuldig geweten onmiddellijk herkend worden. Wally wist dat er geen ontkomen aan was. Hij draaide zich om, lachte vriendelijk en zei dat hij de huismeester was en Walter Scurlock heette. Nee, hij wist niets over meneer Font, zei hij, en hij had geen idee hoe laat die de vorige dag de deur uit was gegaan.
'Dat kunt u beter aan mijn vrouw vragen,' zei hij, en daarmee gaf hij haastig de hete aardappel door. 'Ze maakte schoon bij meneer Font. Totdat hij de jongedame van nummer 5 zover kreeg dat ze het gratis voor hem ging doen. Ik zeg mijn vrouw wel dat ze even belt, oké?'
'We komen wel terug als uw vrouw thuis is,' zei Bashir, die aanvoelde dat het niet nodig was om deze vent 'meneer' te noemen. 'Hoe laat is ze thuis?'
Maar Wally wilde hen niet in huis hebben. 'Weet u wat, ze is nu aan het werk in Ludlow House nummer 2. U kunt gewoon aanbellen.'
Voordat ze daarnaartoe gingen, belden ze aan bij Duncan Yeardon en de mensen in Springmead. Duncan was heel behulpzaam. Hij vroeg hen binnen voor een kopje koffie, en dat aanbod werd aangenomen, al was het inmiddels halfvier 's middags. Ja, hij had Stuart goed gekend. Woorden schoten tekort, zei hij, om zijn schrik en verdriet te beschrijven toen hij hoorde dat Stuart was vermoord. 'Het was toch moord, hè?'
Blakelock zei dat de zaak werd behandeld als een onverklaard sterfgeval.
'Ik heb gehoord dat iemand hem in de rug heeft gestoken,' zei Duncan.
Hij besloot dat hij loyaliteit verschuldigd was aan Stuarts nagedachtenis en vertelde de twee rechercheurs niet hoezeer Stuart zich aangetrokken had gevoeld door Tijgerlelie, of hoe graag hij hier was komen koffiedrinken, zodat hij over de schutting naar Tijgerlelie kon kijken. 'Hij heeft laatst een feestje gegeven,' zei hij. 'Een soort housewarmingparty. En toen kwam er plotseling een vent binnenstormen die bedreigingen uitte en zei dat hij hem zou vermoorden omdat hij… Nou, ik zal niet herhalen wat hij letterlijk gezegd heeft – omdat hij iets had uitgespookt met zijn echtgenote, wat hij beter niet had kunnen doen.'
'Wiens echtgenote?'
'De echtgenote van die vent.'
Blakelock schreef iets in zijn opschrijfboekje. 'Weet u hoe die man heette?'
'Nee, dat kan ik helaas niet zeggen,' zei Duncan. 'Ik bedoel dat ik zijn naam niet

ken. Een grote, forsgebouwde vent met een rood aangelopen gezicht. Maar iedereen was er, alle mensen uit de hele flat. Een van hen kan het u vast wel vertellen.'
Daarna was Springmead aan de beurt. Maar hier stak het racisme in de gedachten van Blakelock zijn lelijke kop op. De man die opendeed – of liever gezegd, die niet opendeed, maar die toen ze aanbelden om het huis heengelopen kwam – was duidelijk afkomstig uit Zuidoost-Azië. China? Maleisië? Singapore? Bashir zou het al net zomin kunnen zeggen als Blakelock zelf, maar de hoofdagent besefte dat hij nu moest oppassen. Iets in de behoedzame maar toch agressieve uitdrukking op het gezicht van zijn gesprekspartner maakte hem maar al te duidelijk dat deze korte, gedrongen man met zijn geelbruine huid en zwarte haar onmiddellijk aan de telefoon zou hangen om een klacht in te dienen zodra een van hen ook maar een centimeter over de schreef ging. Dit was een situatie waarin een 'meneer' zeer beslist vereist was.
'Wat kan ik voor u doen?' was het enige wat de man zei, maar dat was al voldoende om een alarmsignaal uit te zenden.
'We wilden alleen maar vragen, meneer, of u iets hebt gehoord over de onverklaarde dood de afgelopen nacht van de heer Stuart Font uit Lichfield House.'
'Ik heb hem nooit ontmoet,' zei de Zuidoost-Aziatische man. 'Ik ken die mensen niet.' Hij had ergens een nuttige uitdrukking opgepikt: 'Hier in huis bemoeien we ons met onze eigen zaken.'
'Daar komen we geen stap verder mee,' zei Blakelock, toen ze weer op straat stonden. 'En dan nu mevrouw Scurlock.'

Richenda was klaar met haar werk in nummer 2 en ging door naar nummer 4. Het eerste wat ze deed, waar ze ook werkte, was de radio aanzetten. Het maakte niet uit welke zender het was, het kon een quiz zijn of een komiek, een hoorspel, klassieke muziek of een pratende econoom. Dat maakte haar allemaal niet uit, als er op de achtergrond maar geluid klonk. Stilte bezorgde haar een ongemakkelijk gevoel. Toen Blakelock en Bashir haar eindelijk hadden gevonden, stond er dan ook een programma over tuinieren op, en een tamelijk iele upperclass stem hield de luisteraars voor dat ze het mis hadden als ze dachten dat er in mei niets te doen viel in de bloembedden.
Zoals gebruikelijk had ze zich voor haar werk gekleed in een minirok, sandalen met hoge hakken en een strak, laag uitgesneden topje, wat tot licht uitpuilende ogen leidde bij de hoofdagent, terwijl de islamitische agent licht terugdeinsde. Ze werd al net zomin een 'mevrouw' waardig geacht als haar man een 'meneer'.
'Ik heb hem goed gekend,' begon ze. 'Ik kan u alles over hem vertellen. Over zijn relatie met die blonde vrouw om te beginnen. Het was echt vuurwerk tussen die twee. Claudia heette ze.'

Blakelock, die zich realiseerde dat hij hier maar weinig vragen hoefde te stellen, ging in een van de leunstoelen zitten en bereidde zich erop voor om te luisteren. Nee, Richenda wist niet hoe Claudia van haar achternaam heette of wat ze deed voor de kost, als dat mens al iets uitvoerde natuurlijk. Een man die zei dat hij haar echtgenoot was, was Stuart Fonts feestje binnengestormd en had hem aangevallen en zijn arm gebroken, en daarna gedreigd hem te vermoorden. Dat was min of meer hetzelfde wat Duncan had verteld, maar die had niets gezegd over een gebroken arm.

'Maar u moet wel weten,' zei Richenda, 'dat Stuart min of meer seksverslaafd was. Hij heeft mij ontslagen zodat een van die meisjes van nummer 5 voor hem kon komen schoonmaken. Maar volgens mij zal het van schoonmaken niet vaak gekomen zijn.'

Voor het onderzoek was dat niet noodzakelijk, maar uit pure fascinatie vroeg Blakelock of Stuart ooit avances naar haar had gemaakt.

'O, hij deed niet anders,' zei Richenda.

De politie had de omgeving van Kenilworth Green nu al urenlang afgezocht naar het steekwapen, maar nergens iets gevonden. Het was nog licht en ze gingen door tot negen uur. Om halfnegen liepen ze het kerkhof op. Daar, schuin tegen een grafzerk niet ver van de heg, stond een grote canvastas met een snoeischaartje, een plantenschepje en een harkje erin. Ze deden alles in een plastic zak en namen dat mee naar de 'moordkamer' die was ingericht in het Bel Esprit Centre.

Daar onderzocht Blakelock de tas en de inhoud daarvan. Om geen aanwijzingen uit te wissen had hij rubberhandschoenen aangetrokken. Er werden vingerafdrukken genomen van de tuingereedschappen. Met een viltstift had iemand in blokletters WS op de buitenkant van de tas geschreven. Blakelock kon die initialen niet onmiddellijk in verband brengen met iemand die hij inmiddels al had gesproken, en nadat hij een tijdlang vruchteloos naar de spullen had zitten kijken, ging hij naar huis en naar bed.

In de kleine uurtjes werd hij wakker en dacht: Walter Scurlock. Toen hij zich in gedachte een beeld probeerde te vormen van degene die die naam droeg, zag hij een man van gemiddelde lengte met een bierbuik, een kaal hoofd en een onopvallend gezicht – in gedachte noemde hij hem 'doodgewoon' – een zenuwachtige man ook. Waarom was die man zo zenuwachtig? En wat had hij daar op het kerkhof uitgespookt?

Als het op dat moment niet drie uur 's ochtends was geweest maar een paar uur later zou Blakelock zijn opgestaan, zich hebben aangekleed en snel naar Lichfield House zijn gereden om deze Walter Scurlock te verhoren. In plaats daarvan bleef hij in bed over de zaak liggen denken. Toen hij opstond, reed hij recht-

streeks naar het Bel Esprit Centre en onderzocht de canvastas nog eens goed, in de hoop daar wijzer van te worden. Maar dat bleek niet het geval. Hij vroeg zich af of Scurlock al eerder in aanraking met de politie was geweest, want in dat geval zouden zijn vingerafdrukken zich in de archieven bevinden, maar eigenlijk maakte dat niet veel uit. Als dit Scurlocks tas was, zouden de tuingereedschappen hoogstwaarschijnlijk ook wel van hem zijn. Jammer genoeg was er geen mes in de tas aangetroffen. Hij werd in zijn gedachtegang gestoord door de komst van een vrouw die er van veraf uitzag als iemand van veertien, maar die van dichterbij eerder een jaar of veertig leek.
Ze stelde zich voor als Amanda Copeland. 'Mijn vriendin Daphne Jessop heeft me verteld dat ze u heeft gemeld dat ze een lijk had gevonden op Kenilworth Green.'
Blakelock knikte. Er had inderdaad een vrouw gebeld met haar mobieltje, die had gezegd dat ze haar hond aan het uitlaten was en dat ze belde omdat er een lijk op het grasveld lag.
'Er was iets wat ze u niet heeft verteld. Ze zei dat ze die man niet in de problemen wilde brengen.'
'Welke man?'
'Ik weet precies wie het was. Ze heeft hem over het lijk gebogen zien staan, maar toen hij haar zag aankomen, ging hij ervandoor.'
En Amanda vertelde alles wat ze maar wist over Wally Scurlock, plus een heleboel wat ze erbij had verzonnen.

18

De vorige avond rond een uur of zeven was het tot Wally doorgedrongen dat hij zijn tas op het kerkhof had laten staan. Het eerste wat bij hem opkwam, was dat die tas daar dan maar moest blijven. Niemand zou met zekerheid kunnen verklaren dat het ding van hem was. Initialen zeiden niets. Er zouden vast duizenden mensen rondlopen met de initialen WS. Maar toch kon hij misschien wel even naar het kerkhof lopen om te kijken of zijn tas er nog stond. Hij zat met lange tanden te eten van de maaltijd die Richenda in heel ouderwets Engels *tea* noemde, al werd er geen thee bij geserveerd en bestond het eten uit een lamsbout met jus uit een pakje, tamelijk harde spruitjes uit de diepvries, en in plaats van gebakken aardappelen sour cream chips uit een plastic zakje.

'Wat is er met jou aan de hand?' vroeg Richenda, die daarmee het verslag van haar gesprek met de twee politiemensen onderbrak. 'Is er iets mis met het eten? Wees maar blij dat je niet zo'n kant-en-klaarmaaltijd krijgt voorgezet.'

Wally reageerde met grote waardigheid. 'Ik heb geen trek,' zei hij. 'Sinds ik het gehoord heb van die arme Stuart, ben ik behoorlijk van slag.'

'Wat raar. Toen hij nog leefde kon je hem niet uitstaan.'

Wally ging er geen ruzie over maken. Later op de avond zei hij dat hij even een luchtje ging scheppen en liep naar de rotonde. Onderweg kwam er een paar keer politie langs, waaronder een busje vol met agenten in uniform, maar toen hij Kenilworth Green bereikte, reed de laatste politieauto net weg.

De plek waar het lijk van Stuart had gelegen, was nog steeds afgezet met politielint, maar op het kerkhof was geen lint te bekennen. Hij liep net het kerkhof binnen toen de kerkklok negen uur sloeg. Waar had hij die tas gelaten? Ergens tegen een grafzerk, niet ver van de heg, meende hij zich te herinneren. Maar misschien ook niet. Misschien had hij hem wel aan de andere kant laten staan, bij het graf dat uitzicht bood op het speelterrein. De tas was nergens te bekennen, maar Wally begon het hele kerkhof systematisch af te zoeken. Hij duwde zelfs de struiken opzij en tastte zoekend rond onder de takken. Toen kwam het bij hem op dat iemand, een kerkganger of koster of zoiets, zijn tas misschien had gevonden en in de kerk neergelegd. Hij verwachtte dat de kerkdeur wel op

slot zou zitten, maar dat bleek niet het geval. De deur van door de jaren heen bijna zwart geworden hout, bezet met zware bronzen spijkers, zwaaide krakend open toen hij ertegen duwde en viel achter hem vrijwel geluidloos dicht.
Het was maar een klein kerkje en het was heel, heel oud. Wally vond dat het dringend een likje verf nodig had, want op een van de muren zaten lichtrode en grijze vlekken die eruitzagen alsof het ooit wandschilderingen waren geweest. Het was er stil en rustig, en het enige licht viel naar binnen door de groenige ruiten vlak bij het dak. Wally had verwacht dat die van gebrandschilderd glas zouden zijn, maar dat bleek niet het geval. Terwijl hij in het schip van de kerk stond en opkeek naar de dakbalken, kreeg hij het gevoel dat hij zich in een kerkje op het platteland bevond, en niet op een halve kilometer afstand van een belangrijke verkeersader in een grote stad. De stilte voelde onnatuurlijk aan en toen hij naar de kansel liep, merkte hij dat hij op zijn tenen liep. Hij was zich sterk bewust van de afwezigheid hier van alles wat leefde, al voelde de stilte niet doods aan, want hij ervaarde een oeroude kracht die in deze kerk hing, een kracht die – al was het dan ontzettend stom om zo te denken – iets veroordelends had, iets wat met een frons op hem neerkeek en hem te kennen gaf, zij het dan niet in woorden, dat hij hier weg moest gaan. Hij was hier niet welkom.
God kon het niet zijn, want hij geloofde niet in God en had ook nooit in Hem geloofd. Maar hij geloofde wel in het bovennatuurlijke, in spoken en boze geesten, en zelfs in demonen. Zoiets zou het wel zijn. Op de tv had hij dingen gezien die in oude kerken leefden of omhoogkwamen uit graven en dan in een donker hoekje stonden te wachten. Doe niet zo dom, hield hij zich voor, en hij keek zoekend om zich heen of hij zijn tas ergens zag liggen, duwde knielkussens opzij en snoof de zoetige, stoffige lucht op. Zijn tas was nergens te vinden, maar dat had hij eigenlijk al geweten voordat hij hier naar binnen ging. Het was hoog tijd om naar buiten te gaan, want de blik was nu niet bedenkelijk meer maar strak en veroordelend; twee onzichtbare ogen leken diep in zijn innerlijk te kijken en dwongen hem hier weg te gaan.
Iemand had zijn tas meegenomen, dat was duidelijk, maar het hoefde niet per se de politie te zijn. Toch moest hij toegeven dat de politie, die de omgeving per slot van rekening had doorzocht, wel het meest waarschijnlijk was. Zou het verstandig van hem zijn om morgenochtend naar het bureau te gaan, zich van den domme te houden en te vragen of ze de tas hadden gevonden die hij op het kerkhof had achtergelaten? Hij wist dat hij daar het lef niet voor had, niet zolang er nog een kans was dat ze niet wisten dat hij de WS van de initialen was. Ze hadden hem gesproken, ze kenden zijn naam. Zouden ze hem met zijn initialen in verband brengen? Terwijl hij in de ondergaande zon naar huis liep, keek hij eerder met angst dan met belangstelling naar het politiebusje en de -auto die voor het Bel Esprit Centre geparkeerd stonden. Er brandde geen licht.

Als hij had geweten dat zijn tas op dat moment al werd voorzien van een bewijsstuknummer, dan zou hij overwogen hebben om in te breken en er met die tas vandoor te gaan. Maar dat wist hij niet, en bovendien had hij toch al het gevoel dat zijn zenuwen elk ogenblik onder de druk konden bezwijken, want nu herinnerde hij zich weer dat iets, een of ander zwijgend wezen, hem in die kerk in de gaten had gehouden.

'Wat ben jij lang weg geweest,' zei Richenda. 'Wat heb je uitgespookt?'

'Ik heb een ommetje gemaakt,' zei Wally.

'Zet het afval maar even buiten voordat je naar bed gaat.'

De zware bakken, een voor papier en karton en een voor blikken en flessen, moesten naar boven gedragen en bij het tuinhek gezet worden.

'Kan het niet tot morgenochtend wachten? Ze moeten er om acht uur zijn, maar ze komen altijd te laat.'

'Maar deze ene keer zijn ze dan uitgerekend wel stipt op tijd, dat zul je altijd zien. Dus zet ze nu maar buiten.'

'Je zou "alsjeblieft" kunnen zeggen.'

'Dat zou ik kunnen doen,' zei Richenda. 'Maar je doet me heus geen gunst hoor. Dat afval is net zo goed van jou als van mij. Er zit zelfs meer van jou bij. Want jij leest the *Sun*, en ik niet.'

Zodra hij er zeker van was dat ze in bed lag en het licht uit was, stapte Wally de badkamer binnen. Hij schroefde de plaat onder het bad los en haalde de uitdraaitjes eruit die hij laatst had gemaakt. Tien velletjes A4, vol verrukkelijke foto's die alleen al als hij ernaar keek, zijn hart sneller deden kloppen. Hij keerde ze om zodat hij naar de blanco achterkant zat te kijken. Ooit, nog niet zo heel lang geleden, zou het heel gemakkelijk zijn geweest om ze te vernietigen, maar nu niet meer. Er waren geen lucifers meer in huis, net zomin als er een kachel of gasfornuis was. En een papierversnipperaar had hij ook al niet. Hij durfde al dat papier niet door de gootsteen te spoelen, omdat hij daarmee de afvoer zou kunnen verstoppen. Dus scheurde hij ze in kleine stukjes en gooide die in de oudpapierbak. Die zou morgen worden opgehaald, zo niet stipt om acht uur, dan toch om een uur of negen.

Hij liep met de afvalbakken naar buiten. Het was donker op straat en nergens was ook maar iemand te bekennen. Ooit had hij een tv-programma gezien waarin een man een kerk binnenging en daar iets zag, en dat ding, wat het dan ook zijn mocht, was hem naar zijn huis gevolgd. Hij schrok toen hij tussen de auto's iets zag bewegen, maar het was dat meisje, Noor, dat uit de Lexus van haar vriendje stapte. Hij mompelde goedenacht tegen haar.

Richenda lag al te slapen. Hij ging naast haar liggen en sliep de hele nacht erg onrustig, tot hij om acht uur 's ochtends werd gewekt door de deurbel. Er werd alleen maar aangebeld als de postbode een pakketje had dat niet in de postvakjes paste, iets wat slechts heel zelden voorkwam. Hij besloot niet te reageren, maar er werd opnieuw gebeld, en deze keer langer. Toen hij opendeed, stonden er twee politiemannen in burger en twee in uniform voor de deur. Plotseling voelden Wally's benen bijna net zo zwak en krachteloos aan als toen hij Rose Preston-Jones met die vrouw met de twee kleine meisjes had zien praten.

Ze kwamen zijn flat binnen, drongen zich langs hem heen, gewoon voor het geval hij hen zou proberen tegen te houden. De twee in burger waren Blakelock en Bashir, en de agenten in uniform heetten Smith en Leach. De eerste paar minuten zeiden ze 'meneer' tegen hem.

'Is dit uw tas, meneer?' Dat was Blakelock.

Wally knikte. Hij knikte iets te enthousiast toen Richenda de kamer binnenkwam met een stel oeroude krulspelden in haar haar. Ze keek eerst naar de tas en toen naar de politiemensen. 'Die is van hem, ja,' zei ze. 'Waar hebben jullie die gevonden?' En zonder op een reactie te wachten, zei ze tegen haar man: 'Je heb me nooit verteld dat je die tas kwijt was.'

Wally gaf geen antwoord. Hij pakte de tas en probeerde zijn rug zo recht mogelijk te houden.

'Die tas houden wij nog een tijdje in bezit, dank u wel,' zei Bashir, en daarna: 'Hebt u het lijk van Stuart Font aangeraakt? Hebt u hem omgedraaid?'

Wally vond dat heel wat minder bedreigend dan dat andere onderwerp waar ze een onderzoek naar zouden kunnen instellen, en hij gaf dan ook meteen toe. Inderdaad, maar hij had geen kwaad in de zin gehad. Hij had niets gedaan.

Daarna kwam de vraag waar hij zo bang voor was geweest.

'Hebt u een computer, meneer?'

'Natuurlijk heeft hij een computer,' zei Richenda.

'Dan moeten we die maar eens bekijken,' zei Blakelock. 'Dat doen we wel tijdens de huiszoeking.'

Richenda zette grote ogen op. 'De huiszoeking?'

'Als u daar toestemming voor geeft,' zei Bashir. 'We kunnen ook een huiszoekingsbevel halen, dus dat komt op hetzelfde neer.'

Wally voelde zich duizelig worden. Dit was echt angst, die op de een of andere manier heel anders was dan de angst voor het bovennatuurlijke die hij gisteravond had gevoeld. Dit was de werkelijkheid. Hij ging in een leunstoel zitten en zakte onderuit. Richenda zei iets tegen hem, maar dat hoorde hij niet. De politiemensen liepen rond door de flat, trokken laden open en keken in de keukenkastjes. Toen ze bij zijn bureau kwamen, zette Bashir de computer aan en vroeg Wally om zijn wachtwoord.

'Dat hoef ik u niet te vertellen,' zei Wally met het laatste restje weerspannigheid dat hij nog wist op te brengen.

'Dan trekken we daar onze conclusies uit, Walter.'

Toen hij bij zijn voornaam werd genoemd, wist Wally dat hij erbij was. 'Barbie,' zei hij.
'Sorry?'
'Dat is mijn wachtwoord, Barbie1.'
Geen commentaar. Wally stond op en liep naar de slaapkamer. In de woonkamer hield hij het niet meer uit. Hij ging op het onopgemaakte bed liggen en duwde zijn gezicht in de kussens, alsof hij op die manier vergetelheid kon vinden. Richenda stond met Blakelock te praten. 'Oud papier' hoorde Wally, en toen zei ze dat dat de vorige avond al was buitengezet, maar dat het nog uren kon duren voordat het werd opgehaald.
De voordeur ging open en dicht. Richenda kwam de slaapkamer binnen en gaf hem een harde ruk aan zijn schouder.
'Sta op. Ik wil het bed opmaken.'
Wally verroerde zich niet.
'Waar zijn ze naar op zoek?'
'Niets. Ik weet het niet.'
'Als het is wat ik denk, halen ze je computer weg, en jou ook. En als je terugkomt, en ik zeg áls, dan ben ik hier niet meer. Het is maar dat je het weet.'

Een uur later lagen Rose en Marius bij Marius thuis nog steeds in bed. Rose werd wakker toen ze een druppelend geluid hoorde. Zou een van hen gisteravond de kraan open hebben laten staan? Ze was altijd heel voorzichtig met zulke dingen, en ze wist zeker dat Marius dat ook was. Ze stond op en dat maakte hem wakker. Marius was 's ochtends nooit slaperig. Ook deze ochtend was hij meteen klaarwakker en had hij onmiddellijk door wat er aan de hand was.
'Er komt water door het plafond.'
Ze stonden allebei op. Marius liep als eerste de woonkamer binnen. Er liep inderdaad water naar binnen, maar in een stroompje onder de deur naar de keuken door terwijl het gedruppel nog steeds te horen viel. Rose was degene die de deur openmaakte. De tegelvloer stond helemaal onder water, dat langzaam steeds hoger kwam te staan door druppels die niet in de gootsteen neerkwamen, maar op het overstromende aanrecht en van daaruit in het meertje op de vloer belandden.
'Het komt uit Olwens flat,' zei Rose. 'Ik weet dat ik soms een beetje dom ben, Marius. Dat weet ik best. Op Stuarts feestje heb ik Michael gevraagd of vrouwen meer ribben hebben dan mannen vanwege Adam en Eva, en ik kon wel zien dat hij me heel dom vond...'
'Ik maak hem af.'
'Ach, soms ben ik gewoon een beetje dommig. Maar wat ik wilde zeggen: weet

je nog wat er gebeurt met die oude man in *Bleak House*? Die is zo vaak dronken dat hij min of meer ontploft – hoe heet het ook weer?'
'Spontane zelfontbranding,' zei Marius lachend.
'En dan smelt hij min of meer. Je denkt toch niet dat Olwen...?'
'Nee. mijn lieve Rose, dat denk ik niet. Dit is water. Ze heeft de kraan open laten staan. Ik bel Scurlock wel even en dan gaan we samen poolshoogte nemen.'
Richenda nam op. Er lag een triomfantelijke klank in haar stem. 'Hij is er niet. De politie heeft hem meegenomen, samen met zijn computer, en een envelop vol met aan stukken gescheurde vieze plaatjes uit de oudpapierbak. Als je hem moet hebben, moet je op het bureau wezen. Ik zie je nog wel.' En met een klap legde ze de hoorn op de haak.
Rose en Marius kleedden zich aan en liepen naar de bovenste verdieping. Ze hadden verwacht dat er water onder de voordeur door zou lopen, maar dat bleek niet het geval. Marius belde aan en toen er geen reactie kwam, belde hij nog eens. Rose trok een van haar schoenen uit en hamerde daarmee op de deur.
'We zullen de deur moeten openbreken.'
'Kun je dat wel? Het ziet er altijd zo eenvoudig uit in die politieseries, maar ik weet niet zeker of het in werkelijkheid ook zo makkelijk is.'
'Ik ben er zeker van dat het helemaal niet zo gemakkelijk is, maar ik kan het proberen.'
Marius probeerde het. Hij nam een aanloop en gaf een harde trap tegen de deur, maar daarmee berokkende hij zichzelf meer schade dan de deur. Terwijl hij een paar stappen achteruit deed, met zijn handen op zijn onderrug, werd op de verdieping onder hen met een klap een deur dichtgeslagen en kwam Michael Constantine de trap op gehold.
'Is haar iets overkomen?'
'God mag het weten,' zei Marius. 'Er komt water naar beneden door het plafond en ze doet niet open.'
'Laat mij het maar eens proberen.'
Marius en Rose hadden allebei wel gezien (zeiden ze achteraf tegen elkaar) dat Michael al bij zijn eerste poging zou slagen, en dat bleek inderdaad het geval. De deur vloog open. Olwen zat op de sofa. Ze probeerde op te staan, maar dat lukte niet. Ze liet zich terugzakken in de smerige rode kussens en keek hem met troebele ogen aan terwijl haar mond half openhing. Marius deed de keukendeur open. Er kwam een golf water doorheen en hij deed haastig de deur weer dicht. Hij trok zijn schoenen en sokken uit, rolde zijn broekspijpen op, waadde de keuken binnen en draaide de koude kraan dicht waaruit een grote straal water in de overvolle gootsteen stroomde.
'We zullen de keuken leeg moeten hozen, Rose, anders stroomt het allemaal weg door de vloer,' zei hij terwijl hij de stop uit de gootsteen trok.

Met z'n drieën begonnen ze te hozen, waarbij ze gebruikmaakten van alles wat maar voorhanden was: een fruitschaal, een vaas en een klein steelpannetje. Olwen had maar weinig pannen in huis, en geen emmers. Het duurde een hele tijd en de laatste paar centimeters moesten met doeken worden opgedweild. Michael maakte een keukenkast open en zag dat die vol met lompen zat. Een daarvan, iets wat ooit een jurk van zwarte stof met gekleurde bloemen erop was geweest, gebruikte Rose om de laatste beetjes water op te dweilen.
'Water, water, overal water, maar nergens iets te drinken,' zei Marius, die daarmee verwees naar 'The Rhime of the Ancient Mariner', en toen ze om zich heen keken, merkten ze op dat ze nergens flessen wodka en gin zagen. Olwen zat naar het raam te staren. Achteraf zei Rose tegen Marius dat de blik op haar gezicht haar deed denken aan zo'n personage in een televisieserie, die naar iets zit te kijken terwijl de kijker aan haar gezicht kan zien dat het iets vreselijks moet zijn. En toen begon Olwen te praten. Het was de langste zin die de drie anderen ooit van haar hadden gehoord.
'Ze klimmen weer tegen het raam op, het zijn er een heleboel, net als in de gootsteen toen ik de kraan opendraaide, maar nu krioelt het er echt van.'
Aan de andere kant van de kamer zei Rose tegen Michael: 'Wat bedoelt ze?' Ze gingen in de nog steeds vochtige keuken staan. 'Wat ziet ze?'
'Geen idee. Maar ik weet wat het is. Ze heeft een "delirium tremens". Dat overkomt alcoholisten soms. Ze krijgen dan hallucinaties van beestjes of mensen of wat dan ook. Ik heb ervan gehoord, maar het nog nooit echt gezien.'
'We moeten iets doen,' zei Marius.
'Ik bel wel een ambulance.' Michael dacht dat hij zijn volgende stukje maar eens aan delirium tremens moest wijden, als waarschuwing aan comazuipende tieners.

Richenda had geen idee wat voor porno Wally had zitten kijken, en het was haar ook niet helemaal duidelijk wat nou wel en niet wettelijk toegestaan was. Maar wat het ook zijn mocht, het was voor haar voldoende om bij hem weg te gaan, iets waar ze al lange tijd over had lopen denken. Ze was niet van plan om ver weg te trekken. Ze werkte zes dagen per week als schoonmaakster in alle vier de flatblokken, verdiende daar goed mee en had besloten hier zelf ook een flat te huren, een studio waarschijnlijk. Er waren er twee in Lichfield House, waarvan er één leegstond.
De makelaar zou pas over een halfuur opengaan. Ze pakte haar twee grootste koffers en propte daar niet alleen al haar kleren in maar ook Wally's camera, haar haardroger en hun radio. De televisie stopte ze weer in de doos waarin die geleverd was, en zette die vervolgens in een boodschappenwagentje dat ze uit de supermarkt had meegenomen. Ze dacht erover om haar voordeursleutel achter

te laten, maar besloot die nog even te houden. Je wist maar nooit hoe die nog van pas kon komen.
Het kostte haar een hoop moeite om al haar spullen de trap op te krijgen, maar na drie keer op en neer stond alles in de gang. Terwijl ze stond te denken wat ze nu zou gaan doen, zag ze de liftdeuren opengaan en twee verplegers met Olwen op een brancard eruit komen. Ze reden haar naar buiten en schoven de brancard achter in de ambulance. Haar spullen liet Richenda maar zolang in de hal staan, maar het boodschappenkarretje en de televisie nam ze mee.
De manager had de zaak net geopend. Hij kende Richenda goed, zou zich zelfs bijna een vriend van haar kunnen noemen, en was met alle genoegen bereid om haar de lege studio in Lichfield House voor zes maanden te verhuren. Richenda gaf hem een cheque voor een fiks deposito en om tien uur had ze er haar intrek genomen. Een halfuur later moest ze aan het werk bij Marius Potter.
'Waar komt al dit water vandaan?'
'Uit de flat hierboven,' zei Marius.
Richenda knikte. 'Vroeg of laat moest dat wel op een ramp uitdraaien, maar ik had nooit gedacht dat het iets met water zou zijn.'
Ze dweilde de keukenvloer, taxeerde de schade en zei dat Marius de zaak grondig zou moeten laten opknappen voordat hij de flat aan kopers kon laten zien.
'Weet je het feestje nog dat die arme Stuart heeft gegeven?'
'Tja, ik was erbij.'
'Jij hebt de politie toch gebeld?'
'Inderdaad.'
Richenda zei verder niets meer, maar terwijl ze aan het stofzuigen was, dacht ze ernstig na. Hadden ze Wally alleen maar opgepakt omdat hij naar vieze plaatjes had zitten kijken, of verdachten ze hem van de moord op Stuart? Ze zou er vrede mee hebben als ze Wally nooit meer terug hoefde te zien, en ze was van plan om zo snel mogelijk van hem te scheiden. Maar een moord? Dat kon niet. Wally had niemand vermoord. Daar had hij helemaal het lef niet voor, dacht ze wraakzuchtig, en ze herinnerde zich dat ze ooit een grapje had gehoord over iemand met ernstige maagklachten – hij scheet zeven kleuren bagger. Terwijl ze het dressoir van Marius' tante afstofte, moest ze daar hartelijk om lachen.
'Heb je de politie gebeld omdat die vent heeft gedreigd Stuart te vermoorden?'
Marius was net teruggekomen van Rose, die hij had gevraagd of ze hier in de buurt een goede klusjesman kende. 'Waarschijnlijk wel.'
'Hoe heette die ook weer?'
'Dat weet ik niet meer,' zei Marius, en hij sloot zichzelf op in de badkamer.
Daarna moest Richenda de flat van de meisjes doen. Nou ja, de flat van Noor, want dat was degene die de rekening betaalde. Het was daar altijd een puinhoop, overal vuile borden, niet alleen in de gootsteen en op het aanrecht, maar

ook in het bad, kleren op de vloer en over alle stoelen, en overal make-up. Richenda nam vaak een lippenstift of een potje hydraterende crème mee. Die meiden hadden zoveel van dat spul dat ze het toch niet merkten.
De anderen waren de deur uit, maar Molly was thuis. Sinds Stuarts dood kleedde ze zich elke dag helemaal in het zwart. En ze was afgevallen.
Voornamelijk omdat ze wist dat Molly het niet prettig zou vinden om een complimentje te krijgen zei Richenda dat ze er goed uitzag.
'Ik voel me afschuwelijk. Ik heb een gebroken hart. Ik was hartstikke verliefd op hem – wist u dat?' Richenda gaf geen antwoord. 'Hij had die Claudia gedumpt, weet u. Hij begon van me te houden. Dat wéét ik gewoon, en toen heeft een of ander monster hem vermoord.'
'Claudia, ja, zo heette ze. Hoe heette die man van haar ook weer?'
'Freddy en dan nog wat. Een of andere plaats in Italië. Florence? Positano? Ik weet het niet meer. Het kan me ook niet schelen. Daar heb ik Stuart niet mee terug.'
'Als ik het hoor, weet ik het weer,' zei Richenda.

19

De enige in de flat die misschien een atlas in huis zou hebben (in plaats van alles op te zoeken op een computer) was Marius. Hij was de deur uit, en dus liet Richenda zichzelf binnen en nam met enig genoegen en veel belangstelling de waterschade op. Daarna zat ze een paar minuten op de kaart van Italië te kijken, en toen ze klaar was met het werk van die middag liep ze naar het tijdelijke politiebureau dat was ingericht in het Bel Esprit Centre.
Blakelock was aanwezig, maar Bashir niet. Die was in nummer 5 om Molly te verhoren. Richenda had bij hem de indruk gewekt dat Molly een van 'Stuarts vrouwen' was (zoals hij dat in gedachten omschreef), en daarom vermoedde hij dat zij misschien wel zou weten wie Stuarts vijanden waren. Molly zelf zou het best prettig hebben gevonden als de politie had geloofd dat zij een liefdesrelatie met Stuart had gehad, en voor Claudia een serieuze bedreiging had gevormd, of zelfs haar opvolgster was geweest. Maar toen ze met Bashir zat te praten was Sophie erbij en zodra die suggestie werd gedaan, zonder dat Molly het ontkende, kwam Sophie tussenbeide met een: 'O, Molly, wie probeer je nou voor de gek gehouden? Je hebt nooit een relatie met Stuart gehad. Dat mocht je willen.'
'Dat heb ik ook helemaal niet gezegd!'
'Ik bedoel, kom op zeg, na die Claudia? Doe normaal.'
Molly besloot het Sophie maar te vergeven omdat die arme meid helemaal geen vriendje had terwijl zij in elk geval over Carl beschikte, die plotseling weer was komen opdagen.
'We waren heel close,' zei ze tegen Bashir, 'maar het was geen lichamelijke liefde.' En ze vertelde hem over Martin en Jack en Hilary en de mensen in Chester House, allemaal vrienden van Stuart, die net zo goed zijn vijanden hadden kunnen zijn.

Het was merkwaardig en misschien zelfs tamelijk onprettig, dacht Duncan, hoe een moord in de buurt, een moord op iemand die iedereen kende, al was het alleen maar van gezicht, de mensen nader tot elkaar bracht. Natuurlijk had hij Jock en Kathy Pember ook voor Stuarts dood al gekend, maar lang niet zo goed als nu. Moira/Esmeralda, de vrouw die rondliep in die mottige bontjas, of liever

gezegd die daar van de winter in had rondgelopen en Ken, de man met wie ze samenwoonde – wat Duncans goedkeuring eigenlijk niet verdroeg – hadden bij hem aangebeld en gevraagd of hij naar de begrafenis ging en of ze met hem mee konden rijden. Hij vroeg of ze koffie wilden, en terwijl ze met z'n drieën koffie zaten te drinken, kwam Kathy ook even langs. Het was allemaal heel gezellig.
Het was inmiddels warm weer geworden en voor mei kon je het zelfs een hittegolf noemen. Hoewel zijn tuindeuren wijdopen stonden, en alle ramen ook, moest Duncan zich toch verontschuldigen voor de warmte. Hij had twee ventilatoren gekocht, maar die hadden maar weinig effect.
'Die dingen blazen de warme lucht alleen maar heen en weer,' zei Kathy. 'Bij ons is het zowel 's zomers als 's winters ijskoud.'
Uit beleefdheid vroeg Duncan Moira en Ken hoe warm het bij hen thuis was, en Moira zei dat haar niets bijzonders was opgevallen, maar dat zij een 'ijskouwe' was. Misschien had Duncan zich niet gerealiseerd dat de mensen in Springmead exotische kamerplanten kweekten, en daarom natuurlijk flink moesten stoken. Misschien was dat wel de reden dat het bij hem thuis zo warm was.
'We hebben een vrijstaand huis, zie je?' zei ze een beetje uit de hoogte. 'Wij hebben daar geen last van.'
Stuart zou halverwege de volgende week worden begraven. 'Als de mensen van het forensisch laboratorium klaar zijn met het lijk,' zei Ken, die nogal van het hele gedoe leek te genieten, dacht Duncan. Hij schonk nog eens koffie in en zei dat het voor Stuarts ouders een tragedie was. Na de begrafenis zou er in nummer 1 een kleine bijeenkomst worden gehouden voor Stuarts vrienden. 'Ik neem aan dat we allemaal wel gaan, hè?'
'Een beetje respect tonen is wel het minste wat we kunnen doen,' zei Ken, en heel even sloot hij zijn rimpelloze oogleden.
'Denken jullie dat de mensen uit Springmead ook willen komen?'
'O, dat lijkt me niet, Duncan. Ze zijn niet echt asociaal, zal ik maar zeggen, maar erg sociaal zijn ze nou toch ook weer niet. Die mensen zijn heel anders dan wij, weet je.'
'Maar toch zijn ze best charmant,' zei Moira. 'Die meisjes hebben heel goede manieren, en meneer Deng is een echte heer. En ze hebben allemaal een graad in de tuinbouw, heeft meneer Deng verteld. Hij is hun oom.'
'Ik dacht dat hij hun vader was,' zei Duncan. 'Dat zei die arme Stuart.'
'O nee. Dat had hij mis. Over de doden niets dan goeds hoor, maar dat had hij dan verkeerd begrepen. Het is hun oom, en de jongen is zijn zoon. Weet je wat meneer Deng me heeft verteld? Dat ze orchideeën leveren aan de koninklijke familie.'

Het interesseerde Richenda niet wat er verder met Wally zou gebeuren. Gevangenisstraf, een hoge boete, en zelfs de doodstraf (als die nou eindelijk eens op-

nieuw werd ingevoerd), wat Richenda betrof was het allemaal prima. Ze konden alles met hem uitspoken wat ze maar wilden. Het enige waar ze over inzat, was dat ze niet bekend wilde staan als de vrouw, of de ex, van een moordenaar. Het was haar opgevallen dat vrouwen van moordenaars in de pers erg naar behandeld werden, tenzij ze natuurlijk zelf vermoord waren, want dan werden ze heilig verklaard.
'Livorno heet ie,' zei ze tegen de rechercheur met de bierbuik en het vollemaansgezicht. 'Freddy, volgens mij, maar daar durf ik geen eed op te doen. Font had iets met zijn vrouw. Dat mens had er al heel wat kilometers opzitten, dat kon je zo wel zien. Livorno kwam dat feestje binnenstormen en zei dat hij Font zou vermoorden. Vraag het maar aan een van de mensen die erbij waren, die weten het allemaal nog wel. Zoiets vergeet je niet zomaar.'
Richenda had geen idee waar die Livorno woonde of wat hij voor de kost deed, maar Blakelock wel. In de loop van zijn carrière had hij regelmatig te maken gehad met advocaten, of liever gezegd, de verdachten die hij verhoorde hadden met hen te maken. Hij herinnerde zich dat nog maar een paar weken geleden iemand die was opgepakt wegens het toebrengen van lichamelijk letsel, gebruik had gemaakt van zijn wettelijke recht om een advocaat te bellen, en vervolgens advocatenkantoor Crabtree, Livorno en Thwaite had gebeld. Dat moest hem wel zijn.

Veel mensen leiden geen deugdzame levens omdat ze weerstand bieden aan de verleiding, maar omdat ze nooit in verleiding worden gebracht. Tot nu toe had niemand Sophie Longwich de kans gegeven om oneerlijk te zijn, of eigenlijk, de kansen die haar wat dat betreft geboden werden, waren niet aanlokkelijk. Op school hadden veel vriendinnetjes van haar weleens een winkeldiefstalletje gepleegd: snoepjes uit de Woolworth, Maybelline-oogschaduw uit de drogisterij. Haar zakgeld was echter ruim voldoende en het leek haar doodeng iets te stelen. Ze wist zeker dat ze dan gepakt zou worden.
Maar nu leek haar zakgeld ineens zo weinig dat het bijna zielig was. In Noors gezelschap was het voor het eerst tot haar doorgedrongen dat haar eigen ouders niet rijk waren, zoals ze had geloofd, en met vijf kinderen en de steeds ernstiger wordende recessie, zelfs niet eens in goeden doen. Van haar studielening kon ze geen kleren kopen, niet uit eten gaan in goede restaurants en geen dure elektronische apparaten aanschaffen. Nu was Noor het huis uit gegaan, en aan al die leuke dingen waarop ze Molly en haar had getrakteerd, de Mexicaanse etentjes met tequila sunrises, drankjes in die club in Hampstead, leningen waarvan de terugbetaling voor onbepaalde tijd kon worden uitgesteld, was een abrupt einde gekomen toen ze haar intrek nam bij de prins. Nummer 5 zou misschien zelfs verkocht worden, had Noor de vorige keer dat ze langskwam laten doorscheme-

ren. En waar zou Sophie voor vijftig pond een andere plek vinden om te wonen die zo gunstig gelegen was?
Toen Noor was weggereden in de witte Lexus van de prins, had Sophie de Visacard gevonden die Olwen haar had gegeven. Nou ja, die ze van Olwen had mogen gebruiken om drank voor haar te kunnen kopen. Olwen lag nu in het ziekenhuis, of had ze nou van iemand gehoord dat Olwen inmiddels alweer het ziekenhuis uit was, ergens anders verbleef en niet lang meer te leven had? Het gebruik van dat pasje, dacht Sophie, zou haar niet helpen om een leuke nieuwe flat te vinden, maar ze zou er wel wat goede kleren mee kunnen kopen, en haar haar kunnen laten doen door een goede kapper, en een iPhone kunnen kopen. Dat zou haar wat opvrolijken, en misschien zelfs een beetje troosten voor het feit dat zij als enige meisje van de drie geen vriendje had.
Natuurlijk had ze dat pasje bij elke geldautomaat kunnen gebruiken die ze maar wilde, maar een of andere vorm van bijgeloof, iets wat niet verstandelijk te verklaren viel, stuurde haar terug naar de supermarkt voorbij St. Ebba's Church en Kenilworth Green, om daar de geldautomaat te gebruiken die ze vroeger had gebruikt als ze drank ging kopen voor Olwen, en daar al het geld op te nemen dat eind april op Olwens rekening was gestort.

Toen ze in de *Daily Telegraph* las dat Stuart was vermoord, was Claudia erg geschrokken, maar verder had het niet de uitwerking op haar gehad die ze misschien had kunnen verwachten. Ze had zich niet diep ellendig gevoeld, en haar hart was niet gebroken. Als Freddy zich niet zo merkwaardig had gedragen, zou ze zich misschien zelfs bijna opgelucht hebben gevoeld. 'Gedragen' was trouwens misschien niet helemaal het juiste woord. Hoewel hij erover gelezen moest hebben, en er ook wel iets over in het journaal gezien zou hebben, had hij er niets over gezegd en er kennelijk geen enkele aandacht aan besteed. Dat leek haar onnatuurlijk en bezorgde haar een ongemakkelijk gevoel. Ze zag hem daar zitten, met de opengeslagen *Daily Telegraph* op zijn knieën en een onbewogen, licht geïnteresseerde uitdrukking op zijn gezicht, terwijl het knappe gezicht van Stuart hem aanstaarde vanaf de pagina. 'Het zou me niet verbazen,' zei hij, 'als er dit najaar verkiezingen komen.'
Ze dacht terug aan dat feestje. Ze was niet vergeten hoe Freddy daar naar binnen was komen stormen, terwijl hij bedreigingen uitte en woest met zijn knuppel zwaaide. Dat zou haar altijd bijblijven. Hij had gedreigd Stuart te vermoorden, maar dat was flauwekul, gewoon iets wat een boze man nou eenmaal zegt. Het was jammer dat de kranten en internet niet wat meer informatie boden over de details van de moord. Zo was Stuart dood gevonden op donderdag 21 mei, maar kennelijk was hij al vermoord op de avond van de 20e. Kennelijk, want niemand had dat ook met zoveel woorden gezegd. Claudia wist precies

waar ze die woensdagavond was geweest. Ze was in de Ivy geweest, waar een feestje werd gehouden ter gelegenheid van een boekpresentatie. Maar eerst had ze Stuart gebeld om hem eraan te herinneren dat hij nog geen tafeltje had geboekt voor het etentje op vrijdag. Dat was toen ze nog steeds had gedacht dat ze nog een verhouding hadden. Maar door de gebeurtenissen in de Ivy was dat allemaal plotseling heel anders komen te liggen.
Het boek bevatte de levensherinneringen van een beroemde ontwerper. Er stond net zoveel fotomateriaal in als tekst, en het grootste deel van de avond had ze zwaar zitten flirten met de fotograaf. Ze was Stuart op slag vergeten, en doordat de fotograaf haar mee uit eten had gevraagd, had ze pas weer aan hem gedacht toen ze las dat hij was vermoord. Maar waar had Freddy die avond gezeten?
Ze was pas thuisgekomen toen het al bijna elf uur was. Freddy was voor de tv in slaap gevallen. Maar had hij daar de hele avond gezeten? Ze wist het niet, en dat kon ze natuurlijk niet zomaar vragen. Ze spraken elkaar tegenwoordig nog maar nauwelijks, en sinds de nacht van het feestje hadden ze niet meer in dezelfde kamer geslapen.
De politie kwam op zondag langs. Zowel Freddy als zij was toevallig thuis. Het was zeven uur 's ochtends, ongelooflijk vroeg om bij wie dan ook aan te kloppen, alsof het al niet erg genoeg was om op zondag aan de deur te komen. Claudia had in haar hele leven nog nooit een kerk vanbinnen gezien, behalve misschien bij haar doop, maar toch vond ze het absoluut verkeerd om mensen op zondag thuis te storen. En dat zei ze dan ook toen ze, ontoereikend gekleed in een doorzichtige nachtpon, de deur opendeed en er twee politiemensen voor de deur stonden; een man met een reusachtige buik en een dikke vrouw. Claudia beschouwde elke vrouw met meer dan maat 42 als dik. Ze waren, zeiden ze, hoofdagent-rechercheur Blakelock en agent-rechercheur Fairbarn. Konden ze de heer Frederick Livorno spreken, alstublieft?
Natuurlijk was het een bevel, en geen verzoek. Claudia liet ze voor de deur staan terwijl ze Freddy ging roepen, en hoewel ze niet binnen waren gevraagd, liepen ze toch het huis binnen en trokken ze de voordeur achter zich dicht. Freddy trok wat kleren aan voordat hij op zijn dooie gemak trap af kwam lopen en toen Blakelock hem vroeg wat hij op woensdagavond 20 mei had gedaan, zei hij dat hij toen een klootzak die Stuart Font heette, had vermoord.
'Dat is niet grappig, meneer,' zei Blakelock. 'Dit is een ernstige zaak. Kunnen we misschien gaan zitten?'
'Wat mij betreft wel.'
Marilyn Fairbarn vroeg hem naar Stuart, of hij hem had geslagen, of hij Stuarts arm had gebroken en of hij had gedreigd Stuart te vermoorden. Freddy knikte tamelijk nonchalant en toen ze hem vroeg waarom, zei hij: 'Omdat hij mijn vrouw neukte.' Hij voegde eraan toe: 'Ik zou dat woord niet tegenover iedereen

gebruiken, maar u bent van de politie, dus u bent wel wat gewend. Ik weet dat u daar wel begrip voor zult hebben.'
En zo ging het nog een hele tijd door, de rechercheurs hoorden het geduldig aan en toen namen ze hem mee naar het politiebureau. Op het plaatselijke nieuws was er die avond een kort item over een man die was opgepakt in verband met de moordzaak. Claudia begon zich af te vragen of Freddy Stuart werkelijk vermoord kon hebben. Maar Stuart was neergestoken, en Claudia kon zich niet voorstellen dat Freddy iemand met een mes te lijf zou gaan. Messen leken haar meer iets voor tieners.

Lichfield House was half leeg. Stuart was dood. Olwen lag in het ziekenhuis waar ze werd behandeld voor een alcoholvergiftiging, Noor had haar intrek genomen bij de prins en nadat hij op borgtocht was vrijgelaten en had gemerkt dat Richenda was verdwenen, had Wally Scurlock zijn ontslag genomen voordat hij ontslagen kon worden en was hij bij zijn zus in Watford gaan logeren. Nadat zijn zus in de krant had gelezen dat hij voor de rechter was verschenen en in staat van beschuldiging was gesteld wegens het bezit van obscene kinderfoto's, had ze hem nooit meer willen zien, en aanvankelijk had ze hem dan ook de deur gewezen. Maar toen ze uit het raam keek en hem voor de deur zag zitten, op de muur tussen haar tuin en die van de buren, haalde ze het krantenknipsel tevoorschijn met de foto van haar broer die met een deken over zijn hoofd dwars door een woedend brullende menigte heen de rechtbank binnen werd gesleurd.
Zij heette ook Scurlock, Diane Scurlock, want ze was nooit getrouwd. Die naam kwam niet veel voor. Haar buren zouden het waarschijnlijk al weten, of op zijn minst vermoeden. Het zou niet lang duren voordat ze de miserabele gedaante herkenden die daar met zijn hoofd in zijn handen op de muur zat. Ze deed de deur open en zei: 'Je kunt maar beter binnenkomen.'
'Dat is aardig van je, Di. Ik weet niet wat ik zonder jou zou moeten beginnen.'
De deur werd achter hem dicht geslagen. 'Je kunt de logeerkamer gebruiken,' zei ze, 'maar ik kook niet voor je en ik ga ook de was niet voor je doen en zo. En ik praat ook niet met je. En dat méén ik. Dit zijn de laatste woorden die ik tegen je zeg. Wat jij hebt gedaan is zo erg dat ik er misselijk van word.' Hij stak zijn hand uit, maar ze deinsde terug. 'Ik voel nog liever aan een slak,' zei ze.
Wally was nergens voor veroordeeld. Hij was alleen maar in staat van beschuldiging gesteld wegens een overtreding en daarna in voorarrest genomen. Officieel, legaal, had hij niets gedaan voordat hij over drie maanden weer voor de rechter zou moeten verschijnen en een jury over zijn schuld of onschuld besloot. Maar iedereen met wie hij omging, de woedende menigte, zijn zus, haar buren, de bewoners van Lichfield, Ludlow, Hereford en Ross House die hij was

tegengekomen voordat hij daar wegging, ging er als vanzelfsprekend vanuit dat hij schuldig was. In kinderpornozaken, zo realiseerde Wally zich nu, ging dat altijd zo. En erger nog. Uit wat Dianes buurvrouw had gezegd,voordat ze naar hem spuwde, toen hij de volgende dag angstig de deur uit liep, geloofden al die mensen – want waarom zou zijn zus de enige zijn? – dat hij niet alleen maar naar foto's van mannen en vrouwen had gekeken die kinderen van alles aandeden, maar dat hij dat allemaal zelf ook had gedaan.

Stuart zou volgende week begraven worden, maar op maandagavond hadden Annabel Font en haar echtgenoot Christopher stilletjes al hun intrek genomen in nummer 1. De flat was nu van hen, of zou dat binnenkort zijn. De zon ging pas na negen uur onder, maar toen ze kwamen was het al donker, en zonder er lang bij na te denken zette Christopher zijn auto op de enkele gele lijn. Omdat er geen portier of huismeester was, deden Rose en Marius voor hen open.
Toen ze weer terug waren in Rose' flat zei Marius, terwijl hij uit het raam keek: 'In Springmead is het altijd volkomen donker. Ze doen nooit het licht aan als het donker wordt. Ze zullen allemaal wel vroeg naar bed gaan.'
'Ik denk van wel, lieverd,' zei Rose.
De volgende ochtend om tien voor halfnegen, naar eigen zeggen nog net op tijd, stak Duncan de straat over en belde aan bij nummer 1 om zich voor te stellen en Christopher te waarschuwen dat als hij zijn auto liet staan waar die nu stond, hij ongetwijfeld binnen een halfuur een parkeerbon zou krijgen.
'Maar er is hulp in aantocht. Mevrouw Pember, van nummer 1, zegt dat u wel zolang bij haar op de oprit kunt parkeren, want zelf hebben ze geen auto.'
Later die ochtend liep Annabel naar St. Ebba's Church, waar aanstaande vrijdag de uitvaartdienst zou worden gehouden. De fraai galmende klok sloeg elf uur toen ze naar binnen liep, maar daarna viel er een diepe en koele stilte. De kerkbanken waren van oeroud, zwart en glanzend eikenhout en de knielkussens waren voorzien van hoezen met borduurwerk: een gele vis op een groene ondergrond, een rood kruis op een zwarte ondergrond, een witte duif op een blauwe ondergrond, en allemaal gemaakt door de zeer weinige, zeer oude parochianen die nog steeds naar de kerk gingen. Diezelfde oude vrouwen, de laatste gelovigen, hadden twee vasen gevuld met witte lelies en die op de trap naar het altaar gezet. Annabel ging in een kerkbank zitten en dacht aan niets in het bijzonder, totdat ze misselijk werd van de zware lucht van de lelies. Ze stond op, liep het zonlicht in en wandelde terug naar de flat om Stuarts kasten uit te ruimen en op zoek te gaan naar iemand die zijn kleren zou willen hebben.

Christopher zette zijn auto op de oprit van de meneer en mevrouw Pember en Kathy liep naar buiten om te zeggen hoezeer het haar speet van Stuart, en wat

een tragedie het was. Haar man en zij zaten samen met Duncan Yeardon koffie te drinken, en ze vroeg of zijn vrouw en hij soms ook een kopje koffie wilden. Ze zouden heel welkom zijn. Heel vriendelijk van u, zei Christopher, maar op dit moment liever niet.
Als ze op de uitnodiging waren ingegaan, hadden Duncan en meneer en mevrouw Pember hun gesprek niet kunnen voortzetten. Zoals de meeste mensen hier in de buurt hadden ze het over Wally Scurlock gehad. In toon en de gebruikte scheldwoorden verschilde het gesprek tussen Duncan, Kathy en Ken veel van dat tussen Amanda Copeland en Rose Preston-Jones, of dat tussen meneer en mevrouw Constantine en Molly en Sophie, maar de schrik, het afgrijzen en de woede waren in grote lijnen hetzelfde. Het was opmerkelijk dat de moord op Stuart Font een heel wat minder populair gespreksonderwerp vormde dan de nog onbewezen overtreding van Wally Scurlock.
Marius maakte daar een opmerking over toen hij om één uur 's middags langskwam in het Bel Esprit Centre om met Rose te gaan lunchen in de kantine.
'Wil dat zeggen dat we het erger vinden dat iemand naar obscene kinderfoto's zit te kijken dan dat iemand een moord pleegt?'
'Ik vrees dat we dat gewoon interessanter vinden, lieverd.'
'Je hebt natuurlijk gelijk, Rose. Zoals altijd,' zei Marius.

Net als de andere bewoners van Lichfield House vonden Rose en Marius dat steun bieden aan Stuarts ouders wel het minste was wat ze konden doen, en dat ondanks het feit dat ze, met uitzondering van Molly Flint, Stuart helemaal niet zo hadden gemogen. Molly zat al in de kerk, volkomen in het zwart, een stijl die haar eigenlijk best goed paste nu ze zo was afgevallen, en tussen haar en Sophie Longwich in zat Carl. Sophie schoof zover als ze maar kon opzij, zodat ze niet al te dicht bij Carls lange vettige haar en smerige leren jack hoefde te zitten. Misschien was het jack trouwens niet zo smerig als het eruitzag. Door een gat in zijn spijkerbroek stak een witte, behaarde knie. Richenda keek hem woedend aan, maar Annabel en Christopher Font wierpen hem een vage glimlach toe en waren blij iemand te zien die misschien een vriend van hun zoon was geweest. Duncan zat in de tweede rij. Hij was zich niet bewust van het contact dat Molly met Stuart had gehad en had zich daarom maar aangediend als de beste vriend van de overledene en hield bij wie er aanwezig waren en wie juist niet. Michael en Katie Constantine vielen in de laatste categorie, en daarvoor gaf Duncan hun een zware onvoldoende, net zoals de bewoners van Springmead. Die meneer Deng kon dan wel zeggen dat hij en zijn en nichtjes en zijn zoon erg op zichzelf waren, maar er bestond ook zoiets als goed nabuurschap en gezien alle belangstelling die Stuart had getoond voor Tijgerlelie was dat toch wel het minste wat ze hadden kunnen doen. Het was per slot van rekening een ritje

van niks. Meneer en mevrouw Pember waren allebei aan het werk, maar Moira en Ken waren wel gekomen. Ze waren zelfs zo vriendelijk geweest om hem op te halen.
Duncan en Molly gingen met meneer en mevrouw Font mee naar het crematorium. Carl, die tegen iedereen zei dat hij Molly's verloofde was, wilde ook mee, maar Molly hield hem tegen. 'Je hebt hem zelfs nooit gesproken,' zei ze, en ze veegde haar tranen weg.
Het was een heel warme dag, en alle bloemen, die in glimmend plastic waren gewikkeld, begonnen al te verwelken in de felle zon voordat de kist zelfs maar uit het zicht was verdwenen. Van plannen om de gasten wijn en hapjes voor te zetten (Annabel), koffie en koekjes (Duncan) of warme chocolademelk, omdat Stuart daar zo dol op was geweest (Molly), was uiteindelijk niets gekomen, en Annabel en Christopher reden samen met Molly terug naar nummer 1.
Afgezien van Stuarts kleren, die Annabel had ingepakt om ze te kunnen afgeven bij een kringloopwinkel, was alles in de flat nog precies zoals Stuart het had achtergelaten. Dat had Molly bevestigd. Het enige wat verdwenen was, zei ze tegen Annabel, waren een tandenborstel, een scheermes, ondergoed, een overhemd en de kleren die hij aan had gehad.
'Hij had een koffertje,' zei Annabel tegen Christopher. 'Weet je nog dat hij bij ons kwam logeren toen hij zijn arm had gebroken, en dat hij zijn spullen toen in een blauw koffertje had zitten? Het was prachtig. Heel mooi blauw leer. Nou, waar is dat gebleven?' En ze begon weer te huilen.
Molly herinnerde het zich nu ook weer, en barstte eveneens opnieuw in tranen uit. 'Het was blauw kalfsleer. Hij was dol op blauw. Hij had het bij zich toen hij de deur uit ging. Dat was ik vergeten.'
'Dat moeten we doorgeven aan de politie,' zei Christopher.

20

Duncan meende dat hij het aan Stuarts nagedachtenis verschuldigd was om Tijgerlelie een beetje in de gaten te houden. Hij had haar niet meer gezien sinds enkele dagen voor Stuarts dood. De jongen en het andere meisje zag hij vaak het zomerhuisje binnengaan, maar Tijgerlelie was er niet meer bij. Duncan had tegenwoordig heel weinig omhanden. Zijn huis was keurig schoon en opgeruimd, hij was klaar met schilderen en de twee mannen die hij als vrienden had beschouwd, Stuart en Wally, waren er niet meer. Een huis van drie verdiepingen was meer dan hij nodig had, en hij zwierf dan ook vaak rond door de verschillende vertrekken, terwijl hij zich afvroeg of hij van de ene een studeerkamer zou maken en van de andere een sportruimte, maar hij studeerde nooit en afgezien van zijn dagelijkse loopje naar de supermarkt deed hij niet aan lichaamsbeweging. Hoe vulden andere mensen hun tijd? En dan bedoelde hij mensen die net als hij met pensioen waren, nooit een boek lazen, niet om muziek gaven, geen computer hadden en de meeste tv-programma's niet konden waarderen. Hij miste zijn auto, die hij inmiddels al meer dan een jaar geleden had weggedaan. Mensen kijken, zijn oude hobby, leek het enige wat hem nog restte, maar enkele van zijn beste doelwitten waren verdwenen. Zelfs de alcoholica had hij in geen weken gezien. Stuarts ouders waren vertrokken. Richenda, de 'nijvere dame' was kennelijk verhuisd en er was nog geen nieuwe huismeester. En waar was Tijgerlelie?

Het was inmiddels heel warm geworden, onnatuurlijk warm voor begin juni, vond hij. Duncan was altijd nogal kouwelijk geweest en hij had gedacht dat de temperatuur hem niet hoog genoeg kon worden, maar hoewel hij zich niet prettig voelde als hij in de tuin zat of een wandeling maakte, werd de hitte binnenshuis hem bijna te veel. Hij was naar de winkel aan Brent Cross geweest om een ventilator te kopen, maar die waren uitverkocht, net zoals ze destijds, toen het sneeuwde en hij zijn broodrooster kocht, geen straalkacheltjes meer hadden gehad. Hij liet alle ramen boven dag en nacht open, maar die op de benedenverdieping durfde hij 's nachts niet open te laten, en als hij 's ochtends naar beneden kwam, was de hitte onverdraaglijk.

Zouden ze dat probleem ook hebben in Springmead? Op een dag stak hij zijn hoofd over de schutting toen de buurjongen het huis uit kwam en naar het zomerhuisje liep. Maar die schudde alleen maar zijn hoofd en maakte een gebaar waaruit Duncan opmaakte dat hij het niet verstond. Intussen werd het steeds warmer in huis. Duncan kocht een thermometer, gewoon uit nieuwsgierigheid, zoals hij zichzelf voorhield om de aankoop te rechtvaardigen. Op een dag was het 's ochtends om zeven uur al achtentwintig graden Celsius in zijn woonkamer. Er was echter één troost, en dat was dat Tijgerlelie weer was opgedoken, net toen hij ongerust begon te worden. Ze lag op haar buik op het gazon van Springmead, in de schaduw van de grote es. Haar armen en benen waren bloot en haar huid was heel wit, op wat blauwzwarte vlekken na. Blauwe plekken, was het eerste wat bij Duncan opkwam, maar wat dat betrof haalde hij zich vermoedelijk maar wat in zijn hoofd. Dat deed hij wel vaker.

De advocaat die Freddy had verzocht aanwezig te zijn tijdens zijn verhoor door de politie, was zijn eigen zakenpartner, Lucas Crabtree. Lucas moest voortdurend zijn lachen inhouden terwijl Freddy de rechercheurs plaagde met onmogelijke antwoorden op hun vragen, doodleuk aanbood zijn verzameling messen te laten zien en er op de een of andere manier in slaagde om een met bloed besmeurd T-shirt te laten rondslingeren tussen het vuile wasgoed in zijn huis aan Aurelia Grove. Het bloed bleek afkomstig te zijn van een stuk rundvlees en Freddy kreeg te horen dat als hij nog een keer zo'n stunt uithaalde, hij in staat van beschuldiging zou worden gesteld wegens obstructie van de rechtsgang. Freddy had nauwelijks een alibi voor de avond van 20 mei, maar er was geen mes gevonden dat de dodelijke wond van die arme Stuart veroorzaakt zou kunnen hebben. In de omgeving van Kenilworth Green was die avond niemand gezien die op Freddy leek, hoewel er wel een getuige was die door het raam in de voorkamer van zijn huis aan Aurelia Grove het hoofd en de schouders had gezien van een man die aan Freddy's signalement beantwoordde.
Maar in weerwil van alle toevalligheden en geintjes was Lucas Crabtree ervan overtuigd dat Freddy hoofdagent-rechercheur Blakelock niets dan de waarheid vertelde. Hij gaf nauwgezette beschrijvingen van zijn twee bezoeken aan Stuarts flat, het geweld dat hij tegen Stuart had gebruikt en de wijze waarop Stuart zich had verdedigd; ook de elektronische apparaatjes waarmee hij had ontdekt dat zijn vrouw een verhouding had en wie haar minnaar was, had hij tot in de kleinste details beschreven. Telkens als hem werd gevraagd om te herhalen wat hij zojuist had gezegd, deed hij dat met absolute nauwgezetheid. Na een paar uur van dit gedoe, terwijl Lucas voortdurend tussenbeide kwam met de opmerking dat het tijd werd dat ze zijn cliënt lieten gaan, lieten ze Freddy vol ergernis los en verzekerden hem dat hij hier niet mee weg kwam en dat ze hem zeker op-

nieuw zouden willen spreken. Zodra ze de verhoorkamer uit waren, gingen Freddy en Lucas lachend naar een club en werden daar erg dronken.

De vier weken die ze had doorgebracht in een door haar stiefkinderen betaalde particuliere kliniek was waarschijnlijk de langste periode in haar hele volwassen leven dat Olwen niet gedronken had. Ze had geen hallucinaties meer, maar de arts die de leiding had over de kliniek zei tegen Margaret dat de ernst van haar levercirrose moest worden ingeschat met het zeer hoge cijfer zes. Bij een dergelijke score hoorde een verwachte levensduur van hooguit negentig dagen. Er werd een dieet voorgeschreven, plus plaspillen, orale antibiotica en bètablokkers. Olwen kon naar huis gaan, maar niet naar eigen huis. Margaret wilde haar liever niet in huis hebben, en haar broer Richard weigerde ronduit. Hij was net hertrouwd en zijn nieuwe vrouw was in verwachting van hun eerste kind. Een invalide in huis was uitgesloten. Margaret klampte zich vast aan de voorspelling dat Olwen niet meer dan drie maanden te leven had, waarvan er inmiddels al twintig dagen voorbij waren. Zeventig dagen zou ze het toch wel met Olwen kunnen uithouden? Haar man en zij, en hun tienerkinderen, zouden zich daar maar in moeten schikken.
Het vooruitzicht van inwonen bij Margaret maakte Olwen eerst wanhopig en toen woedend, maar er werd haar uitgelegd dat ze werkelijk geen andere keuze had. Ze kreeg een kamer op de benedenverdieping van het kleine huis. Het was de eetkamer geweest, maar niemand had er ooit gegeten, dus haalde Margaret de tafel en stoelen weg en zette er een eenpersoonsbed en een naar de smaak van de kinderen oude televisie neer. De eerste twee dagen bleef Olwen in bed liggen. Daarna kleedde ze zich aan en ging ze in de woonkamer zitten, samen met Margaret en haar man. De kinderen zag ze vrijwel niet. Als ze niet op school waren of bij iemand anders thuis, zaten ze op hun kamer, zeer nadrukkelijk hun huiswerk te maken. Olwen, die een goede neus had voor de schijn ophouden, nam aan dat ze in werkelijkheid videospelletjes aan het spelen waren.
Zelf was ze haar eigen plannen aan het te smeden. Ze vroeg nooit om drank en praatte daar ook nooit over, en al evenmin over het ontbreken ervan. Margaret en haar man, die als ze onder elkaar waren waarschijnlijk wijn en zelfs gin-tonic dronken, raakten in haar aanwezigheid geen druppel aan. 'Dat doen we om rekening met jou te houden,' legde Margaret uit.
'Olwen stelt dat zeer op prijs,' zei haar man. 'Zo is het toch, Olwen?'
'Eigenlijk niet,' zei Olwen. 'Het kan me niet schelen.'
Ze wilde naar huis, maar ze wist dat ze daar nooit meer terug zou komen. Ze hadden haar opgedragen om elke dag wat lichaamsbeweging te nemen, de voorgeschreven medicijnen te slikken en goed te eten, maar ze vroeg zich af waarom eigenlijk, want ze was kennelijk toch al ten dode opgeschreven, en als dat het

geval was, wilde ze het liever zo snel mogelijk achter de rug hebben. Ze dacht vaak terug aan haar plan om zichzelf dood te drinken, en kwam dan telkens weer tot de conclusie dat ze haar best had gedaan, maar dat haar sterke hart het bedorven had.
Nadat ze een week bij Margaret in huis had gezeten, begon ze wandelingen te maken. De eerste keer had Margaret erop gestaan om met haar mee te gaan, maar ze kon wel zien dat Olwen heel goed kon lopen, zolang ze maar een wandelstok gebruikte. Olwen liep een blokje om en dacht na over het feit dat ze zoiets waarschijnlijk nog nooit van haar leven had gedaan zonder een doel, zoals boodschappen doen of bij iemand op visite gaan.
Thuis (je had nou eenmaal een woord nodig om deze situatie op de een of andere manier te omschrijven) gedroeg ze zich zo goed, en was ze zo rustig en schijnbaar zo tevreden, dat Margaret zo nu en dan in haar eentje de deur uit ging. Haar beste vriendin woonde in het huis ernaast en ze vond het leuk om daar even langs te wippen. Olwen vermoedde dat die twee dan samen een fles wijn achteroversloegen. Ze kon het ruiken aan Margarets adem. Terwijl haar stiefdochter de deur uit was, doorzocht Olwen het huis op drank, en lang hoefde ze niet te zoeken.
In een kast in de woonkamer die er niet uitzag als een drankkast, vond ze verschillende flessen wijn, een bijna volle fles gin en een nog niet geopende fles cognac. Ongetwijfeld hadden die vroeger in haar huidige slaapkamer gestaan, maar waren ze daar uit voorzorg maar weggehaald. Weerstand bieden aan de verleiding van die drank was waarschijnlijk het moeilijkste wat ze ooit gedaan had.
Ze bood weerstand. Maar dat zou ze niet voortdurend blijven doen.

Juni is over het algemeen geen warme maand in Engeland, maar deze maand leek het heel warm te worden. De temperatuur bij Duncan thuis liep steeds hoger op. Omdat hij er zo tegen opzag om de volgende ochtend weer die oven binnen te lopen, liet Duncan 's nachts een raam op de benedenverdieping openstaan. Een insluiper drong zijn huis binnen en ging er vandoor met zijn dvd-speler, zijn mobiele telefoon, die hij op de aanrecht had laten liggen, zijn mixer, twee bankbiljetten en een stuk of honderd munten, in totaal tweeënzestig pond, die hij in een leeg oploskoffiepotje had gestopt.
Toen had hij geen andere keus. Hij moest alle ramen gewoon dichtdoen, en alleen de ramen in zijn slaapkamer open laten. Dit, zo besloot hij, moest wel het gevolg zijn van meer dan alleen de hoge buitentemperatuur en de uitstekende isolatie. Iets waarbij hij zich tot nu toe heel behaaglijk had gevoeld, en waarop hij zelfs trots was geweest, was nu een vloek geworden. En er was geen reden om te hopen dat juli en augustus koeler zouden worden. Zelfs als het regende, zodat

het buiten minder warm werd, bleef het binnen dertig graden, en als hij 's ochtends na een rusteloze nacht naar beneden kwam, droop hij van het zweet.
Dit moest van de buren komen. De tropische planten die ze kweekten voor de koninklijke familie zouden wel het soort warmte nodig hebben dat je in Zuidoost-Azië had, en een deel daarvan drong door de muren zijn huis binnen. Dat zou de reden zijn waarom het behang was losgekomen van de muur. Duncan zag er enorm tegen op om bij de buren te gaan klagen. Hij had dat in hun vorige huizen een paar keer gedaan, maar over het algemeen had Eva dat afgehandeld, want die kon heel agressief en lichtgeraakt zijn. Eva was degene die telefoneerde over het burengerucht van de afgelopen nacht, of die op een voordeur stond te bonzen om te klagen over voetballen die over de schutting kwamen zeilen en in hun bloembedden terechtkwamen. Eva, zo dacht hij, zou allang bij de buren voor de deur hebben gestaan om op hoge poten te eisen dat ze de verwarming lager zetten.
Maar nu moest hij het doen. Eerst vroeg hij Jock en Kathy Pember om raad, en omdat je mensen om zes uur 's avonds geen koffie kon voorzetten, nodigde hij hen uit voor een borreltje. Maar hij kreeg het benauwd en hij ging naar een winkel aan Brent Cross waar ze uitverkoop hielden en kocht nog wat tuinmeubilair erbij, twee tuinstoelen en een tafel met een parasol, op voorwaarde dat ze dezelfde dag nog geleverd zouden worden. Zulke eisen kun je stellen gedurende een recessie. Jock en Kathy Pember bewonderden het witgeschilderde ijzerwerk en de roze rozen en gele boterbloemen op de kussens, en nadat ze allebei twee glazen rosé hadden gedronken, stapten ze het huis binnen om eens te kijken hoe warm het daar nu eigenlijk was.
'Hier kun je zo toch niet wonen?' Jock veegde het zweet van zijn voorhoofd.
'Ik woon er.'
In de tropische hitte liepen ze alle drie de trap op, en keken door het raam van de slaapkamer op de bovenste verdieping in de tuin van Springmead. Tijgerlelie kwam net het zomerhuisje uit.
'Wat een mooi meisje is dat toch, hè,' zei Jock, en hij leunde uit het raam.
'Als je van een platte borst en spleetogen houdt,' zei zijn vrouw.
'Waarom gaan we niet naar beneden?' zei Jock. 'Dan spreken we haar aan over de schutting. Waarom zeg je haar niet dat je meneer Deng wilt spreken?'
Duncan wilde daar eigenlijk eerst eens goed over nadenken, maar stemde er toch mee in. Jock was net niet lang genoeg om met zijn kin boven de schutting uit te kunnen komen, en dus haalde Duncan een krat uit het schuurtje. Jock ging erop staan en riep naar Tijgerlelie, die nog steeds op het grasveld zat.
'Pardon, mevrouw!'
Duncan dacht dat hij nog nooit zo'n schrik en afgrijzen op iemands gezicht had gezien, zelfs niet toen hij te hulp was geroepen door een vrouw die met een ge-

leende auto reed en die in plaats van benzine diesel in de tank gedaan bleek te hebben. Tijgerlelies lichte huid was nu krijtwit geworden en haar ogen waren groot en rond. Ze stond op, alsof ze er elk ogenblik vandoor kon gaan.
'Neem me niet kwalijk. Het spijt me u te moeten storen, maar kunt u...?'
'Nee,' zei Tijgerlelie. 'Nee, nee. Geen Engels. Sorry.'
Ze rende het huis binnen.
'Nu zul je al je moed moeten verzamelen,' zei Kathy, die wel in de gaten had hoe nerveus Duncan was. 'Bel bij ze aan en blijf aanbellen tot er iemand opendoet.'
Veel had hij niet aan die twee, dacht Duncan, wat niet eerlijk van hem was. Hij bleef een hele tijd in de tuin zitten. De bomen wierpen steeds langere schaduwen over het gazon en een paar vleermuizen kwamen tevoorschijn en zwierden met grote bogen door de blauwe lucht om insecten te vangen. Hij had koffie voor zichzelf gezet, twee grote mokken vol, en die had hij zo laat op de avond beter niet kunnen drinken. Nu zou hij geen oog dicht doen, zelfs al had hij de hitte in de slaapkamer kunnen verdragen.
Boven ging hij bij het open raam op de bovenste verdieping zitten en begon opnieuw naar de mensen te kijken. Twee stelletjes liepen Lichfield House binnen, de twee die hij de twee geliefden noemde, het mollige meisje (Duncan gebruikte die wat vriendelijker klinkende uitdrukking werkelijk) en haar magere vriendje, hand in hand. Molly heette die meid en hij vermoedde dat ze ruzie hadden gehad, want zo te zien wilde ze haar hand losrukken maar hield de jongen die stevig vast. Nou ja, ware liefde liep nooit van een leien dakje en binnenkort zouden er wel kerkklokken luiden. Ze werden gevolgd door het oudere stel. Die liepen naast elkaar maar raakten elkaar niet aan. Een platonische relatie, dacht Duncan, goede vrienden of misschien broer en zus. In nummer 2, waar Rose Preston-Jones woonde, ging niet lang daarna het licht aan. Hij zag de zwarte Audi van meneer Deng nu voor het huis geparkeerd staan. Het was kwart over elf en hij vroeg zich af wie van zijn buren op dit uur de deur nog uit zou gaan. Hij keek in de voortuin van Springmead en zag meneer Deng door de voordeur naar buiten komen, samen met Tijgerlelie en het andere meisje. Ze stapten alle drie in de auto en toen kwam tot Duncans verrassing de jongen ook haastig naar buiten gelopen. Hij had een koffertje in de hand en trok de voordeur achter zich dicht. Hij zou nooit gedacht hebben dat de hele familie samen op stap zou gaan, maar dat deden ze nu. De zwarte Audi reed weg.
Waar zouden ze naartoe gaan? Vanuit Duncans standpunt was ergens heen gaan om kwart over elf 's avonds iets wat uitsluitend aan jongeren was voorbehouden. En als die naar een club gingen bijvoorbeeld, of naar de kroeg, zouden ze heus hun vijfenveertig jaar oude oom niet meenemen. Sommige supermarkten bleven tegenwoordig de hele nacht open. Misschien gingen ze daarnaartoe. Maar met z'n vieren? Niet alleen de twee meisjes maar ook de jongen? Het was

prettig hier bij het raam. Er was een lichte wind opgestoken, het verkeer op de hoofdweg begon minder druk te worden en het was zo stil als het in dit deel van Londen maar zijn kon. Waren ze ooit eerder met z'n allen op stap gegaan? Met z'n vieren? En wat deed die jongen met dat koffertje? Dat moest toch zeker inhouden dat ze de hele nacht weg zouden blijven, of zelfs nog langer.

Hier was de hitte het ergst. Natuurlijk was dat zo, want warmte stijgt op. Langzaam stond hij op en liep naar beneden, waar het nu een heel klein beetje koeler was.

Hij haakte zijn sleutelring om zijn linkerpink, pakte een zaklantaarn uit de gangkast – in Springmead was het zo te zien volkomen donker – en liep door de voordeur naar buiten. Nu hij in de voortuin stond kon hij wel zien dat het huis leeg was. Er hingen jaloezieën voor de ramen, maar die waren van het luxaflexachtige soort, waardoor je het zou kunnen zien als er binnen licht brandde. Als er een brievenbus was geweest, had hij daar doorheen kunnen kijken. Misschien was dat wel de reden dat er geen brievenbus was. Hij liep om het huis heen, probeerde de kruk van het deurtje in de schutting aan de zijkant en merkte enigszins tot zijn verrassing dat dat openging. Ook hier zaten jaloezieën voor de ramen. Nu liep hij de achtertuin binnen. Dat was een plek waar hij door de ramen aan de achterzijde vaak naar had gekeken, maar toch was het hem tot nu toe nooit opgevallen hoe kaal het hier eigenlijk was. Het gras was in geen tijden gemaaid en zag groen van het mos waardoor het was overwoekerd, en er was geen bloem te bekennen, alleen maar onkruid, vlier- en braamstruiken, want alles lag in de schaduw van de grote es. Duncan stak het gazon over en liep het bordes van het zomerhuisje op.

Op deze zachte zomeravond, waarop de maan regelmatig kwam opduiken uit de wolken en dan rustig bleef hangen in de heldere hemel, had hij zijn zaklantaarn niet nodig. Met het gevoel dat hij iets heel gewaagds deed, en zo gespannen dat hij bijna moest overgeven, liep hij het trapje op, maakte de deur van het zomerhuisje open en stapte naar binnen. Er lagen kussens op de vloer en hoewel niemand het hier koud zou noemen, was het minstens tien graden koeler dan bij hem thuis. Ze kwamen hier om af te koelen, dacht hij, om te ontkomen aan de hitte van Springmead, waar het nog veel warmer moest zijn dan in zijn eigen huis.

Achter het zomerhuisje, met een uitgang op het laantje erachter, was de garage waar meneer Deng zijn Audi moest hebben staan. Duncan liep het bordes af en stapte door een deurtje in de achtermuur de garage binnen. Hij zette zijn zaklantaarn aan en liet de lichtbundel over de wanden glijden, maar er viel niets te zien. Het ging om de binnenkant van Springmead zelf, hielp hij zichzelf herinneren, zoveel als hij daarvan maar zou kunnen zien, zelfs als er ook jaloezieën voor de ramen aan de achterzijde hingen.

Maar dat was niet het geval, of anders waren de jaloezieën in elk geval niet omlaaggetrokken. Hij kon door de openslaande tuindeuren kijken, net zulke tuindeuren als bij hem thuis, of dat had hij kunnen doen als er licht was geweest. Maar nergens in huis brandde licht. Hij deed zijn zaklantaarn weer aan, scheen ermee op het glas en verwachtte plantenbakken te zien, bakken met koninklijke orchideeën, misschien wel een stuk of dertig. In plaats daarvan zag hij een dik zwart gordijn dat een centimeter of vijftien van het raam hing, en de half opgetrokken jaloezieën. Het gordijn besloeg de hele achtergevel, van de vloer tot aan het plafond, en hing ook voor de openslaande tuindeuren.
Het was maar een gordijn, maar hij vond het angstaanjagend en hij moest zich inhouden om niet naar huis te hollen.

21

Blakelock wist dat Freddy Livorno huiszoeking zou weigeren als ze geen huiszoekingsbevel konden laten zien – gewoon om moeilijk te doen, want de man wist best dat ze er zonder veel moeite een zouden krijgen. Daarom nam hij niet de moeite om het Freddy te vragen maar zorgde voor een huiszoekingsbevel en ging daarmee naar Aurelia Grove. Claudia was thuis en vond dat helemaal niet leuk, maar afgezien van wat schreeuwen en stampvoeten kon ze niet veel beginnen. Bashir zei dat ze zich een beetje koest moest houden en na verloop van tijd volgde ze die goede raad op. De twee rechercheurs weigerden haar te vertellen waar ze naar op zoek waren.

Toen ze klaar waren met de huiszoeking, vertelden ze haar al evenmin dat het blauwe leren koffertje van Stuart Font niet gevonden was.

'Ik dacht,' zei Claudia, die probeerde politiejargon te gebruiken, 'dat u mijn echtgenoot inmiddels van alle verdenking had ontslagen.'

'Dacht u dat, mevrouw?'

'Nou, u hebt hem laten gaan.' En in hetzelfde zelfbedachte jargon voegde ze eraan toe: 'Zonder een smet op zijn karakter.'

'Dat zijn uw woorden, mevrouw,' zei Blakelock. 'We komen zeker nog eens met hem praten.'

Het appartement van meneer en mevrouw Scurlock in het souterrain van Lichfield House zag er nog bijna net zo uit als toen Wally en Richenda daar woonden. Richenda had geen belangstelling gehad voor het oude meubilair en haar nieuwe appartement was helemaal ingericht met spullen van IKEA. Nadat ze was opgespoord in een flat in Hereford House, waar ze aan het stofzuigen was, zei ze tegen agent-rechercheur Bashir dat ze haar oude huis zoveel mochten doorzoeken als ze maar wilden. Waar zochten ze naar?

Claudia hadden ze het niet verteld, maar Richenda wilden ze het met alle genoegen vertellen.

'Dat blauwe koffertje van Stuart? Het zou me zeer verbazen als u zoiets vindt. Ik heb alle koffers en tassen meegenomen die we maar in huis hadden.'

En opnieuw zochten ze tevergeefs.

De elektriciteitsrekening van de mensen in Springmead moest gigantisch zijn, dacht Duncan. Of misschien stookten ze op gas. Ze moesten wel een hoop geld verdienen met dat bedrijf van hen. Geen wonder dat ze zich konden veroorloven om met z'n vieren op vakantie te gaan. Hij vroeg zich af waar ze naartoe zouden zijn. De Malediven misschien, of omdat ze zelf uit Zuidoost-Azië kwamen, misschien juist een plek in Europa. Monte Carlo? Athene?
Het grootste deel van de tijd zat hij buiten en hij feliciteerde zichzelf met de verstelbare tuinstoel die hij had gekocht. Na zijn avontuur in de tuin van Springmead sliep hij twee nachten buiten. Zelfs 's nachts, zelfs in de kleine uurtjes, bleef het warm. Overal zwermden insecten rond, voornamelijk motten, en hun zachte vleugeltjes streken over zijn gezicht. Iets minder prettigs stak hem in zijn wang en liet daar een grote rode bult achter.
Uit het huis hiernaast hoorde hij niets, en er viel ook niets te zien. Het kwam bij hem op dat die planten toch verzorgd zouden moeten worden. Sproeien? Kunstmest? En hoe lang waren ze van plan de verwarming aan te laten? Ze hadden ongetwijfeld iemand betaald om de noodzakelijke karweitjes te doen. Terwijl hij probeerde niet aan zijn opgezwollen wang te krabben, zette hij de bakken met afval en oud papier in het laantje achter de tuinen en toen hij daar toch was, probeerde hij even in de garage van Springmead te kijken. De klapdeur was natuurlijk dicht, maar hij slaagde erin om door een smalle spleet tussen de houten planken door te kijken. Er stond iets in de garage. Hij was er vrijwel zeker van dat hij de zwarte Audi van meneer Deng daar zag staan. Misschien was een van hen wel even teruggekomen van de plek waar ze nu logeerden om de planten te verzorgen. Misschien waren ze alle vier wel teruggekomen. Dan zouden ze zijn weggegaan uit Springmead, omdat ze net als hij de enorme hitte vrijwel ondraaglijk vonden. Als de hitte niet zo'n probleem was geweest, dacht Duncan, zou dit onderzoek van hem – want het begon nu werkelijk een onderzoek te worden – eigenlijk heel opwindend zijn. Hij had nu iets omhanden.
Eigenlijk begreep hij niet goed waarom hij nou zo nodig moest weten wat zich in het huis hiernaast afspeelde. Het ging hem niet alleen om de overdreven hitte. Hij werd verteerd door nieuwsgierigheid en kon eigenlijk nergens anders meer aan denken. 's Avonds liep hij terug naar het laantje en hoewel hij zichzelf voorhield dat hij dat alleen maar deed om zijn afvalbakken weer binnen te zetten, maakte hij toen hij er toch was, van de gelegenheid gebruik om nog eens door de kier tussen de planken van de klapdeur heen te turen, en nu was de auto weg, of liever gezegd, datgene wat hem het zicht op de ruit en de deur in de achterwand van de garage had belemmerd, was nu weg. Misschien was het de Audi niet geweest maar iets anders, iets wat in de garage opgeslagen had gestaan en wat inmiddels was weggehaald.
Hij bracht de nacht door in de tuin en de volgende ochtend was het wat minder

warm. Er viel een lichte motregen. Maar het leek wat al te hoopvol om te verwachten dat de hittegolf nu voorbij zou zijn. In huis was het nog steeds heel warm, maar met alle ramen open niet langer ondraaglijk. Kathy en Jock Pember kwamen langs voor een kopje koffie en Kathy vroeg wat er met zijn gezicht was gebeurd.
'Een insectenbeet.'
'We hebben gezien dat je in de tuin lag te slapen. Als dat vanwege de hitte was, moet je bij ons komen logeren. Onze logeerkamer is net een ijskast.'
Duncan zei nee, heel vriendelijk bedankt, hij stelde het gebaar zeer op prijs, maar vandaag zou hij de bewoners van Springmead eens aanspreken, en tegen ze zeggen dat hij naar de gemeente stapte als ze de verwarming niet wat lager zetten.
Zou hij dat echt doen? Zeggen dat je zoiets ging doen was makkelijk, maar zo'n dreigement ook werkelijk uiten, was heel wat moeilijker. Voor het zover was, zou hij gewoon het huis in de gaten blijven houden, en daarom zette hij een tafel en stoel in de voortuin en ging de krant zitten lezen, terwijl hij intussen uitkeek of hij de Audi zag. De twee geliefden kwamen naar buiten, en deze keer leken ze elkaars hand heel vriendelijk vast te houden. Niet lang daarna liep Rose Preston-Jones het gebouw uit. Voor de verandering eens zonder die leraar en zonder dat hondje van haar.
Hij keek toe terwijl ze het Bel Esprit Centre binnenliep, want honden waren daar natuurlijk niet toegestaan – volkomen terecht wat hem betrof. Net toen hij dacht dat hij maar eens naar binnen moest gaan om iets klaar te maken voor de lunch, kwam de Audi aangereden. Duncan liep haastig naar binnen en ging in de erker staan kijken.
Het was meneer Deng, die hij ooit meneer Wu had genoemd, samen met zijn zoon. Van Tijgerlelie en het andere meisje was niets te bekennen. De twee mannen liepen het huis binnen en trokken de voordeur achter zich dicht. Dit was zijn kans om aan te bellen en te klagen over de hitte die door de tussenmuur zijn huis binnendrong. Maar wat als meneer Deng eenvoudigweg zei dat er bij hen thuis helemaal niet gestookt werd?
Wat hij werkelijk zou willen doen, als dat zou kunnen zonder dat hij zichzelf daarmee in gevaar bracht, was zelf eens een kijkje nemen in dat huis, om de bron van al die hitte te vinden en die dan uit te schakelen. Hij vroeg zich af of hij het lef zou hebben om dat te doen, want ze zouden natuurlijk wel doorhebben dat die warmtebron zichzelf niet had uitgeschakeld. Maar in elk geval zou hij er op die manier achter komen of het hiernaast warmer was dan bij hem thuis. Hij zou eens een kijkje kunnen nemen bij de boiler en de verwarmingselementen. Hij zou ook graag hun elektriciteitsrekening willen zien, maar dat zou natuurlijk niet gaan.

De Audi was verdwenen, maar dat zei niets. Meneer Deng kon die ook in de garage gezet hebben. Het was inmiddels minder heiig, de zon kwam tevoorschijn en het begon weer warm te worden. Duncan liep met zijn boterhammen en een glas sinaasappelsap naar de achtertuin en ging in de tuinstoel zitten. Hij realiseerde zich dat hij nooit geluid had gehoord uit het huis ernaast, maar daar had hij dan ook nooit echt naar geluisterd. Hij had zijn oor nooit tegen de tussenmuren gedrukt. Toen hij klaar was met zijn lunch, bracht hij het dienblad naar de keuken en in de gang drukte hij zijn rechteroor, zijn goede oor, tegen de witgeschilderde muur. Niets. Stilte.
Ze waren niet naar Monte Carlo of zo gegaan. Ze waren nog steeds in het land, en logeerden vast ergens bij familieleden. Duncan stelde zich een broer of zelfs een oom van meneer Deng voor, die ergens een Chinees restaurant dreef maar in een mooi huis in Totteridge woonde. Ze zouden daar wel airconditioning hebben, en misschien zelfs een zwembad in de tuin. Als ze daar in een prachtige tuin konden zitten, met misschien wel een Chinese pagode erin, een kleinere versie van de pagode in Kew Gardens, zouden ze hier natuurlijk niet langer willen zijn dan strikt noodzakelijk.
Halverwege de middag zat Duncan koffie te drinken in de voortuin. Hij zag Richenda erop uitgaan op een fiets met een grote boodschappenmand, en vroeg zich verwonderd af hoe iemand het aandurfde om met zulke hoge hakken en zo'n kort rokje op de fiets te gaan zitten. Een vrouw van wie hij vermoedde dat ze een makelaar was, liep samen met een man en een vrouw Lichfield House binnen om de flat van Rose Preston-Jones te bezichtigen. Door het raam van haar woonkamer zag hij hen rondlopen. Maar in Springmead zag hij geen enkel teken van activiteit. Een stuk onverlaat had een leeg chipszakje over de schutting gegooid, in de voortuin van Springmead, die eigenlijk helemaal geen tuin was maar een deels verhard, deels met kiezelstenen bestrooid stukje grond met wat mismoedige struiken. Duncan keek toe hoe het heen en weer waaide in de wind totdat het bleef haken aan de scherpe spriet van een kleine cipres. Dat lege chipszakje irriteerde hem en na een tijdje liep hij de voortuin van Springmead in en raapte het op. Terwijl hij ermee naar zijn eigen huis liep om het weg te gooien, drong het tot hem door dat hij niets in huis had voor het avondeten. Het begon weer wat koeler te worden, maar het was nog steeds te warm om helemaal naar de supermarkt te lopen. In de gang drukte hij nogmaals zijn oor tegen de tussenmuur en ook nu weer hoorde hij niets. Bij de gedachte aan wat hij straks ging doen, voelde hij zijn hart in zijn keel kloppen. Zo voelde het werkelijk, alsof er iets in zijn keel zat wat het hem bijna onmogelijk maakte om lucht te krijgen. Je hebt het lef niet, zei hij in zichzelf. Je weet best dat ze zullen raden wie het was. Maar ja, misschien heb je het lef ook wél... Hoe dúrven ze iemand die naast hen woont het leven onmogelijk te maken? En was het trou-

wens niet in tegenspraak met het bestemmingsplan om een particuliere woning voor commerciële doeleinden aan te wenden, zelfs al waren ze dan nog zulke beroemde orchideeënkwekers?
Met een plastic supermarkttas die hij had meegenomen om het milieu te sparen, liep hij langzaam naar de winkel van meneer Ali, al wist hij dat meneer Ali de tassen die zijn klanten meenamen aandachtig bekeek en dat tassen van de grote supermarktketens zijn goedkeuring niet konden wegdragen. Hij scheen te denken dat mensen die iets in zijn winkel kochten, eigenlijk al hun inkopen bij hem hoorden te doen. Duncan kocht een stuk kippenborst en een pakje diepvriesdoperwten, en nog voordat hij zijn supermarkttas tevoorschijn had kunnen halen, werden die al in een gloednieuwe witte plastic tas gestopt. Meneer Ali leek vaak de gedachten van zijn klanten te kunnen lezen.
'Waarom zou u zich zo druk maken om dat milieugedoe,' vroeg hij retorisch. 'Als de Chinezen elke dag weer een nieuwe elektriciteitscentrale bouwen?'
Zou dat waar zijn? Duncan wist het niet, maar die opmerking deed hem denken aan Springmead en zijn bewoners. De meisjes waren nu vast baantjes aan het trekken in het zwembad van hun oom en meneer Deng zat samen met zijn broer op een schaduwrijke patio een sigaar te roken, of in de pagode van een glaasje sake te genieten. Hij liep naar het einde van Kenilworth Parade, stak Kenilworth Avenue over en liep het laantje in. Als de Audi er al had gestaan, dan was die nu toch verdwenen, en de garagedeur stond wijd open. Omdat meneer Deng van plan was terug te komen? In elk geval was er nu niemand aanwezig. Duncan keek verlangend naar Springmead, maar wat hij nu van plan was, zou moeten wachten tot het donker was.

Margaret was op bezoek bij haar vriendin van ernaast. Tegenwoordig ging ze daar steeds vaker en vaker naartoe en zat ze er steeds langer en langer. Als Olwen op haar slaapkamer bleef, bleef haar stiefdochter thuis, maar zodra ze in de woonkamer verscheen, mompelde Margaret dat ze 'even vijf minuutjes bij de buren langswipte'. Olwen kon het niet schelen. Ze was eraan gewend om niet geliefd te zijn, en ze was er zelfs aan gewend geraakt dat de mensen haar over het algemeen zelfs niet mochten of meden. Al vele jaren geleden had ze zich verzoend met de waarheid dat ze in niemands wereld op de eerste plaats kwam, en al evenmin op de tweede of derde.
Nu ging het er eenvoudigweg om het juiste moment te kiezen voor wat ze van plan was. De middag zou het beste zijn, onmiddellijk nadat Margaret bij Helen thee, koffie of iets sterkers was gaan drinken. Olwen schepte er een klein maar grimmig genoegen in om aan te horen hoe Margaret in een walm van alcoholdampen schijnheilig commentaar leverde op allerlei artikelen over alcoholconsumptie in de *Evening Standard.*

'Wist je dat de Britten meer wijn drinken dan de Fransen en Italianen samen?' zei Margaret dan. Of: 'Hier staat dat het comazuipen de afgelopen vijf jaar is verdubbeld.' Over het algemeen vond Olwen dat alleen maar saai en vervelend. Hoe hypocriet Margaret ook mocht zijn, en hoeveel drank ze ook achterover mocht slaan als ze alleen was of bij Helen zat, het zou nooit zelfs maar in de schaduw kunnen staan van haar eigen drankgebruik. Hoewel het al vele weken geleden was dat ze voor het laatst iets alcoholisch had gedronken, was ze trots op de enorme hoeveelheden alcohol die ze in die paar maanden had weten op te drinken. Ze was niet zomaar een drinkster geweest, maar een zware alcoholist en zo wilde ze ook sterven. Op een middag, toen Margaret, die zielige, meelijwekkende Margaret, weer even bij Helen was langsgewipt, zou het moeten gebeuren.

Toen Margaret er een keer niet was, maakte ze het drankkastje open en keek naar de flessen. Haar keel opende zich en ze hapte naar adem toen ze een hevig verlangen in zich voelde opkomen. Ze legde zelfs haar hand op de blauwe fles, en haar andere hand op de bruine, en klemde haar beide handen toen stevig om de flessenhalzen, maar daar liet ze het bij en toen deed ze de kast weer dicht.

Die avond om een uur of negen, toen het nog steeds volop licht was, stapte Duncan door het deurtje in de achtermuur van zijn tuin het laantje in. De garagedeur van Springmead stond nog steeds open. Duncan liep terug naar zijn luie stoel, krabde aan zijn insectenbeet en keek naar de restjes van zijn maaltje van kip, doperwten en gebakken aardappelen, die nog steeds op tafel stonden. Meneer Deng en de jongen zouden nu wel weer in Totteridge zijn en daar genieten van een heerlijke maaltijd van grote garnalen, kip met citroensaus en gebakken rijst. Of ze waren met z'n allen in de Bentley naar het restaurant van de broer van meneer Deng gegaan – zou die ook Deng heten, of werkte dat bij Chinezen niet zo?

Hij liep met het dienblad naar binnen en trok de keukenla open waar hij zijn huissleutels bewaarde. Er was een sleutel voor elke kamer, plus een reservesleutel voor de voor- en achterdeur. De twee huizen, zijn eigen huis en dat van Deng, waren precies hetzelfde, en waarschijnlijk zou hij er met een van deze sleutels wel in slagen om de achterdeur of de openslaande tuindeuren van Springmead open te maken – nou, 'waarschijnlijk' was niet helemaal het woord, maar het leek hem niet onmogelijk. Zijn eigen sleutels verschilden in elk geval nauwelijks van elkaar. Hij schoof de sleutels in zijn zak, liep terug naar zijn luie stoel en bleef daar een tijdlang liggen, zonder te slapen maar toch niet rusteloos. Op een gegeven moment moest hij toch weggedoezeld zijn en toen hij weer wakker werd, zag hij dat het bijna halftwee 's ochtends was.

Hij stond op en toen deed hij iets wat hem vreemd was. Hij dronk slechts hoogst zelden iets met alcohol erin, de smaak beviel hem niet zo, maar nu had hij moed nodig, en daarom schonk hij zich een klein glas whisky in. Huiverend sloeg hij het spul achterover en onmiddellijk daarna voelde hij zich klaarwakker en vol energie.

Hij zou misschien zijn zaklantaarn nodig hebben, en voor alle zekerheid stopte hij er een nieuwe batterij in. Het zou het beste zijn om de tuin binnen te lopen via de deur in de achtermuur. Zou die op slot zitten en als dat het geval was, zou hij die met een van zijn sleutels dan open weten te krijgen? Hij controleerde of ze nog steeds in zijn zak zaten. Het was een donkere nacht, maanloos en bewolkt. Duncan liep zijn tuin door en haalde uit naar de insecten die op hem af doken. De klamme lucht voelde warm en drukkend aan en er stond zelfs geen zuchtje wind. Hij stapte het laantje in en probeerde de deur naar de tuin van het huis ernaast, maar die zat op slot. Hij begon de sleutels uit te proberen, de ene na de andere. De vierde liet zich omdraaien en het deurtje ging open. Duncan zag dat als een goed voorteken. Dat moest wel betekenen dat een van de andere sleutels op het slot in de achterdeur zou passen. Zoals hij al had verwacht, was het volkomen donker in het huis. Hij liep naar de achterdeur, bleef even staan en hield zichzelf voor dat hij nu op het punt stond een misdrijf te plegen. Inbraak was het niet, want van braak zou geen sprake zijn, maar wat hij nu van plan was, was wel degelijk insluiping en hij merkte dat hij bijna hoopte dat hij er met geen enkele sleutel in zou slagen om de achterdeur open te krijgen. Hij liep naar de openslaande deuren naar het terras en begon opnieuw. Deze keer liet de allerlaatste sleutel die hij probeerde zich omdraaien. Hij was blij maar ook boos. Het was niet in de haak dat ze dat zo aanpakten en sleutels voor mensen maakten waarmee de huizen van hun buren opengemaakt konden worden.

Met zijn hand om de deurknop, maar zonder die om te draaien, stond hij daar en begon plotseling erg te twijfelen. Dat zwarte gordijn hangt voor de deur, dacht hij. Dat zal ik weg moeten duwen, en dan merk ik wat daarachter zit, en dat zou weleens iets afgrijselijks kunnen zijn. 'Wat een flauwekul,' mompelde hij zachtjes. 'Doe niet zo stom… Waarom doe ik dit? Ik ga toch niet echt hun verwarming uitzetten? Ga nou maar weer naar huis, en dien een klacht in bij de gemeente…'

Maar hij ging niet naar huis. Een paar minuten lang bleef hij roerloos in de klamme warmte staan. Toen haalde hij diep adem, draaide de deurknop om, stapte naar binnen en deed de deur achter zich dicht. Hij stond nu tussen de deur en het gordijn. Het was hier warm, donker, en benauwd, en hij zag alleen maar dikke, zwarte stof. Voorzichtig streek hij in het donker met zijn hand over het gordijn totdat hij de linkerkant daarvan had bereikt. Hij zette de zaklantaarn aan, nam die in zijn linkerhand, en trok met zijn rechterhand aan het

gordijn. Het liet zich gemakkelijk wegtrekken, alsof het aan een gordijnroe hing, en liet een zacht geratel horen dat de diepe stilte ruw verstoorde.
Voordat hij de zaklantaarn omhoogbracht om daarmee in de ruimte aan de andere kant van het gordijn te schijnen, voelde hij bladeren over zijn huid strijken. Het deed hem denken aan de insectenvleugeltjes van daarnet. Hij bracht de lantaarn omhoog en hoorde zichzelf naar adem happen. Hij stond in een bos of plantage, dat de hele woonkamer in beslag nam. Van de openslaande deuren aan de achterzijde tot het raam in de voorgevel, waar ook een zwart gordijn voor hing, stond het vol met planten, de ene rij na de andere, planten zonder bloemen, zo ver verwijderd van orchideeën als een mens zich maar kon voorstellen. Ze leken meer op tomaten, maar op de een of andere manier besefte hij dat dit geen tomaten waren. Zonder precies te weten hoe, besefte hij dat deze planten niet de onschuld hadden van tomaten, zonnebloemen, artisjokken of andere planten waar ze een sterke gelijkenis mee vertoonden. Er kwam een geur vanaf, heel zwak maar het was iets wat hij op straat weleens had geroken, lang geleden toen hij nog jong was, een geur waarvoor hij zelfs toen al bang was geweest.
Hij was bang nu, bang om tussen die planten door te lopen en ze te beschadigen. Als hun bladeren gekneusd zouden raken doordat hij er tussendoor liep, zouden ze misschien een sterkere substantie afgeven aan de warme lucht, of een of ander soort gas uitwasemen. En nu drong het tot hem door hoe ongelooflijk warm het hier was, warmer dan in zijn eigen huis, warmer dan het afgelopen dagen zelfs op het heetst van de dag in de volle zon was geweest. Hij begon zijn angst voor de planten kwijt te raken, en toen hij om de buitenste rij planten heen naar de deur naar de gang liep, of liever gezegd naar de deuropening die op de gang uitkwam, want de deur zelf was weggehaald, plukte hij een stukje van een van de planten. En toen nog één, ongeveer tien centimeter steel met bladeren in de vorm van handen met gespreide vingers, en die stopte hij allebei in zijn zak. De gang stond eveneens vol met planten, en de keuken ook, op een looppaadje naar de koelkast en het aanrecht na. Het zweet droop nu over zijn voorhoofd en wangen. Nu zijn ogen gewend begonnen te raken aan het donker kon hij hier net zo goed zien als in de tuin. Vol verwondering tuurde hij naar de honderden – nee, duizenden – planten, met hun lange stelen en groene bladeren, en veegde met zijn hand het kleverige vocht van zijn voorhoofd.
De elektriciteitsmeter zou in een kastje aan de muur zitten, precies op dezelfde plek als in zijn eigen keuken. Waarom had hij daar niet eerder aan gedacht? Maar dat deed er niet toe. Hij dacht er nu aan. Hij trok het deurtje open en zag de meter, precies waar die hoorde te zitten. Maar de meterstand was zoveel minder dan die van hem dat het gewoon lachwekkend was. Een laag cijfer met drie nullen ervoor. Hoe kon dat nou? Duncan herinnerde zich dat hij ergens gelezen had dat mensen die geen zin hadden om hun torenhoge elektriciteitsrekeningen

te betalen en die weinig scrupules kenden, op de een of andere manier de meter wisten te omzeilen, en stroom aftapten van een bron ergens op straat.
Maar zou de verwarming geregeld worden met behulp van een thermostaat en een tijdklok in een kast op de overloop, net als bij hem thuis? Terwijl hij goed oplette dat hij op het smalle pad tussen de buitenste rij planten en de muur bleef, liep hij naar de trap. Hij vorderde traag vanwege de hitte, die hem bijna te veel werd, en het zweet droop letterlijk van zijn wangen op zijn overhemd. Hij had niet verwacht dat er nog meer planten boven zouden staan, maar ze stonden er wel: een roerloze zee van dof groen op de overloop en in drie slaapkamers. De deuren van deze kamers waren weggehaald, maar de deur van de vierde en kleinste slaapkamer was er nog, en die was dicht.
Duncan wist niet wat hij in dat kamertje zou aantreffen. Planten zouden het echter niet zijn. Hij zou even kijken en daarna naar de gangkast lopen, waar de cv-ketel stond. Heel traag en voorzichtig deed hij de deur open. De vloer lag vol met dekbedden en een soort matrasjes die volgens hem futons heetten. Er stond ook een stapelbed en ook dat lag vol met dekbedden. Geen zwart gordijn hier, maar alleen de omlaaggetrokken jaloezieën. Hij deed een paar stappen naar achteren en liet de deur open terwijl hij behoedzaam tussen de rijen planten door stapte om de bron van deze overweldigende hitte te zoeken.

In het kamertje, op een boxershort na volkomen naakt, schrok Tao wakker toen hij iemand beneden hoorde rondlopen. Niet Deng Wei Xiao. Die zou eerst gebeld hebben en door de voordeur naar binnen zijn gekomen. De meisjes zouden nooit alleen mogen komen. En bovendien had Deng Xue zo hard geslagen toen ze een afspraakje met die man had gemaakt dat ze bang was om ook maar iets te doen wat niet mocht. Nu ze in de flat zat, durfde ze zelfs de kamer die ze met Li-li deelde niet te verlaten. De jongen ging rechtop zitten en luisterde. Wie het ook mocht zijn, de bezoeker kwam nu de trap op. En toen was hij boven. Tao huiverde bij de gedachte aan de planten die onder zijn voeten geplet zouden worden, gekneusd, bedorven en waardeloos.
De deur ging op een kier en zwaaide toen helemaal open. Tegen die tijd lag Tao al onder het dekbed, zo roerloos als een steen. Maar hij kon de indringer nog net zien. Het was de oude man van hiernaast. Tao had hem vaak naar de tuin van Springmead zien kijken of vanuit een raam aan de achterzijde op hen neer zien kijken als Xue en hij naar het koele, plantvrije zomerhuisje liepen. De oude man liep weg en liet de deur open. Tao stond op, heel zachtjes en heimelijk.
Precies voor deze gelegenheid had Deng Wei Xiao voor degene die hier de wacht hield een reeks wapens achtergelaten, een hamer, een mes en een honkbalknuppel. Geen vuurwapens. Wat er ook gebeuren moest, het moest geruisloos blijven. Tao koos de honkbalknuppel. Hij ging in de deuropening op zijn hurken

zitten en keek toe hoe de man de kast binnenstapte en de cv-ketel uitschakelde. Als dat gebeurde, had Deng gezegd, als de verwarming meer dan een halfuur uit stond, zouden de planten doodgaan en zouden ze er duizenden bij inschieten.
Tao keek toe hoe de oude man de trap af liep. Omdat hij zo oud was, zou hij waarschijnlijk doof zijn. Tao herinnerde zich zijn grootvader in Changsha, die doof was geworden toen hij ongeveer zo oud was als deze man. De oude man liep traag naar beneden en hield zich goed vast aan de trapleuning. Hij scheen niet te horen dat iemand achter hem aan de trap af sloop. Tao wachtte tot de oude man, die niet in de gaten leek te hebben dat hij gevolgd werd, de laatste traptrede had bereikt. Toen de man tussen de planten door was gewaad en de glazen deur voor de voordeur had bereikt, sloeg Tao toe. Hij bracht de honkbalknuppel neer op het hoofd van de oude man en keek toe hoe hij met een langgerekte kreun in elkaar zakte en op de vloer terechtkwam.
Hij lag op de vloer en drukte de planten plat met zijn lijf. Nóóit ook maar één enkele plant beschadigen, was de waarschuwing die er bij Tao en de meisjes steeds weer ingeramd was. Maar wat was erger, vijf of zes planten opofferen of de oude man naar buiten laten lopen, zodat hij de politie kon bellen? Maar de oude man mocht hier niet blijven. Hij mocht niet hier binnen gevonden worden. Tao deed de glazen deur en de voordeur open en toen hij Duncan naar buiten sleepte zag hij vol afgrijzen en met een lichte paniek hoeveel meer planten hij nu plat drukte, maar er viel niets aan te doen. Deng zou het toch wel begrijpen? Het was drie uur 's nachts en nergens in de stille straat viel ook maar iets van beweging te bekennen. Hij sleepte Duncan of Duncans lijk – zou hij dood zijn? – de straat op en liet hem achter op het trottoir, dicht bij de lage heg. Om het wat meer op een overval te laten lijken, wilde hij het mobieltje en de portemonnee van de oude man pakken, maar Duncan had geen mobieltje bij zich en op wat koperen muntjes na ook geen geld. Het enige wat hij in zijn zak had, waren zijn sleutels.
Toen liep Tao snel de trap op en zette de verwarming weer aan.

22

Marius had tegenwoordig minder geluk met de sortes dan gebruikelijk. De vorige avond had hij *Paradise Lost* op verzoek van Rose weer eens opgeslagen. Ze wilde weten of de man die haar flat wilde kopen de komende dag het contract zou tekenen. Marius had gezegd dat de sortes niet meer dan een tijdverdrijf waren en niet serieus genomen moesten worden, maar dat haalde niets uit. De passage waarop hij het boek had opengeslagen was halverwege Boek X, en wat hij daar las was: 'De dood komt niet op afroep en Gods recht/ Versnelt zijn loop niet na gebed of smeekbee.'

'Ik vrees dat dat niets met kopers of makelaars te maken heeft, lieveling.'

'Nou, ik weet het niet, Marius. "Versnelt zijn loop niet" doet me wel denken aan mijn advocaat.'

'Gelukkig lijkt dat stukje over de dood niet van toepassing,' zei Marius. 'Daar moeten we dankbaar voor zijn.'

Maar misschien had het er wel iets mee te maken. Als jongeman had Marius er altijd naar verlangd om te kunnen uitslapen tot een uur of tien, of zelfs tot in de middag. Daar had hij echter niet vaak de kans toe gekregen. Tegenwoordig weerhield niets ervan om uit te slapen maar werd hij steevast om zes uur 's ochtends wakker en door de warmte was hij die ochtend al iets voor halfvijf wakker geworden. De lucht had een kleur die geen naam heeft, een kleur als een grijs waas voor het allerlichtste blauw. Hij stond voor het open raam in Rose' woonkamer van de frisse koele ochtend te genieten, die over een uur of drie een stuk warmer zou zijn geworden. Kenilworth Avenue zag eruit zoals altijd vlak voor zonsopgang. Ontvolkt, zonder dat er ook maar iets bewoog, en aan weerszijden volgepropt met auto's. Tussen twee auto's die ongeveer een meter van elkaar stonden, zag hij iets bij de heg liggen. Of iemand. Iets of iemand lag op het trottoir.

Marius pakte zijn sleutels en zijn mobieltje en stak hollend de straat over.

'De dood komt niet op afroep,' mompelde hij in zichzelf.

Toen hij naast het roerloze lichaam op zijn knieën zat, zag hij al snel dat dit geen lijk was maar een levende man, al was hij wel bewusteloos. Duncan had nog steeds een huissleutel in zijn hand. Naast hem lag een zaklantaarn. Marius belde

112 en terwijl hij stond te wachten trok hij zijn sweater uit, rolde die op en legde hem onder Duncans hoofd. Terwijl de zon opging, zat hij daar te wachten. O, schiet op, schiet toch op, wat spoken jullie toch allemaal uit? Waar zijn jullie? En Gods recht, dacht hij, versnelt zijn loop niet na gebed of smeekbee. Toen hoorde hij in de verte een loeiende sirene, die steeds luider klonk, zodat iedereen in Kenilworth Avenue wakker was toen de ambulance tot stilstand kwam en twee verplegers naar hem toe gehold kwamen.

'Er is hier sinds februari al vier keer een ambulance geweest,' zei Molly. 'Twee keer voor die arme Stuart, twee keer voor Olwen, en nu dit.'
Carl knikte langzaam. 'Het lijkt wel of hij is overvallen.'
Ze zaten cappuccino te drinken in het Bel Esprit Centre. 'Die arme man. De overvaller heeft hem een klap op zijn kop gegeven met een "stomp voorwerp", zo noemen ze dat, een "stomp voorwerp". Zijn geld en zijn mobieltje waren weg, dus die zullen wel gestolen zijn.'
'Overleeft hij het?'
'Ik weet het niet. We moeten maar duimen.'
'Op zijn leeftijd maakt het toch niet veel uit of je nou leeft of dood bent.' Carl geeuwde. 'Ik koop een ring voor je zodra ik daar de poen voor heb. Dat gaat niet lang duren. Dan kunnen andere mensen zien dat je verloofd bent.'
'O, Carl, dat weet ik niet hoor,' zei Molly.

Vandaag was het zover. Olwen had alles zorgvuldig gepland. Ze had toch niets anders te doen. Het zou gemakkelijker zijn geweest als ze geld had gehad, maar ze had helemaal niets en ook geen enkele manier om aan geld te komen. Ze had een onmiskenbare blik van opluchting op Margarets gezicht gezien toen ze vertelde dat ze haar pinpas kwijt was.
'Nou, die zul je toch zeker niet nodig hebben?'
'Eigenlijk niet,' zei Olwen om vooral geen argwaan te wekken.
'Je moet wat lichaamsbeweging nemen, maar meer dan zo nu en dan een ommetje is nergens voor nodig. Je hoeft geen boodschappen te gaan doen.'
Iemand die niet lang meer te leven heeft zou alles moeten kunnen doen wat ze maar wil, vond Olwen. En ze wilde maar één ding: drinken en doodgaan. Zichzelf dooddrinken, zoals ze altijd al van plan was geweest, maar dan wel in haar eigen tempo. Als ze daarvoor moest stelen, nou dan moest dat maar. Dan zou ze stelen. Anderen hadden ook van haar gestolen, vooral dat meisje, dat kind dat met haar pinpas rondliep. Maar dat deed er niet meer toe. Het kon haar niets meer schelen.
Als onderdeel van haar plan had Olwen regelmatig korte wandelingetjes gemaakt. Dat had ze alleen maar gedaan om als het moment gekomen was, in elk

geval de taxi te kunnen bereiken. Een wandelstok hielp daarbij. Ze vond het niet prettig dat ze nu weer wat beter kon lopen, dat ze sterker was, want ze besefte dat dat het gevolg moest zijn van een paar weken lang geen alcohol. Het was een heel warme dag, deze hele maand was een van de warmste junimaanden ooit. Olwen droeg haar zwarte joggingbroek en een oud zwart T-shirt met een verschoten en niet meer leesbaar logo op de voorkant. Margaret zette de ventilator voor haar aan en zei dat ze even bij Helen langsging.
'Ik ben over een uurtje weer terug.'
Dat wilde zeggen dat ze minstens drie uur zou blijven. Een uur zou al voldoende zijn geweest voor wat Olwen nu van plan was. Zodra Margaret haar niet meer voor de voeten liep, zocht Olwen het telefoonnummer van het taxibedrijf dat de familie gebruikte op in hun adresboek, toetste het nummer in, gaf Margarets naam door, plus het wachtwoord dat ze haar zo vaak had horen gebruiken, en toen haar gevraagd werd waar ze naartoe wilde, zei ze: 'Kenilworth Green.'
'Wat is de postcode?'
Dat wist Olwen niet. Misschien had ze het ooit wel geweten, maar nu niet meer. Het werd voor haar opgezocht, en dat duurde een hele tijd.
'Wanneer wilt u die taxi hebben?'
'Zo snel mogelijk.'
In een keukenkastje vond ze een milieuvriendelijke boodschappentas en daar stopte ze de bijna volle fles gin en de nog niet geopende fles cognac uit Margarets drankkastje in. Als ze haar beter hadden gekend, dacht Olwen, haar sluwheid, haar intense behoefte aan drank en haar gebrek aan scrupules, zouden ze die daar niet hebben laten staan. Margaret zou de taxi niet zien komen, omdat Helen en zij altijd in de achterkamer zaten.
De taxi was twee minuten te vroeg. Met haar tas met drank in haar linker- en haar wandelstok in haar rechterhand, schuifelde ze over het tuinpad naar de straat toe en de chauffeur stapte uit om haar in de taxi te helpen. Vanuit Harrow was het een heel lange rit, maar toen ze het draaihekje had bereikt, hoefde ze niets te betalen, want dat ging op Margarets rekening. Het gras van Kenilworth Green was niet langer overal strak groen, maar zat nu vol met geblakerde plekken, waar het veranderd was in geel stro.
Olwen was van plan geweest om een boom of struik te zoeken waaronder ze zich zou kunnen verbergen, maar hoewel er bomen in overvloed waren, was er geen enkele waar ze onder zou kunnen gaan zitten zonder gezien te worden. Ze was hier maar één keer eerder geweest en had toen het aangrenzende kerkhof nauwelijks opgemerkt, maar daar stonden zoveel bomen met struikgewas eromheen en met struikgewas overwoekerde graven en grafzerken dat er schuilplaatsen in overvloed waren. En wat was nou een betere plek om te sterven? De heg

die de begraafplaats scheidde van Kenilworth Green was laag, iets meer dan een meter misschien. Voor Stuart en Wally en al die anderen die hier regelmatig kwamen, was het eenvoudig geweest om eroverheen te komen. Ze hoefden er alleen maar overheen te stappen. Maar voor Olwen ging dat niet op. Terwijl ze er met behulp van haar stok naartoe strompelde, was de tocht haar al bijna te zwaar geworden. Ze schuifelde langs de heg, waarbij ze om de paar seconden moest blijven staan om rust te nemen, en vlak voordat de heg plaatsmaakte voor een hoog hek, zag ze dat er een gat in zat. Zou dat daar met opzet gemaakt zijn? Misschien wel, want het zag eruit alsof iets of iemand, een dier of een mens, zich erdoorheen had gedrongen. Olwen slaagde er met veel moeite in om eroverheen te stappen en stond toen aan de andere kant tot aan haar knieën in een massa hoogopgeschoten gras en brandnetels, kreupelhout en braamstruiken.
Aan de andere kant van het kerkhof was een speelterrein waarop schreeuwende en duwende kinderen druk rondholden. Olwen had geen idee gehad dat daar een school was. In Lichfield House had ze eigenlijk maar heel weinig aandacht besteed aan de buurt waarin ze woonde. Ze strompelde verder en moest zich aan de grafzerken vastklampen om niet te vallen. Ze gaf het op toen ze een schaduwrijk plekje had gevonden bij een grote, bijna vierkante graftombe van donker graniet met een dichte ligusterhaag, die echter niet meer dan een meter breed was, alsof iemand van plan was geweest een heg dwars over het kerkhof aan te leggen, maar het had al opgegeven na niet meer dan een handvol struiken geplant te hebben.
Het deed haar denken aan toen ze nog heel jong was, een kind van zeven of acht. In de tuin van haar ouders had net zo'n stukje heg gestaan, een eindje van de schutting aan de achterzijde. Ze had vele uren doorgebracht op het lapje grond tussen de heg en de schutting. Ze had er takken overheen gelegd en het haar kamp genoemd. Ze had daar blikjes fris bewaard – o, wat een onschuld – en koekjes, en ze was er vaak gaan zitten met haar hondje, als het tenminste mee wilde.
In die schuilplaats ging ze nu met grote moeite op het gras zitten. Ze liet zich moeizaam op haar hurken zakken, toen op haar knieën en liet zich daarna voorzichtig opzijzakken, zodat ze tegen de zijkant van de graftombe geleund zat. Zonder hulp zou ze nooit meer overeind weten te komen en hulp zou ze hier niet krijgen. Het was nu volkomen stil. De schoolkinderen waren weer naar binnen gegaan en het verkeer was niet meer dan een gedruis in de verte. Het was windstil, de lucht was warm en de grond hier was droog en stoffig. Terwijl ze genoot van dit moment, dit voorbereidingsritueel, draaide ze de dop van de fles met gin, zette die aan haar mond en dronk.
Olwen dacht dat ze nooit in haar hele leven zo'n extase had doorgemaakt. Het was de allerheerlijkste slok die ze ooit had genomen. Heel kort dacht ze even aan

de wreedheid van degenen die haar dit hadden afgenomen en die het haar, als ze de kans kregen, telkens weer opnieuw zouden afnemen. Maar ze was ontsnapt. Ze had gewonnen. Ze deed haar ogen dicht, hield de fles schuin omhoog en goot de gin door haar keelgat. Ze was gelukkig.

Een kilometer of tien verderop was Duncan weer bij bewustzijn gekomen, kort nadat hij het Royal Free Hospital naar binnen was gebracht. Ze namen een scan en daarna nog een, en concludeerden dat er geen zichtbare hersenbeschadigingen waren. Een arts vertelde hem dat hij ontzettend veel geluk had gehad, alsof het zijn eigen schuld was dat hij een klap op zijn hoofd had gehad. Maar misschien was dat ook wel zo. Duncan zou het niet weten, want hij kon zich niets meer herinneren van de gebeurtenissen vlak voor en onmiddellijk na het moment waarop hij was overvallen. Het ziekenhuis wilde weten of hij naaste verwanten had die gewaarschuwd dienden te worden en Duncan noemde Jock en Kathy Pember. Hoewel hij zich dergelijke dingen wel kon herinneren, wist hij niet meer wat er was voorgevallen vlak voordat hij op zijn hoofd was geslagen. Hij kreeg bezoek van een politieman en Duncan vertelde dat hij dacht dat hij een wandelingetje gemaakt moest hebben, ergens in een bos of zo, want hij herinnerde zich een heleboel bladeren. Nee, hij had geen mobieltje en hij wist niet zeker of hij geld of pinpasjes bij zich had gehad toen hij de deur uitging. De politieman dacht dat Duncan nog niet helemaal bij zijn positieven was, of dement begon te worden, want hij had nooit eerder iemand ontmoet die geen mobieltje had.
Een tijdje later kwamen Jock en Kathy Pember op bezoek. Jock vroeg of hij een signalement kon geven van de overvaller, maar verloor zijn belangstelling toen Duncan zei dat hij zich niet kon herinneren wat hem was overkomen. Toen vertelde Kathy een lang verhaal dat ze ergens had gelezen, over een vrouw in de Verenigde Staten die haar overvaller had aangewezen uit een rijtje mogelijke verdachten. En raad eens hoe ze had gezien dat die ene man de overvaller was?
'Hij was de enige met handboeien om,' zei Kathy.
Duncan zei tamelijk geïrriteerd dat zijn geval daarmee niet te vergelijken viel omdat hij zich niets van een overvaller kon herinneren en niet geloofd zou hebben dat iemand hem zou overvallen als hij niet zo'n harde klap op zijn hoofd had gehad. De volgende dag vertelde hij Ken en Moira over de bladeren die hij had gezien. En niet zo weinig ook, zoals je kon verwachten als je een enkele plant had gezien, maar hele akkers vol.
'Dat moet je dan gedroomd hebben,' zei Ken. 'Een droom, dat moet wel. Ben je opgegroeid op het platteland?'
'Ik denk dat je dat wel zo zou kunnen zeggen, ja.'
'Nou, dat zal het dan wel zijn. Je dacht terug aan je kindertijd. Suikerbiet, het zullen wel suikerbietbladeren zijn geweest.'

De volgende dag mocht Duncan naar huis. Toen hij zijn huis binnenstapte, was de hitte daar zo intens dat het leek alsof hij tegen een muur liep. Meteen toen hij binnen was trok hij zijn jasje uit en daarna zocht hij in de zak daarvan op de tast naar zijn zakdoek om het zweet van zijn gezicht te vegen. Maar er zat geen zakdoek in zijn zak. Misschien was hij, zoals Ken had gezegd, inderdaad wel aan het terugkeren naar zijn kindertijd, want toen hij keek wat hij uit zijn zak had opgediept, waren dat een verfrommeld papieren zakdoekje en twee groene stengels met verdorde bladeren. Toen kwam het weer terug. In losse, verbrokkelde fragmenten weliswaar, maar hij herinnerde het zich allemaal wel: de lange rijen groene planten, de intense hitte, de geur, de trap, de kast met de thermostaat, de beweging achter zich toen hij de trap af was gelopen...

Hij moest even gaan zitten, want hij voelde zich heel zwak. Maar vanaf het moment dat hij in een klein, erg nieuwerwets soort ambulance was thuisgebracht, had hij besloten dat hij de man zou gaan opzoeken die hem op het trottoir had zien liggen en om hulp had geroepen. Marius Potter. Duncan kende hem niet goed, maar hij herinnerde zich dat hij de man vaak had gezien als hij naar buiten stond te kijken en dat ze allebei op Stuarts feestje waren geweest, en op de begrafenis. Hij stak voorzichtig de straat over terwijl hij dacht dat hij best een wandelstok zou kunnen gebruiken maar daar toch nog maar even mee zou wachten. Dat hellende vlak naar de ouderdom wilde hij nog niet betreden. Er was geen huismeester. Kennelijk hadden ze nog geen vervanger gevonden voor Wally Scurlock. Duncan belde aan bij Marius en daarna bij Rose. Geen van beiden deed open. Zonder dat Duncan of de andere buren dat wisten, waren Rose en Marius op dat moment voor de huwelijksvoltrekking in St. Ebba's Church. Hun enige getuigen waren Marius' zus Meriel en haar echtgenoot.

De dominee, die oud en bijziend was en met zachte stem sprak, vertelde hun dat zij het enige stel 'van uw leeftijd' waren dat hij ooit had getrouwd van wie beide partners niet eerder getrouwd waren geweest. Hij vond het wonderbaarlijk dat ze allebei zo oud waren geworden en toch alleen waren gebleven. Marius en Rose glimlachten maar zeiden niets. Rose had een doodgewoon zomerjurkje aan en Marius droeg het enige pak dat hij bezat. De ring die hij aan haar vinger schoof, was van zijn moeder geweest. Na de ceremonie liepen ze naar het kerkhof om van daaruit over de heg naar Kenilworth Green te lopen, en daarbij kwamen ze vlak langs de plek waar Olwen zich in het struikgewas had genesteld, maar zonder ook maar iets van haar te zien. Nadat ze het klaphekje door waren, liepen ze haastig naar huis want McPhee werd onrustig als hij te lang alleen werd gelaten.

Ze liepen het bordes op, maar net toen de schuifdeuren open gingen, stak Duncan voor de derde keer de straat over. Marius en Rose zeiden niet dat hij de eerste kon zijn om hen te feliciteren, maar Marius vroeg wel hoe hij het maakte

en voegde eraan toe dat hij hoopte dat Duncan er inmiddels weer helemaal bovenop was.
'Ik wil u graag bedanken omdat u me gered hebt. Dat u die ambulance hebt gebeld toen u me daar op het trottoir zag liggen... dat had u niet hoeven doen.'
Marius had graag gezegd dat hij Duncan toch moeilijk midden op het trottoir had kunnen laten liggen, maar in plaats daarvan glimlachte hij en zei dat hij het allemaal eigenlijk nogal vermakelijk had gevonden. Het was al met al een heel avontuur geweest.
'Nou, nu ik u gevonden heb, kunt ú mij misschien vertellen wat dit is? Dit zijn toch geen orchideeënbladeren?'
'Dat is cannabis,' zei Marius. 'We moeten de politie bellen.'

Deng, Tao en de twee meisjes zaten te overleggen in de achtertuin van Springmead toen de politie een inval deed. Of liever gezegd, Deng was Tao de les aan het lezen, niet omdat hij Duncan had overvallen, maar omdat hij de man niet had gedood. Een lijk hadden ze wel kunnen wegwerken, maar een levend mens niet. Dat Duncan nog leefde, wisten ze, want ze hadden hem in de tuin hiernaast in zijn ligstoel zien liggen.
De meisjes namen geen deel aan het gesprek. Ze wisten wel beter.
Deng gaf Tao opdracht om Xue en Li-li mee terug te nemen naar de flat. Zelf zou hij hier blijven om alles in de gaten te houden, zei hij, en net op dat moment hoorden ze het onmiskenbare geluid van een deur die wordt ingetrapt.
'Naar de auto. Nu,' zei Deng en ze holden naar de garage. Toen de politie het zwarte gordijn wegduwde, de jaloezieën optrok en de tuin binnen holde, reden ze al over het laantje achter de tuinen naar Watford Way. Deze keer waren het niet Blakelock en Bashir, maar agenten van de drugsbrigade. Ze liepen de trap op, waadden tussen de planten door en stapten het kamertje binnen waar de Chinezen hadden geslapen. Het was er zo heet en het ultraviolette licht was zo fel dat het hen bijna te veel werd.
'Er staan hier minstens vijfhonderd planten,' zei een agente. 'Ze zullen wel een lus om de elektriciteitsmeter heen gelegd hebben. Ik vraag me af of ze stroom aftappen van een straatlantaarn. Dat zou kunnen.'
'Ja, maar waar zijn ze eigenlijk?'
De vier politiemensen liepen de tuin in. De open deur van de garage maakte onmiddellijk duidelijk hoe de hennepkwekers hadden weten te ontsnappen. Ze gingen naar de buren en Ken Lee vertelde hun alles over Deng en Tao, en over de meisjes die hij alleen maar kende als Tijgerlelie en 'die andere'.

Duncan wilde verder geen contact met de politie. Hij hield zich schuil in zijn huis, waar het snel koeler werd. Hij was echter met alle genoegen bereid om met

de buren te praten, en had alle buren die hij kende, onder wie ook Rose en Marius, uitgenodigd voor een borreltje om zes uur. Om zijn herstel te vieren, en nu hij daarover gehoord had, ook ter gelegenheid van het huwelijk van Marius en Rose. Koffie was voor zo'n gewichtige gelegenheid eigenlijk niet toereikend. Hij zat te kijken wanneer de politie weg zou gaan. Er was inmiddels iemand gearriveerd die politielint om de voortuin van Springmead begon te spannen. De politie was aan het praten met de bewoners van nummer 7, Ken en Moira. Dat vond Duncan prima. Hij had de politie over Tijgerlelie en Stuart kunnen vertellen, en hoe leuk Stuart haar had gevonden, en hoewel Duncan dat niet zeker wist, kon hij wel raden dat er meer aan vast had gezeten. Misschien had haar oom die relatie niet goedgekeurd. Het zou hem niet verbazen als... Maar nee, dat zou hij niet tegen de politie gaan zeggen.
Sinds Marius had verteld dat de bladeren die hij had gevonden, afkomstig waren van een cannabisplant, was hij bang geweest dat de politie erachter zou komen dat hij Springmead illegaal was binnengegaan. Hij had natuurlijk niet ingebroken, maar hij had 'zich wederrechtelijk toegang verschaft', zoals dat officieel heette, dus ze zouden hem kunnen vervolgen. Ze zouden zoiets waarschijnlijk niet gewoon door de vingers zien. Hij zou verder niets loslaten.
De drugsbrigade, als het tenminste de drugsbrigade was, ging weg terwijl Duncan zat te lunchen, en even later vertrokken de mannen die het lint hadden gespannen ook. Het was inmiddels gaan regenen, de eerste regen in weken. Hij ging op de bank liggen en trok een plaid over zich heen omdat het een beetje kil begon te worden – wat hij heel aangenaam vond – en viel in slaap.

23

Sophie stond vaak bij Olwen voor de deur te luisteren maar hoorde niets. Hoewel ze iedereen in Lichfield House en de mensen die ze kende in de andere flatblokken had gevraagd wat er met Olwen was gebeurd, kon niemand haar dat vertellen. Aanvankelijk had het haar absoluut schandelijk geleken om geld op te nemen van Olwens bankrekening. Maar toen ze er niets van hoorde en het geld ook niet op leek te raken, was ze daar minder ongerust over geworden, en ze was er zelfs op gaan rekenen dat als ze geld nodig had, ze wel even wat van Olwens rekening kon halen. Ze zorgde er wel voor dat de bedragen die ze opnam niet al te groot waren en was er inmiddels achter gekomen dat het geld elke maand op de 24e werd overgemaakt. Als het regende en ze geen zin had om helemaal naar de metro te lopen, nam ze een taxi naar de universiteit; als ze in de etalage van een kledingwinkel iets leuks zag, stapte ze over het algemeen even naar binnen om het te kopen, en ze liet haar haar bijknippen en voorzien van highlights.

Ze had het vervelend gevonden dat Noor en Molly een vriendje hadden en zij niet, maar nu ze wat beter gekleed en gekapt was, en wat meer zelfvertrouwen uitstraalde, een van haar nieuwe bh's droeg en met haar rug recht liep, was dat allemaal veranderd. Het was inmiddels zomervakantie en de universiteit was gesloten, maar zolang het werkelijk niet anders kon zou ze niet naar haar ouders in Purley gaan. In de Kenilworth Arms was ze een jongen tegengekomen en ze had vanavond met hem afgesproken. 'Wil je met mee naar een feestje? Het is een ouwe man die Duncan heet, maar er zijn drank en hapjes en daarna kunnen we ergens anders naartoe.'

'Hoe oud?' zei Joshua.

'O, schiet op. We hoeven niet lang te blijven.'

In de lobby liepen ze Marius en Rose tegen het lijf. Rose had een fles wijn bij zich in een van de plastic tassen van meneer Ali.

'Misschien hadden wij er ook een mee moeten nemen,' zei Sophie.

Joshua keek haar aan alsof ze had voorgesteld om champagne en kaviaar mee te nemen. 'Doe me een lol,' zei hij. 'Daar zijn we toch veel te jong voor?'

Ze staken met z'n allen de straat over. Het politielint hing nog steeds voor

Springmead. Molly, die zich bij hen had aangesloten en achter hen aan over het tuinpad liep, zei dat ze had gehoord dat het hele huis met chemicaliën ontsmet zou moeten worden, en dat het misschien zelfs wel noodzakelijk zou blijken om het helemaal leeg te halen en van nieuwe verf en vloerbedekking te voorzien. Moira en Ken en de Pembers zaten in de tuin, voorzien van wijn en hapjes van Marks & Spencer. Jock Pember beweerde alles te weten over de inval in wat hij het 'hasjhuis' noemde, en hij zei dat hij dat had gehoord van een vriend van hem, een rechercheur die was gestationeerd op bureau Paddington Green. Meneer Deng had alleen maar de leiding over de plantage in Springmead, en de twee meisjes en de jongen waren niet meer dan slaven.
'Zo zei die vriend van mij dat. Slaven. Illegale immigranten natuurlijk, die hier naartoe zijn gebracht om op een hennepplantage te werken. Er is hun van alles beloofd over het soort werk dat ze hier zouden moeten doen, en reken maar dat er niet gezegd is dat ze hennep zouden moeten kweken.'
Duncan vroeg wie dan wél de echte baas was.
'Dat weet niemand. En daar komen ze ook niet achter. De onderknuppels draaien de bak in. Zo gaat het altijd. De politie heeft ze aangetroffen in een flat in Edgware, de twee meisjes, Xue en Li-li, en de jongen, die Tao blijkt te heten. Hij is degene die jou een klap op je kop heeft gegeven, Duncan. Waarom ben je daar trouwens naar binnen gegaan? Dat vroeg die rechercheur zich af. "Hij had ons moeten bellen," zei hij. "Die halvegare mag van geluk spreken dat hij nog leeft."'
Duncan vond dat eigenlijk nogal brutaal, een buurman die bij hem in de tuin zulke dingen over hem zei en intussen wel zijn wijn opdronk en zijn hapjes naar binnen werkte. Hij zat na te denken over een vernietigend weerwoord toen Noor binnenkwam met haar Indiase prins of sultan of wat het dan ook mocht zijn: een heel knappe jongeman, die helemaal in het wit gekleed ging. Daarna kwam Carl, die twee blikken bier bij zich had.
'Het was al halfzeven,' zei Molly, 'en ik kreeg er genoeg van om op je te wachten. En trouwens, nette mensen drinken tegenwoordig geen bier meer.'
Omdat hem door Molly nu het gras voor de voeten was weggemaaid, haalde Duncan maar een nieuwe fles wijn uit de keuken. 'Die maak ik wel open,' zei Jock, en toen hij daarmee klaar was schonk hij zijn eigen glas als eerste vol. 'De grote vraag is nu,' ging hij verder, 'of Deng degene is die Stuart Font heeft neergestoken.'
'Waarom zou hij dat gedaan hebben?' vroeg Molly.
'Nou, dat meisje, Xue, of Sue, zoals ik liever zeg, schijnt verschillende mensen aangesproken te hebben met de vraag of ze een paspoort voor haar konden regelen.'
'Wie dan?' vroeg Noor.
'Nou, Ali van de winkel op de hoek bijvoorbeeld. En de sigarenboer aan de ro-

tonde. Die heeft ze dat gevraagd terwijl Deng op haar zat te wachten in de auto. Dat heb ik van Ali gehoord. Deng zou tot alles in staat zijn geweest om dat te voorkomen.'
Noor lachte geringschattend. 'Stuart had niemand een paspoort kunnen bezorgen. Hij werkte niet voor het ministerie van Binnenlandse Zaken of zo. Hij werkte helemaal niet. Stuart was eigenlijk niet zo slim. Of om het wat minder beleefd te zeggen: hij was zo stom als het achtereind van een varken.'
'Zo stom als het achtereind van een varken?' Molly riep het zo hard dat iedereen opschrok. 'Je hebt hem helemaal niet gekend. Je hebt hem maar één keer ontmoet, toen je naar zijn feestje ging om gratis te kunnen drinken.'
'Eén keer was wel voldoende,' zei Noor en ze keerde Molly de rug toe. 'Hé, kijk eens, Duncan! Carl klimt over de schutting.'
'Hé, dat mag niet!' riep Duncan.
Maar Carl stond al in de tuin van Springmead en hief zijn glas naar de gasten die hij had achtergelaten voordat hij met grote stappen naar het zomerhuisje liep, de roze deur opentrok en naar binnen ging. Molly ging dicht tegen de schutting staan en aarzelde even, maar dat duurde niet lang. Ze zette haar glas op het gazon en klom ook over de schutting. Joshua kwam achter haar aan, zonder op het geroep van zijn gastheer te letten.
'Hou daarmee op! Jullie mogen daar niet naar binnen.'
'Ik zie niet in waarom we niet allemaal even een kijkje zouden kunnen gaan nemen,' zei Jock. 'Als er problemen van komen, regel ik dat wel met mijn vriend bij de recherche.' Noor en de prins waren al half over de schutting, ieder met een fles onder de arm. Terwijl Kathy over het hek klauterde, viel ze, maar ze krabbelde weer op en sloeg het stof en de dode bladeren van zich af. Jock trommelde de achterblijvers op. 'Jullie gaan met mij mee, en we gaan achterom, want wij zijn niet zo lenig als die kinderen en mijn vrouw.'
Terwijl hij naar Moira riep dat ze wat flessen mee moest nemen, liep hij als eerste door het deurtje in de schutting de tuin uit en de tuin ernaast binnen. Carl had de deur van het zomerhuisje open laten staan en liep nu met de rest achter zich aan naar de openslaande tuindeuren van het huis zelf toe. Ken wierp zijn hoofd in zijn nek en nam een lange teug wijn uit een fles wijn waar hij zojuist de schroefdop vanaf had gedraaid. Terwijl Duncan verbijsterd en geschokt toekeek hoe zijn feestje in een enorme puinhoop ontaardde en Marius en Rose smeekte om niet achter de anderen aan te lopen – wat ze helemaal niet van plan waren – belden Michael en Katie aan. Ze hadden twee flessen behoorlijk goede rode wijn meegenomen, en Michael zei dat het een afscheidsgeschenk was omdat ze binnenkort zouden gaan verhuizen. Ze stonden net op Duncans terras toen iemand – het was Joshua – met een baksteen een van de ruitjes van de openslaande deuren insloeg.

Duncan liet een meelijwekkend kreetje horen. 'Niet mee bemoeien! Ze komen allemaal vreselijk in de problemen. Dat is insluiping met braak!'
Als een ganzenhoeder duwde hij de overgebleven gasten naar binnen, en trok de tuindeuren dicht, zodat het geschreeuw en geroep van de ontdekkers niet meer te horen viel. De hittegolf was inmiddels toch voorbij. Het was zelfs tamelijk kil in huis en iets van de ongewenste hitte van de afgelopen maanden zou welkom zijn geweest. Ze zaten wat ongemakkelijk met elkaar te praten en toen Michael vertelde dat hij ging verhuizen, viel het gesprek stil. Hij had er niet bij gezegd dat de krant zijn contract had opgezegd vanwege de reacties op zijn meest recente artikel, dat over delirium tremens ging en waarin hij bijna alles wat er over die toestand te melden viel, verkeerd had begrepen. Daar zei hij niets over, maar hij vertelde wel dat hij de hypotheek niet meer kon opbrengen en dat nummer 4 executoriaal verkocht zou worden.
Niemand wist daar iets op te zeggen. Marius en Rose waren van plan geweest te vertellen over het huis in Finchley dat ze wilden kopen, maar dat zou nu natuurlijk niet gaan. Duncan deed zijn best om medeleven te tonen en had net opgemerkt dat achter de wolken vaak de zon scheen, toen de stilte in het huis hiernaast werd verbroken door gekrijs, geschreeuw, en roffelende voetstappen.
'Ze zijn allemaal gek geworden,' zei Duncan.
Zwijgend luisterden de vier bezoekers naar het tumult in het huis hiernaast, naar het geluid van brekend glas en lang aanhoudend gelach, angstaanjagend gejoel en een geluid dat nog het meeste weg had van iemand die op een dienblad de trap afroetsjte. Toen kwamen ze als één man overeind, bedankten Duncan voor een 'heel gezellige avond' en vertrokken.
Terwijl Duncan een vierde glas wijn dronk, drong het tot hem door dat dat voor zo'n matige drinker een glas te veel was, en dat hij zich de volgende dag waarschijnlijk ziek zou voelen. Maar één ding wist hij nu heel zeker: hij wilde nooit meer iets te maken hebben met die Jock en Kathy Pember.

Misschien kwam het door Molly's opmerking over alleen maar naar Duncans feestje gaan voor gratis drank, of doordat Joshua een ruitje had ingeslagen om het huis binnen te komen, maar wat het ook mocht zijn, het had tot Noors aankondiging geleid. Sophie en Molly, Joshua, Carl de prins en zij, stonden allemaal buiten op Kenilworth Avenue, en het was halfelf 's avonds. Duncans gasten waren naar huis gegaan en Springmead was opnieuw leeg en verlaten.
'Ik kan het jullie net zo goed nu al vertellen,' zei Noor. 'Mijn vader gaat nummer 5 te koop zetten. Het heeft geen zin om de flat nog aan te houden nu ik bij Nasr ben ingetrokken. Jullie twee zullen ergens anders een kamer moeten zoeken.'
'Ik bleef niet eens als ik geld toe kreeg,' zei Molly.

'En dat ga je niet krijgen, hè?'
'Je kunt wel bij mij intrekken, schat,' zei Carl. 'Trek je niks aan van dat mens.'
Sophie merkte op dat Joshua zijn voorbeeld niet volgde, en haar niet aanbood om bij hem in te trekken. Het zou haar niet verbaasd hebben als hij gewoon 'Tot later' had gezegd – iets wat morgen kon betekenen maar ook nooit – en vervolgens naar de metro was gelopen. Maar hij pakte haar hand en herinnerde haar eraan dat ze hadden afgesproken om eventueel nog naar de disco in de kelder van de Kenilworth Arms te gaan. Hand in hand liepen ze naar de rotonde. De chauffeur van de prins was in slaap gevallen aan het stuur van de witte Lexus, maar werd onmiddellijk wakker toen zijn werkgever en Noor op het raam tikten. Het was nog niet te laat om naar het Wolseley aan Piccadilly te gaan voor een late avondmaaltijd, want Nasr was daar een heel goede klant.
Molly wilde niet bij Carl op zijn kamer in Cricklewood overnachten, en omdat Noor haar niet met onmiddellijke ingang het huis had uitgezet, nam ze hem met zich mee naar Lichfield House. Het zag ernaar uit dat ze nog lang genoeg in dat kamertje van hem zou moeten doorbrengen, misschien wel de rest van haar leven.
Vlak voordat ze de Kenilworth Arms binnen liepen, zei Joshua dat hij geen geld had. Hoewel Sophie maar heel weinig ervaring had met mannen, had ze wel verwacht dat een vriendje – kon ze Joshua al haar vriendje noemen? – op zijn minst zijn deel van de kosten voor zijn rekening hoorde te nemen. Maar ze vond het niet prettig om al zo vroeg in hun relatie over geld te moeten praten, en zei dat dat wel goed zat, omdat ze toch net wat geld uit de muur moest halen. Haar eigen pinpas gebruikte ze tegenwoordig alleen maar als ze Olwens rekening helemaal had leeggehaald. En toevallig zou Olwens pensioen of wat het ook precies mocht zijn de volgende dag gestort worden, dus ze vond het helemaal niet erg om de kaart in de machine te duwen, Olwens pincode in te toetsen en een bescheiden bedrag op te nemen. Joshua stond achter haar, heel dicht achter haar, en terwijl ze de vijf briefjes van tien uit de automaat haalde, kuste hij haar in haar nek.
Na die kus, de eerste keer dat hij werkelijk liet blijken dat hij haar aardig vond, was hij heel lief voor haar, en terwijl de mensen om hen heen wild in het rond sprongen, schuifelden ze heel close over de dansvloer. Om een uur of twee gingen ze weg en liepen terug over Kenilworth Green, en kwamen daarbij vlak langs de grafzerk met het heggetje met Olwen erachter, maar ze waren nu te veel in elkaar verdiept om het been en de met dauwdruppels overdekte schoen in het hoge gras op te merken.

Het was de eerste koude nacht in weken. De zomer was zijn tweede helft ingegaan en volgens het weerbericht zou het warm blijven. In werkelijkheid daalde de temperatuur echter tot onder de tien graden. Olwen werd om zeven uur 's ochtends gevonden door een vrouw die haar hond uitliet, maar niet door Rose en McPhee. De hond liep recht op haar af en jankte naar de bruine leren damesschoen en de in een joggingbroek gehulde benen. Als je niet verwacht erg te schrikken, is het vrijwel onmogelijk om niet op de een of andere manier geluid te maken. Op meer dan een kille ochtend, een vervallen kerkhof en een slecht onderhouden speelweide was de eigenaresse helemaal niet voorbereid. Ze gaf een gil en sloeg toen haar hand voor haar mond.

Ze had gedacht dat Olwen dood was, maar de verplegers die haar kwamen halen, wisten wel beter. Ze bonden haar op een brancard en brachten haar naar het ziekenhuis waar ze al eerder had gelegen. Olwen was onderkoeld geraakt en van haar lever was weinig meer over. Veel viel daar niet meer aan te doen en die nacht overleed ze.

Het was op dat moment bijna achtenveertig uur geleden sinds ze in een taxi het huis had verlaten, maar Margaret had haar afwezigheid pas opgemerkt toen er vierentwintig uur voorbij waren gegaan. Ze was ervan uitgegaan dat Olwen op haar kamer zat, want daar zat ze anders ook vaak heel lang. En zelfs toen ze eenmaal had gemerkt dat haar stiefmoeder niet thuis was, nam ze aan dat Olwen wel uit eigen beweging thuis zou komen. De afgelopen weken had ze er per slot van rekening heel wat beter uitgezien. Margaret had haar pas als vermist opgegeven toen haar man had gezegd dat het moest.

Was het nodig om een begrafenis te regelen? De meneer van het uitvaartcentrum zei van niet. Hij zou het allemaal wel voor hen afhandelen. Margaret zou wel voor crematie kiezen, nam hij aan? En dat bleek inderdaad het geval. Toen dat eenmaal geregeld was, hoefde ze zich er niet meer mee bezig te houden.

Doordat ze zo lang samen met Noor en Sophie in de flat van Noors vader had gewoond, was Molly verwend geraakt. Twee grote slaapkamers, waarvan er een op handige wijze was opgesplitst, een prachtige badkamer en onbeperkte hoeveelheden warm water, een reusachtige koelkast, een magnetron, een wasmachine en een wasdroger... En dat allemaal voor een superlage huur. Als een soort oefening had ze een nachtje bij Carl geslapen. Dat had haar de ogen geopend. Letterlijk zelfs, want ze had de hele nacht vrijwel geen oog dichtgedaan Carl woonde op de bovenste verdieping van een huis in Cricklewood, en om die te bereiken moest je drie trappen op. Het was een kamer van 4,5 bij 3,5, en bij gebrek aan meubels was alles volgestouwd met rommel. Er waren geen kasten en Carl bewaarde alles wat hij maar had, waaronder ook zijn kleren en zijn sportschoenen, drie kapotte radio's en wat mobieltjes, in doorzichtige plastic zakken. Er lag een soort tapijt op de vloer, maar dat was vies en versleten, en het bed was niet meer dan een tweepersoonsmatras in een hoek van de kamer. Op

de vloer, tussen de plastic zakken, stonden een tv en een laptop. Aan de andere kant van het ene raam dat de kamer rijk was, nam een steiger een groot deel van het daglicht weg, zonder veel bescherming te bieden tegen het helle licht van de straatlantaarns.
Toen ze daar onder Carls vieze dekbed lag, had ze de inhoud van de dichtstbijzijnde plastic zak kunnen bekijken. Oude tijdschriften, blikjes bier, pakjes chips, een van de kapotte radio's, cd's, en twee dvd's, *Saving Private Ryan* en *Death Becomes Her*, een paar lege sigarettenpakjes en een injectiespuit, wat ze eigenlijk nogal angstaanjagend vond. Wat er verder in de zak zat, werd aan het oog onttrokken door een opgerolde deken en een T-shirt met een tekening van een schedel erop.
Terwijl ze wakker lag, had ze zich afgevraagd of ze hier werkelijk haar intrek zou nemen. En als ze dat zou doen, wanneer dan? En waar zou Sophie naartoe moeten? Toen ze met z'n drieën in de flat waren komen wonen, drie 'beste vriendinnen' van school, had het ernaar uitgezien dat ze daar de drie jaar die ze wilden studeren, zouden kunnen volmaken. Noors vader was zo royaal geweest dat het aanvankelijk gewoon te mooi om waar te zijn leek. Een groot appartement in een nieuwe flat, aan een busroute en niet ver van een metrostation! Ze hoefden het huis niet eens schoon te houden, want dat deed Richenda. Ze had alleen maar schoongemaakt voor Stuart, en dat, dacht ze, had ze uit liefde gedaan.
Terwijl ze rusteloos lag te woelen, naast de zachtjes snurkende Carl, vroeg ze zich af of hij het beddengoed weleens verschoonde. En waar zou hij dat dan wassen? Molly had weleens een wasserette gezien, was er zelfs regelmatig langs gelopen, maar ze was er nog nooit naar binnen gestapt. Ze kón hier gewoon niet gaan wonen, maar waar zou ze anders heen moeten als Noor haar het huis uit zette?
Toen moest ze naar het toilet. Ze pakte een deken van de vloer, sloeg die om zich heen en liep op haar tenen de lange gang door. Maar toen ze de badkamer had bereikt, zag ze door de ruit boven de deur dat er licht brandde, en de deur zelf was op slot.

De weersomslag was abrupt en fel. In de laatste week van juni daalde de temperatuur van de ene dag op de andere van tweeëndertig naar zeventien graden. Het begon te regenen en ondanks de optimistische weerberichten was het iedereen wel duidelijk dat de zomer nu eigenlijk al voorbij was. Duncan, die was gaan geloven dat het in zijn huis altijd warm zou zijn, en soms zo heet dat er niet in te leven viel, merkte nu dat hij 's ochtends na het opstaan liep te huiveren. Het was echt koud in huis en dat was iets wat hij al die tijd dat hij hier inmiddels woonde, niet had gekend. Hij was opgegroeid in een huisje aan de rand van de moerassen van Essex, waar de kachel vóór november nooit werd aangestoken, en hij schrok ervoor terug om in juli de centrale verwarming al aan te zetten, al was het maar voor een paar uur. Hij liep naar Brent Cross, waar hij van dezelfde man die hem in januari een broodrooster had verkocht en erbij had gezegd dat ze 's zomers geen straalkacheltjes verkochten, nogmaals hetzelfde nieuws te horen kreeg. Het was ongelooflijk, maar hoe kil het in juni ook mocht zijn, ze hadden dan geen stijlkacheltjes in het assortiment. Maar als hij soms een ventilator nodig had...

Duncan huiverde en liep met een deken om zich heen geslagen door het huis. Het regende hard en de ligstoel in de tuin raakte volkomen doorweekt. Hij had er nooit over nagedacht waar hij 's winters met dat ding naartoe zou moeten, en al helemaal niet in deze veel te vroeg begonnen herfst. Binnen had hij er geen ruimte voor, en in zijn schuurtje al evenmin, dus wikkelde hij er tien zwarte plastic vuilniszakken omheen.

Terwijl hij in de tuin bezig was, stapte een politieman een uniform de tuin van Springmead binnen, samen met iemand die een nieuwe ruit in kwam zetten. Duncan verwachtte dat ze hem zouden vragen of hij wist wie de ruit had ingeslagen, maar ze zeiden alleen maar 'goedemorgen'.

24

Het tuintje van Lichfield House stond nu vol reclameborden van makelaars. Columba Brown regelde de verkoop van Marius' flat, en Smith, Mawusi en Green die van de Constantines. De flat van wijlen Stuart Font was in handen van North West Woodlands, en dat gold ook voor de flat van Rose. Het koopcontract daarvoor was al getekend, maar North West Woodlands had het bordje nog niet weggehaald. Olwens flat stond al geruime tijd leeg, maar zolang niet duidelijk was wiens eigendom die was, kon hij niet verhuurd of verkocht worden. Op een koude en natte dag medio juli liet de allerchicste makelaar van allemaal, Wood, Lasalle & Stitch, een bord plaatsen waarop werd aangekondigd dat nummer 5 te koop was. Toevallig was dat ook de dag waarop Michael en Katie Constantine samen met een enorme hoeveelheid bagage de taxi namen die hen naar Paddington Street Station zou brengen, waar ze de trein zouden nemen naar haar ouders in Cardiff.

De prins had een aanzoek gedaan en hun vaders, de nabob en de multimiljonair, waren inmiddels druk in de weer met de voorbereidingen voor het huwelijk. Met een paleis in Kerala en een huis in Mayfair in het vooruitzicht was Noor in een vrijgevige stemming en ze had Sophie en Molly gezegd dat ze tot eind augustus in de flat konden blijven.

'Of tot pappie de flat verkoopt. Wat het eerste komt.'

Sophie had het opgegeven. Op 24 juli zou Olwens pensioen worden overgeboekt, maar toen ze naar de geldautomaat wilde lopen om alles op te nemen, kon ze Olwens pinpas niet vinden. Ze herinnerde zich nog dat ze het pasje uit de achterzak van haar Gap-jeans had gehaald en waarschijnlijk had ze het er daarna weer in gestopt. Dat wist ze eigenlijk wel zeker. En daar kon het niet zomaar uit gevallen zijn, want die spijkerbroek zat heel strak en niemand had dat pasje eruit kunnen vissen zonder dat ze dat gemerkt zou hebben. Daarom zou ze het er zelf wel uitgehaald hebben en had ze het daarna vermoedelijk ergens anders neergelegd. Ze zocht de hele flat af, ze voelde in alle zakken van al haar kleren, keek in alle boeken die ze rond die tijd had gelezen of voor haar studie had moeten lezen, maar tevergeefs.

Ze dacht terug aan die avond na het feestje toen Joshua en zij, Molly en Carl,

Noor en de prins en een paar van die ouwe sokken met z'n allen Springmead waren binnengedrongen en daar wild de trap op en af hadden gerend en verschrikkelijk veel hadden gedronken.
Joshua... Sinds die nacht had ze hem nooit meer gezien. Hij had achter haar gestaan toen ze Olwens pasje gebruikte, en hij had haar de pincode zien intoetsen toen hij haar in haar nek kuste. Later die nacht had ze hem meegenomen naar huis, waar hij was blijven slapen, en de volgende ochtend was hij verdwenen. Het was maar een korte relatie geweest.
Tegen die tijd had ze de hoop dat ze zouden gaan samenwonen allang van zich afgezet. Er zat niets anders op dan teruggaan naar het huis van haar ouders en opnieuw bij hen intrekken, niet alleen tot het begin van het nieuwe studiejaar, maar tot ze over twee jaar zou afstuderen. Dat betekende dat ze elke dag weer de lange en dure reis van en naar Purley zou moeten maken. Ze dacht erover na en net toen ze zich troostte met de gedachte dat haar eigen bankrekening er nu beter aan toe moest zijn dan ooit tevoren kwam Molly de flat binnen.
'Heb je het al gehoord? Olwen is dood.'
'Olwen?'
'Je weet toch nog wel wie dat was? Ze is dood. Ik heb het van meneer Ali gehoord.'
'Hoe weet die dat dan?'
'Hij weet altijd alles. En hij zei dat er een nieuwe huismeester komt, en dat het een vrouw is. Dat is toch raar?'
'Iedereen is tegenwoordig een vrouw,' zei Sophie. 'Het duurt niet lang meer voordat er helemaal geen mannen meer zijn.'
'Hoe eerder hoe beter.'
Met een beetje mazzel, dacht Sophie wraakzuchtig, was er na 24 juni geen geld meer op Olwens rekening gestort, zodat die vuile rat van een Joshua niets meer had kunnen opnemen.
Molly was Carl inmiddels als haar noodlot gaan beschouwen – haar noodlot en haar toekomstige huisbaas. Ze kon niet terug naar haar ouders, want die waren na haar eindexamen naar Torquay verhuisd. Al zou ze natuurlijk wel bij hen kunnen intrekken tot de kunstacademie in oktober weer begon, en in de tussentijd zou ze misschien een baantje kunnen nemen in een van de vele restaurants en cafés daar. Ze vond het een afschuwelijk vooruitzicht. Het was eigenlijk nog erger dan bij Carl intrekken. Hij had iedereen verteld dat ze zijn verloofde was, en hij had haar een ring gegeven, waarvan ze heel zeker wist dat hij die bij een heel goedkope modezaak had gekocht.

De makelaar noemde het huisje in Finchley dat Marius en Rose hadden gekocht een 'achttiende-eeuws pandje'. Marius zei dat hem dat een paar honderd jaar te

oud geschat leek, maar dat maakte niet uit, voor hen was het ideaal. Zijn flat was nog niet definitief verkocht en terwijl ze wachtten tot hun nieuwe woning vrijkwam, trok Rose alvast bij hem in. Op een avond, toen ze uit het Almeida Theatre kwamen, liepen ze in Upper Street Freddy Livorno tegen het lijf. Marius dacht dat Freddy hem niet herkend zou hebben, als hij alleen was geweest, en Rose al evenmin, maar samen herkende hij hen wel, en hij stelde voor om met z'n drieën iets te gaan drinken. Op weg naar de pub vertelde hij dat hij ging scheiden, en bij dat vooruitzicht moest hij brullen van het lachen. Na dat ene flesje champagne hadden Rose en Marius geen druppel alcohol meer gedronken, maar ze waren met alle genoegen bereid om aan een glaasje sinaasappelsap te nippen terwijl Freddy whisky dronk.
'De politie beschouwt me niet meer als verdachte. Ik heb een heel solide alibi in elkaar getimmerd,' zei Freddy, 'en dat hebben ze geslikt.' Die beeldspraak klopte niet helemaal, maar dat kon hem niet schelen.
'Jij hebt het niet gedaan,' zei Marius. 'En Wally Scurlock al evenmin. Het zouden de Chinese hennepkwekers geweest kunnen zijn, maar dat lijkt me niet waarschijnlijk. Ik neem aan dat de politie nog steeds aan het zoeken is.'
'Ze zeggen dat ze nooit stoppen met zoeken, maar in de praktijk houden ze er op een gegeven moment heus wel mee op. Wonen jullie nog steeds in Lichfield House?'
'Binnenkort verhuizen we naar een huisje dat we net gekocht hebben,' zei Rose, en ze voegde daaraan toe: 'We zijn getrouwd.'
'Nou, gefeliciteerd.' Freddy leek oprecht verheugd. 'Ik hoop dat het huwelijk jullie beter zal bevallen dan mij. Ik denk niet dat ik nog eens zo'n sprong in het duister waag.'

Duncan was in een uitgelaten stemming. Hij had aangeboden om het meubilair van Rose en Marius naar Finchley te rijden, en ze waren op zijn aanbod ingegaan. Zo kon hij mooi weer eens autorijden, en Rose en Marius zouden alleen maar de huur van het busje kwijt zijn, en dat was heel wat minder dan een verhuisbedrijf in rekening zou hebben gebracht. Het enige wat Marius meenam, waren zijn boeken. Al het meubilair van die lang geleden overleden ooms en tantes zou worden weggehaald door een opkoper die hem tweehonderd pond voor de hele boedel had geboden. Hij zei dat het een opluchting zou zijn om niet langer de hele tijd tegen die ouwe troep aan te moeten kijken. Nadat Duncan en Marius Rose' fraai beschilderde meubels, verrukkelijke snuisterijen en plezierige aquarellen naar het busje hadden gedragen, ging Rose met McPhee op schoot naast de bestuurder zitten, terwijl Marius in de laadruimte in Rose' met roze fluweel beklede leunstoel ging zitten om toezicht te houden op de rest van het meubilair en negen grote dozen vol boeken.

Terwijl hij hoog in de cabine over de snelweg reed, voelde Duncan zich alsof hij op vakantie ging. Hij wilde maar dat Rose en Marius naar Schotland waren verhuisd, zodat hij de hele dag had kunnen rijden.

Sophie vertrok een week later. Haar ouders deden alsof ze verrukt waren om haar weer bij zich in huis te hebben, en zij deed alsof ze heimwee had gehad en met alle genoegen terugkeerde. Van alle bewoners van Lichfield House was Molly nu de enige die nog over was. Carl drong er dagelijks bij haar op aan om bij hem in te trekken, maar ze was van plan om zo lang te blijven als ze maar kon en hoopte tegen beter weten in dat ze bijtijds nog iets anders zou vinden. Ze had tot eind augustus de tijd, dat had Noor zelf gezegd, en dus kwam het als een onaangename verrassing voor haar toen er onverwacht een klein dik mannetje in een zilvergrijs kostuum en met een grote diamanten ring om zijn vinger de flat kwam binnenstappen. Hij maakte de deur open met zijn eigen sleutel, zei dat hij Noors vader was en leek nogal geschokt toen hij Molly om tien uur 's ochtends uit de douche zag stappen (al had ze dan keurig een grote badhanddoek omgeslagen). Ze moest de volgende dag weg zijn, zei hij, want er kwamen bouwvakkers om de flat te renoveren. En vervolgens liep hij heen en weer door de flat, en tuurde aandachtig naar allerlei kleine plekjes op het houtwerk en een kras op de vloertegels, waarvan hij zonder meer leek aan te nemen dat die allemaal door Molly's toedoen waren ontstaan.
Ze zag zich genoodzaakt om twee keer naar Cricklewood te reizen. Dat waren moeizame tochten, met een koffer en drie grote supermarkttassen vol kleren en boeken. De motregen ging over in een stortbui. Carl was naar zijn werk als glazenwasser, of misschien naar zijn andere werk als autowasser op het parkeerterrein bij Brent Cross. Een van de andere huurders liet haar binnen, maar bood verder geen hulp zodat ze moeizaam haar tassen en koffer de trappen op moest zeulen.
Met haar eigen bezittingen en die van Carl in plastic zakken om zich heen uitgestald, liet Molly zich op het bed ploffen en begon te huilen. Ze kon er niets aan doen. En net zoals de lichte regen was uitgegroeid tot een plensbui, zwol haar gesnotter aan tot een stormachtig snikken en een stortvloed van tranen.

Lichfield House stond leeg. Het management had Richenda goed betaald om de leeggekomen flats die toegankelijk waren schoon te maken, maar Olwens flat hoorde daar niet bij. Nummer 6 zou misschien nog wel jaren leeg blijven staan. Olwen was intestaat overleden, haar ouders en haar beide echtgenoten waren dood en kinderen had ze niet. Margaret had aanspraak gemaakt op de flat, maar te horen gekregen dat haar zaak vrijwel kansloos was. Intussen was nummer 6 afgesloten, en kon er niemand in of uit.

Richenda kon er niet schoonmaken en de werklui die flat nummer 5 wat zouden opknappen, waren nog niet komen opdagen. Ze was een paar uur bezig in het huis van Michael en Katie Constantine, maar daar was het zo schoon dat er eigenlijk niets te doen viel behalve de flat afspeuren op kleinigheden die die twee over het hoofd hadden gezien. In een huis dat zo brandschoon was, had ze niet verwacht iets te vinden en ze was dan ook verrast en zelfs wat opgewonden toen ze in een kier in de houten vloer op de plek waar het bed had gestaan, een condoom aantrof die nog in de originele verpakking zat.
Al die lelijke ouwe troep in Marius' flat was weggehaald. Daar viel niets te doen. In Stuarts flat hoefde ze alleen maar even te stofzuigen en in de flat van Rose was zelfs dat niet nodig. Toen Richenda op weg ging naar haar werk in Ludlow House, dacht ze met enige voldoening aan de brief die ze vanochtend had ontvangen en waarin werd aangekondigd dat de scheiding definitief was, en aan Wally's proces, dat medio september zou plaatsvinden.

Alles wat Molly van huishoudelijk werk wist, had ze geleerd als dienstmeisje bij Stuart. Je liep met een stofzuiger heen en weer en je nam stof af met een doekje. Je strooide wat schuurpoeder in de wasbak, het aanrecht en het bad, en nadat je die schoon had geschrobd, spoelde je alles goed af. Je wist niet wat je wel of niet moest strijken en dus streek je alles maar. Meer wist Molly er niet van, maar ze had het gedaan uit liefde en dus had ze er genoegen aan beleefd, en als Stuart zo nu en dan eens een bedankje liet horen, was ze zelfs in de zevende hemel geweest. Haar gevoelens voor Carl waren heel anders. Zolang ze bij hem inwoonde – en ze was van plan om niet langer te blijven dan strikt noodzakelijk – ging ze heus niet vegen en afstoffen, maar aan het bed moest ze gewoon iets doen. Het stonk. En nee, Carl had geen andere lakens. Als de lakens te smerig werden, ging hij ermee naar de wasserette, waste en droogde ze en maakte er vervolgens het bed weer mee op. Omdat ze terwijl ze hier woonde geen huur hoefde af te dragen aan Noor, of aan wie dan ook trouwens, ging ze naar de winkel, kocht twee lakens en slopen en maakte het bed opnieuw op.
'Je bent fantastisch,' zei Carl. 'Je zult een geweldige vrouw voor mij zijn.'
'O, dat weet ik nog niet hoor.'
'Ik wel. We kunnen maar beter een datum voor het huwelijk prikken.'
'Ik ben nog niet eens twintig,' zei Molly. 'Ik kan nog niet trouwen.'
'Mijn oma was zestien toen ze trouwde.'
'Ja, maar dat was in een grijs verleden.'
Ze ging met de vuile lakens naar de wasserette en leerde daar hoe ze de wasmachine en de droger moest bedienen. Het was heel anders dan in Lichfield House. Op de terugweg vond ze een kringloopwinkel waar een paar groen-zwart gestreepte gordijnen te koop waren. Als ze die ophing, zou ze 's nachts misschien

kunnen slapen in plaats van wakker te liggen en naar de straatlantaarn te kijken, en naar de lichtbundels uit de koplampen die over het plafond streken. En de werklui die overdag kwamen en heen en weer liepen over de steigers, zouden haar dan niet kunnen zien en niet meer naar haar fluiten.
Carl zei dat hij de volgende dag na zijn werk naar het bevolkingsregister zou gaan om uit te zoeken wat je doen moest om te kunnen trouwen.
'Ik ga niet met je trouwen, Carl,' zei Molly terwijl ze de gordijnen ophing. 'Het duurt nog jaren en jaren voordat ik trouw. Voordat ik zelfs maar aan trouwen ga dénken, word ik eerst kunsthistorica, of misschien wel curator bij het Tate Modern.'
'Het kan toch zeker geen kwaad om uit te zoeken wat je moet doen?'
Iemand die zijn auto geparkeerd had bij Brent Cross bood Carl twintig pond per keer om zijn auto de komende zes maanden elke week schoon te maken en met al dat geld in het vooruitzicht kocht Carl twee gouden of vergulde ringen.
'Ik moet er straks ook een hebben, zodat alle meisjes weten dat ik niet meer beschikbaar ben,' zei hij.
Molly doorzocht alle kranten op advertenties van mensen die een derde of vierde huurder zochten om hun flat te delen. Ze reageerde op alle advertenties die haar betaalbaar leken, maar tot nu toe waren die toch allemaal duurder geweest dan ze zich kon veroorloven. Zou ze in een jeugdherberg kunnen wonen? Slapen in een slaapzaal, zou ze dat kunnen verdragen? 's Avonds nam Carl döner kebab en friet of pizza mee en dat aten ze dan op terwijl ze naast elkaar op de vloer tv zaten te kijken. Daarna gingen ze meestal naar de pub.
Omdat ze de hele dag niets omhanden had behalve vruchteloos zoeken naar een nieuwe flat, begon Molly de tassen door te kijken waarmee Carl zijn kamer had ingericht. Ze vond een heleboel pornoblaadjes, maar geen essentiële toiletartikelen. 'Als je een toiletrol meeneemt naar de badkamer,' had Carl gezegd, 'dan moet je niet vergeten die weer mee terug te nemen. Maar in de praktijk laat je die vaak toch liggen, en dan ben je ze kwijt. En dat geldt ook voor zeep.'
'Wat doe je dan?'
'Dan doe ik het zonder.'
Toen ze dat hoorde, liepen Molly de rillingen over de rug. Ze nam de vuile T-shirts en gescheurde spijkerbroeken mee naar de wasserette, maar toen ze uit de wasmachine kwamen, was er niets meer van over. In een andere plastic tas vond ze een paar lege wodkaflessen, een schoudertasje met een afgeknapte draagband, ongeveer honderd oude exemplaren van een of ander filmsterrenblaadje en een ingelijste foto van een oude vrouw van wie Carl zei dat het zijn oma was. Het glas was gebroken, en de breuk liep dwars over haar gezicht.
'Is dat die oma die op haar zestiende getrouwd is?'
'Nee, dat was de andere,' zei Carl met een onzekere klank in zijn stem.

Soms zag ze voor zich hoe ze de rest van haar leven zou doorbrengen met het doorzoeken van plastic tassen vol vieze rommel, in een somber, halfduister hok, waar de radio van de werklui aan de andere kant van het raam voortdurend popmuziek blèrde. Hoewel ze over een week of zes weer zou gaan studeren, moest ze toch maar een baantje gaan zoeken. Op de middelbare school had ze in de grote vakanties bij een groenteboer gewerkt en kantoren schoongemaakt. Noor had verteld dat ze als croupier had gewerkt, maar dat geloofde Molly niet, al was Noor er knap genoeg voor. Waarom zou Noor gaan werken als haar vader bulkte van het geld? Ze vroeg zich af of meneer Ali misschien een winkelbediende nodig zou hebben en op een ochtend nam ze de bus, stapte over en reed naar Kenilworth Avenue. Ze deed het vooral omwille van het uitje, om iets te doen te hebben en ergens naartoe te kunnen gaan, want ze verwachtte er niet veel van. Meneer Ali zou ongetwijfeld liever een moslimmeisje hebben, met een hoofddoekje. Maar kennelijk was dat niet zo, of kon hij zo'n meisje niet vinden, want hij wilde haar wel aannemen, drie dagen per week, van drie uur 's middags tot acht uur 's avonds.

Hij was verplicht haar het minimumloon te betalen. Molly dacht dat ze zich met dat geld misschien wel een eigen kamer zou kunnen veroorloven. Ze had zich allang gerealiseerd dat een flatje, al was het maar een studio, volkomen uitgesloten was. Uitgelaten vertelde ze het Carl toen hij terugkwam van zijn werk op Brent Cross.

'Dat sta ik niet toe.'

'Dat sta jij niet toe? Wat bedoel je daar nou weer mee?'

'Ik laat mijn vrouw niet uit werken gaan.'

'Carl, ik ben je vrouw niet, weet je nog wel?'

'Straks ben je mijn vrouw wel, en ik sta niet toe dat jij uit werken gaat. Mijn vrouw hoeft niet te werken, snap je? Ik onderhoud haar.'

Molly had zichzelf nooit als feministe beschouwd, maar ze had dan ook nog nooit een man zo horen praten, een magere man met een spits en onbetrouwbaar gezicht, een man in een vieze spijkerbroek, die een zak met döner kebab in zijn ene hand hield en een vettige zak friet in de andere. Een man die haar woedend stond aan te kijken in een smerige kamer vol met plastic tassen vol rommel. Ze begon te lachen; het was zo belachelijk dat ze haar hoofd in haar nek wierp en voluit lachte. Hij zei niets. Hij smeet de zakken met eten op de grond en stompte haar op haar opgeheven kaak. Het was een harde stomp, want hoewel hij maar een klein mannetje was, was hij jong, en na die stomp gaf hij haar een draai om de oren aan de andere kant van haar gezicht, en toen een nog hardere aan de kant waarop hij haar net een stomp had gegeven.

Gillend viel Molly op de grond. Ze krabbelde echter snel weer op, met haar beide handen tegen haar gezicht gedrukt. 'Mijn vrouw werkt niet,' mompelde hij.

Ze dacht dat ze geen woord zou kunnen uitbrengen, maar dat lukte haar wel. Al klonk haar stem wat onduidelijk, want toen hij haar sloeg, had ze hard op haar tong gebeten. 'Nu ben ik het zat. Ik ga hier weg. Ik had nooit naar dit vieze hok toe moeten komen.' Haar koffer stond nog waar ze die had achtergelaten en ze draaide zich om. Het kostte moed om hem de rug toe te keren, en ze zette zich schrap voor nieuwe klappen maar die bleven uit.
'Ga niet weg,' zei hij. De tranen stonden hem in de ogen.
Nu keek ze hem weer aan. 'Denk je dat ik hier blijf na wat je me hebt aangedaan? Ik kan nergens naartoe, maar ik ga. Ik kan de trein naar Torquay nemen. Ik kan Duncan vragen of hij me in huis neemt. Wedden dat hij dat wel doet?'
Tot haar schrik en afgrijzen zakte hij op zijn knieën. Hij huilde nu echt. 'Laat me niet alleen. Zeg dat je me niet alleen laat. We zijn verloofd. We gaan trouwen. Ik zal je met geen vinger meer aanraken. Dat beloof ik. Ik zal het nooit meer doen.'
'De volgende keer dat je boos wordt, doe je het toch.' Maar ze wist dat ze door op zijn woorden in te gaan, al was het maar om hem tegen te spreken, toch alweer half had toegegeven. Hoeveel zou een treinkaartje naar Torquay kosten? Een heleboel. En Duncan... stel je nou eens voor dat hij niet thuis was? Iedereen ging deze maand op vakantie. Misschien was hij wel weg. 'Ik blijf vannacht nog wel,' zei ze. 'En jij slaapt op de vloer.'
'Dat vind ik niet erg. Molly, ik doe alles voor je. Zeg dat je niet weggaat.'
Ze trok haar neus op alsof ze iets smerigs rook. Hij kromp in elkaar. 'Laat me eens naar je gezicht kijken. Zo hard heb ik je toch niet geslagen?' Hij krabbelde overeind. 'Je zult er geen littekens aan overhouden. Ik heb heus niet veel gedaan. Ik weet niet wat me bezielde. Het overviel me.'
'Dat zeggen ze allemaal.' Ze wist niet hoe ze dat wist, maar het was zo. Ze aten het vlees en de frieten op, en verder was er niets te eten. Hij had sigaretten meegenomen en ze rookte er een paar, niet omdat ze zo van roken hield, maar omdat het haar aan Stuart deed denken. Carl zei dat hij even een fles wijn ging halen.
'Voor mij hoeft het niet,' zei ze. 'Zo makkelijk kom je er niet vanaf.'
Maar toen Carl terugkwam met een fles goedkope rode wijn en hij die in twee bekers met barsten in het aardewerk had geschonken, dronk ze er toch wat van. Er waren geen spiegels in de kamer. Ze liep met een stuk zeep en een toiletrol naar de badkamer, en deze keer hoefde ze niet eens te wachten. Ze keek naar haar gehavende gezicht. Ze zou er een blauw oog aan overhouden, en een opgezwollen kaak. Maar terwijl ze naar haar geschonden gezicht stond te kijken bedacht ze dat ze nu in elk geval iets had meegemaakt. Nu wist ze een heleboel meer over hoe het er in het leven aan toe ging dan vanochtend. Dit was 'huiselijk geweld', en zij was er op haar negentiende al het slachtoffer van geworden.

Nu kon ze erover meepraten, niet als iets waarover ze in een boek of krant had gelezen, maar als iets wat ze zelf had ervaren. Wat trouwens niet wilde zeggen dat ze nog meer ervaring hiermee wilde opdoen. Morgen, als hij de deur uit was om bij de een of andere vrouw thuis de ramen te wassen, zou ze ervandoor gaan.

25

Een beetje vrijpostig was het wel, vond Duncan. Een beetje al te vrijpostig eigenlijk. Hij kende dat meisje nauwelijks. En hij besefte maar al te goed wat er gebeurde als mensen vroegen of ze een paar nachtjes konden blijven logeren. Dan bleven ze tien jaar lang hangen. Zijn verbeelding werkte plotseling op volle toeren. Ze zou hier intrekken met al haar spullen – koffers vol ongetwijfeld, en een hoop dozen en tassen – en ze zou de grootste logeerkamer in beslag nemen, de mooie kamer op de eerste verdieping, met uitzicht op het zomerhuisje in de tuin ernaast en op het laantje en de magnolia in de tuin ertegenover. Haar kleren zouden overal rondslingeren en natuurlijk zou ze Eva's haardroger willen gebruiken. Het lawaai van de haardroger zou 's ochtends het hele huis vullen. Ze zou de badkamer vol zetten met cosmetica, badzout en bodylotion. Ze zou voortdurend in bad zitten en daar een kleverig randje badolie achterlaten. Ze zou voortdurend haar kleren wassen en daarvoor zijn wasmachine en wasdroger gebruiken.

Dat laatste was iets wat Moira had gezegd toen hij haar over Molly's telefoontje vertelde. 'Wacht maar tot je de elektriciteitsrekening ziet, Duncan. Dan schrik je je wild.'

En daar kwam dan nog bij dat hij het nu zonder die heerlijke warmte van hiernaast moest zien te stellen.

Zou hij haar te eten moeten geven? En misschien zelfs voor haar moeten koken? Hij kon zich haar eigenlijk niet goed herinneren. Was zij nou degene met het vriendje dat die ruit had ingeslagen, of die meid met dat vriendje dat bier had meegenomen? En hoe lang zou ze blijven?

Ze had gezegd dat ze bij meneer Ali ging werken. Hij ging naar de winkel van meneer Ali om inkopen te doen. Mineraalwater, dat dronken die jonge mensen tegenwoordig allemaal, knäckebröd en appels.

'Een heel aardige jongedame,' zei meneer Ali. 'Het doet me genoegen dat ze in een net huis woont terwijl ze voor me werkt.'

'Ze blijft maar een paar dagen.'

'Ze zal goed gezelschap voor u vormen, dat zult u wel merken. En met de ramadan, die over een paar dagen begint, zal ik heel blij zijn met haar hulp. Aan

het eind van de middag voel ik me vaak erg slap van het vasten, weet u.'
Op de terugweg kwam hij Richenda tegen. Ze stapte van haar fiets om met hem te babbelen over hoe leeg het nu was in Lichfield House. 'Dat geeft me een raar gevoel. Het is een beetje eng, met al die lege kamers.'
Hij vertelde haar dat Molly straks zou komen. 'Dat grietje heeft me mijn baan bij die arme Stuart gekost. Ze zat achter hem aan, maar ze kwam geen stap verder. Pas maar op, Duncan. Ze heeft vast een oogje op je.'
Duncan maakte het bed op in de logeerkamer en hing een schone badhanddoek in de badkamer, met een klein handdoekje en een washandje ernaast. Toen hij er nog eens naar keek, zag dat er toch niet helemaal uit zoals het hoorde, en dus haalde hij ze weg, vouwde ze weer op en legde ze op het bed in de logeerkamer, net zoals Eva dat vroeger altijd deed als ze logés hadden. Sinds haar dood was er nooit meer iemand komen logeren.

Molly had maar een paar nachten in Carls kamer doorgebracht, maar toch had ze in die tijd nog meer spullen verzameld. Sommige dingen had ze wel moeten kopen omdat hij die niet in huis had: zeep en toiletpapier, want je kon gewoon niet zonder, theezakjes, want Carl dronk alleen maar bier en wijn, appels en bananen om geen maagkanker te krijgen van alleen maar döner kebab.
Ze had pijn in haar gezicht en ze voelde dat er een grote bult op haar linkerwang zat, die begon te kloppen terwijl ze haar koffer pakte en de plastic tassen volpropte. Ze kreeg niet alles erin. Ze zou nog een plastic tas nodig hebben, bij voorkeur een van die tassen met plaatjes van fruit en groenten erop, die verondersteld werden een heel leven lang mee te gaan. Terwijl ze de tassen doorzocht waarmee de kamer vol stond, had ze nergens zo'n tas gevonden, maar er waren er nog een paar die ze niet had doorzocht.
Carl was naar Brent Cross. Om vijf voor vier zetten de bouwvakkers – die eigenlijk nooit iets leken te bouwen – hun radio uit en gingen naar huis. Afgezien van het verkeersgedruis uit Walm Lane was het merkwaardig stil. Ze moest weg voordat Carl terugkwam, maar ze had nog een tas nodig. Ze ging op de vloer zitten, trok een van de plastic tassen naar zich toe en begon de inhoud eruit te halen. Omdat Molly zelf makkelijk dingen weggooide, vroeg ze zich af waarom iemand al die spullen wilde bewaren, want het meeste ervan was kapot. Ruw opengescheurde dozen waar ooit iets in had gezeten dat via internet besteld was, een rekenmachine die niet werkte, een kapotte zaklantaarn, een heleboel draagtassen... maar allemaal van dun plastic, en een beduimeld exemplaar van een boek dat *The Story of O* heette. Ze liet het allemaal liggen waar ze het had neergesmeten en begon aan de volgende tas, die onder verschillende andere had gelegen.
Bovenin zaten voornamelijk kranten, vooral de *Sun*, maar ook een paar exem-

platen van de *Daily Mail.* Een zak met stukjes metaal die eruitzagen als computeronderdelen. Nog een zak, vol met lege dvd-doosjes. Een kartonnen doos vol met gebroken porselein dat in zacht krimpfolie was gewikkeld. Een koffertje. Er ging zelfs even door haar heen dat ze dat wel zou kunnen gebruiken, dat ze daar mooi haar extra spullen in zou kunnen stoppen, maar toen kreeg ze plotseling in de gaten wat het was. Ze schreeuwde het uit en hapte tegelijkertijd naar adem, zodat ze een vreemd geluid uitstootte.
Het was Stuarts blauwe leren koffertje en voor zover daar ook maar enige twijfel over had bestaan, werd die de wereld uit geholpen door zijn initialen – SF – op het deksel.
Molly's eerste reactie bestond niet uit woede en verdriet, en zelfs niet uit verbazing, maar uit hevige angst. Het zweet parelde plotseling op haar bovenlip, maar tegelijkertijd rilde ze van de kou. Haar handen trilden zo hevig dat ze vrijwel nutteloos waren. In een situatie als deze moest je diep ademhalen. Ze haalde diep adem. Ze klemde haar handen in elkaar en liet die toen weer los. Er zat nog iets in de tas, iets wat in lompen gewikkeld was, maar ze durfde het daar niet uit te halen. Toen ze haar handen weer wat meer in bedwang had, pakte ze het vast en door de stof heen voelde ze dat het een groot mes was.
Ze wist precies wat dit allemaal betekende, maar toch bleef ze daar maar zitten, met het blauwe koffertje in haar handen. Toen kwam ze, zonder het neer te zetten, moeizaam overeind. Het zou niet lang duren voordat Carl thuiskwam. Ze wist wat ze doen moest voordat hij thuis was. Ze moest de politie bellen. Ze moest haar mobieltje zoeken en de politie bellen. Ze zag het op de stoffige, met rommel bezaaide schoorsteenmantel liggen. Ze stond nu rechtop en nam aarzelend een stap, en toen nog een, griste het van de schoorsteenmantel en merkte dat het leeg was. Het toestel had het nog gedaan toen ze Duncan belde, maar daarna was de batterij dan ook helemaal leeg geweest.
Ze had het koffertje nog in haar armen toen ze Carls voetstappen op de trap hoorde. Ze schopte de ene plastic tas na de andere naar de deur toe en ging tussen al die tassen en de deur in staan. Hij stapte naar binnen en zei: 'Geef hier, takkewijf.'
Achteraf bedacht ze hoe wonderlijk het was dat je kracht en energie kreeg op het moment dat je die werkelijk nodig had, als het een kwestie van leven en dood was. Ze bukte zich, pakte de doos met porselein en smeet die naar hem toe. De doos raakte hem tegen zijn hoofd en hij kromp in elkaar. Ze trok het raam omhoog, smeet het koffertje naar buiten en sprong erachteraan. Hij was al half het raam uit toen ze het schuifraam weer omlaagduwde, zodat hij met zijn hoofd en zijn handen klem kwam te zitten, als iemand die in een ouderwetse schandpaal was vastgezet.
Toen ze omlaagkeek, zag ze Stuarts koffertje op het trottoir liggen. Ze zag hoe

een vrouw het huis uit kwam, het koffertje opraapte en opkeek naar waar zij op de steiger stond.
'Bel de politie,' schreeuwde ze. 'Nu!'
Er stond nu al een hele menigte voor de steiger. Er vormt zich altijd snel een menigte. Toen hij al die mensen zag, wurmde Carl zich onder het raam uit, de kamer weer in. Langzaam liep Molly de ladder af. Ze huilde nu, en stootte korte, jammerende geluidjes uit. Toen ze aan de voet van de ladder stond, stapte een andere vrouw naar haar toe, groot, blond en moederlijk, en nam haar in haar armen.
'Arme meid, wat ziet je gezicht eruit! Moet je toch eens zien hoe hij je heeft toegetakeld.'

26

Duncan had er erg tegen opgezien, maar toen het eenmaal zover was en hij aan het idee gewend was geraakt, beviel het hem goed. Molly zou aanvankelijk maar een nachtje blijven en toen werden dat er twee, en ze zette inderdaad haar badzout en bodylotion in de badkamer, maar verder hield ze zich helemaal niet aan het scenario dat hij in zijn verbeelding al had opgesteld, en toen ze voor hem begon te koken en echte koffie begon te zetten voor zijn gasten, zei hij dat ze wat hem betrof hier kon blijven wonen tot ze klaar was met haar studie.

Carl Rossini en Walter Scurlock kwamen min of meer tegelijkertijd voor de rechter, maar Carls voorgeleiding voor de politierechter was niet meer dan een voorbereidende zitting, die uiteindelijk zou leiden tot een proces voor de strafrechter. Tegen Wally werd vervolging ingesteld wegens bezit van pornografische afbeeldingen van kinderen. Hij kreeg een jaar gevangenisstraf en zijn naam werd opgenomen in het register van seksuele delinquenten.
Richenda had geen speciale belangstelling voor het proces en het vonnis, al had ze er natuurlijk over gelezen in de *Daily Mail*, die over drie kolommen een foto had geplaatst waarop te zien viel hoe Wally tussen twee politiemannen in langs een woedende menigte werd geleid, met een zak over zijn hoofd.
'Ik hoop dat ze er een touw om binden en dat strak aantrekken,' zei Richenda tegen een van de dames voor wie ze schoonmaakte in Hereford House.
Later op de dag stond ze op het trottoir voor Lichfield House met Duncan te praten over al die leegstaande appartementen daar, en al die bordjes met TE KOOP erop die als jonge boompjes in de voortuin waren opgeschoten, toen er een taxi tot stilstand kwam waar een vrouw uit stapte. De taxichauffeur moest twee keer heen en weer lopen om een stel grote koffers bij de voordeur neer te zetten. Het was een fors gebouwde, grote vrouw. Iemand die minder waardigheid uitstraalde en niet met zo'n kaarsrechte rug liep, zou waarschijnlijk dik zijn genoemd. Ze was halverwege de veertig, en droeg kleding die wel een soort uniform leek, al was het dat niet: een klein zwart hoedje dat een klep had kunnen hebben maar die niet had, een zwart jasje met epauletten en koperen kno-

pen, een rok tot halverwege de enkel en stevige schoenen met veters en platte hakken. De taxichauffeur kreeg een fooi – aan zijn gezicht te zien geen grote – en de vrouw zette de koffers de een na de ander in de hal. Toen de deuren achter haar waren dichtgeschoven, zei Richenda: 'Dat zal mevrouw Charteris wel zijn.'

'En hoe heet ze als ze thuis is?' vroeg Duncan op zijn gebruikelijke, licht grappige toon.

'Ze is nu thuis. Zij is de nieuwe huismeester, de opvolger van die klootzak. En ze wil aangesproken worden als mevrouw. Ik weet niet eens wat haar voornaam is. We zullen wel zien hoe lang ze het volhoudt.'

'De huismeester?' zei Duncan, 'maar er woont helemaal niemand meer.' En daarna ging hij naar binnen, waar Molly cassoulet aan het maken was naar een recept van Nigella Lawson.

Geleidelijk aan kwamen er nieuwe bewoners, een getrouwd stel, een ongetrouwd stel, twee meisjes die een appartement deelden, een alleenstaande vrouw, een alleenstaande man, en een alleenstaande moeder met een klein meisje. Duncan stond naar hen te kijken vanachter het raam in zijn woonkamer en bedacht levens en drama's voor hen die niets te maken hadden met de werkelijkheid.